D0548498

afgeschreven

Michael Wallner

Tussen de getijden

Vertaling Liesbeth van Nes

2008

DE BEZIGE BIJ

AMSTERDAM

Cargo is een imprint van uitgeverij De Bezige Bij, Amsterdam

Oorspronkelijke titel *Zwischen den Gezeiten*
Oorspronkelijke uitgever Luchterhand Literaturverlag, München
Omslagontwerp Studio Jan de Boer
Omslagillustratie Balocchi/ALINARI Archives, Florence
Foto auteur Betina Stoß
Vormgeving binnenwerk Perfect Service, Schoonhoven
Druk Hooiberg Salland, Deventer
ISBN 978 90 234 2957 9
NUR 302

www.uitgeverijcargo.nl

Voor mijn grootmoeder Marianne

De wereldgeschiedenis is ook de optelsom van wat te vermijden was geweest.

Konrad Adenauer

I

De Engelsman had zijn ogen open. Zijn huid was niet winters wit maar doorzichtig, en door zijn zwarte haar leek zijn gezicht op het kussen nog valer. Toen Inga langs zijn bed liep, volgde hij haar met zijn ogen.

Ze had in barak H niets verloren, het hospitaal was gewoon de kortste weg naar haar afdeling – de verpleegsters kenden haar, ze waren net bezig zijn verband te verwisselen. Inga zag zijn gezwollen knie, de rode wondranden, de verse hechtingen, een bloedkorst tot op zijn kuit. Op het moment dat ze bleef staan, liet het plakbandje van haar schrijfmachinelint los. Het spoeltje sprong uit haar hand en rolde onder het bed naast het zijne. Op haar knieën zocht Inga tussen een paar uitgetrokken schoenen en de ijzeren poten van het nachttafeltje. Toen ze overeind kwam waren haar vingers zwart. Het lint hier oprollen was uitgesloten en Inga hing het in lussen over haar linkerhand; intussen had de Engelsman zijn nieuwe verband gekregen en was toegedekt. Ze beeldde zich in dat hij haar nakeek, maar draaide zich niet om.

Voor de barak stonden de mannen in de kou te roken met

hun gezichten naar het maartse zonnetje gewend, twee van hen hadden hun uniformjasje aan over hun pyjama. Of Inga de nieuwe verpleegster was, vroeg er een en, met een blik op het schrijfmachinelint, of zwarte zwachtels nu in de mode kwamen. Ze speelde het spelletje mee en hoorde de Tommies achter haar nog lachen. Al lopend draaide ze haar rug naar de wind, maar de lussen aan haar hand fladderden toch omhoog, en achteruit lopend als een kreeft verliet ze het hospitaal. Het lag maar een steenworp verwijderd van de ingang van het kamp, de wachtpost schoof zijn helm in zijn nek en zwaaide naar Inga.

Ze nam de zandweg langs de rozenbottels en liep om de mess heen over het pad achter het tankstation, waar alleen iemand stond als er vliegtuigen werden verwacht. De onderofficier benutte de tijd tot aan de lunch om het terras voor de eetzaal te laten vegen. Een kapitein zat in de zon te lezen en zonder op te kijken tilde hij zijn voeten op toen de bezems hem bereikten. De wagen van de commandant stond voor zijn barak geparkeerd, er was stafbespreking, realiseerde Inga zich, het moest dus woensdag zijn. De weg splitste zich, links lagen de onderkomens van de manschappen en daarachter het vliegveld, de smalle taxibaan verdween tussen de grove dennen. Ze hadden de barakken midden in het dun begroeide bos gebouwd – barakken, dacht Inga, geen tenten, ze bleven nog wel even. Rechts doemde de afdeling Bevoorrading op. De officiële afkorting voor Inga's werkplek luidde anders, maar omdat van hieruit bestellingen werden gedaan voor alles wat er in het kamp nodig was, droeg de barak de bijnaam 'Goodies' – de G stond in rood op de achterkant geschilderd.

Inga's sergeant had zijn stoel buiten gezet en zat met zijn jas tot bovenaan dicht zijn thee te drinken. 'Vanwege de Duitse stiptheid,' zei hij ter begroeting tegen de jonge 'Civilian Employee'.

Ze verontschuldigde zich, de vrachtwagen uit de stad was te laat weggereden. Een windvlaag kreeg grip op het schrijfmachinelint en ze vroeg de sergeant de deur voor haar open te doen. Lachend bleef hij zitten en sloeg haar gade terwijl ze onhandig de deurknop omdraaide en in de barak verdween.

De lijsten moesten voor de middag klaar zijn, maar Inga had bijna al die tijd nodig om het lint op de spoel te rollen. Steeds weer gleed het ertussen uit, raakte gedraaid en uiteindelijk was het wieltje te dik geworden en paste met geen mogelijkheid in de machine. Op het laatst waren haar handen, haar armen en de tafel smerig. Met haar ellebogen deed ze het raam open om de zonnige lucht binnen te laten. Wat lagen die blokken daar vreedzaam, je zou kunnen denken dat het een vakantiekamp was, alleen de kinderen ontbraken. Ze draaide zich om, daar stond haar tafel met de stempels, opgehangen in de cirkelvormige houder, met het papier en de enveloppen met de opdruk van het leger van Zijne Majesteit. Zelfs de oude Remington zag er op deze voorjaarsmorgen niet zo heel zwart uit. Inga bedacht dat ze carbonpapier moest bestellen. De deur naar het kantoor van de *officer* stond op een kier en viel door de tocht met een klap dicht.

Ze probeerde het eerst niet eens met zeep. Met gespreide vingers liep ze naar de keukenbarak en leende de ruwe steen waarmee daar uiensap en vet werden weggeschrobd. Terwijl ze boende, drongen de etensgeuren in haar neus en bij het weggaan wierp ze een blik in de ketel waar de kok in stond te roeren – het was bruin, verkookt en rook te zout. Ze zouden het *stew* noemen, zoals altijd.

De lijst van het zware materieel had al lang af moeten zijn: uitrusting voor de genie, reserveonderdelen voor bergingstanks, voertuigen voor spoorwegaanleg, speciaal gereedschap; wel honderd lichtbruine formulieren, genummerd en voorzien van afkortingen, die Inga op serienummers sorteerde voordat ze achter de torenhoge stapel papier de lijsten begon samen te stellen.

Ze bleef tot lang na diensttijd, de laatste vrachtwagen naar de stad was al lang geleden weggereden en als ze niet bij iemand achterop kon springen, moest ze anderhalf uur lopen. Ze trok het laatste blad uit de machine, verwijderde de doorslag, deed het origineel in de groene map en bracht de papieren samen met de grijze map naar het kantoor van de officier. Zonder licht te maken vond ze de juiste mand, legde daar alles in, pakte haar jas en sloot bij het weggaan af.

De nacht was fluweelzacht en rustig. Bij de dennen werd gelachen, wat ingetogener dan overdag, twee lantaarns beschenen de eerste meters van het vliegveld en daarachter verdween de taxibaan in het donker. Inga liep langs de onverlichte commandobarak, waar de Union Jack slap aan de mast hing, in de mess speelde iemand piano. Ze nam de kortere weg door het bos naar de slagboom. Tussen de kale stammen van de grove dennen en de uitbottende struiken schemerden de lichten van de onderkomens. Ze richtte haar blik op de grond, haar schoenen konden niet tegen de plassen. Bij de achterkant van het hospitaal bereikte Inga de zandweg weer. 's Avonds werd het in H als eerste stil, vanwege de medicijnen nam ze aan.

Ze had gedacht dat hij nauwelijks overeind kon komen, maar daar zat de Engelsman op het terras, zijn gestrekte been op de gemetselde borstwering – geen enkele andere patiënt bij de deur, ook de nachtzuster niet – hoe was hij naar buiten gekomen? Zijn badjas lichtte op in de schemering en hij stak zijn arm omhoog. Half op de weg, nog half verborgen door de rozenbottels, hoopte Inga dat hij niet haar bedoelde. Kon ze hem gewoon negeren? Inga liep verder, maar hij liet zijn hand in haar richting zakken en zijn gestrekte vinger wees op haar.

Nooit had ze hem, sinds ze bij de Engelsen werkte, op een kantoor of tijdens het eten gezien. De eerste keer was hij haar opgevallen toen ze haar dagelijkse kortere route door het hospitaal nam, want hij lag in het ochtendlicht onder glanzend beddengoed, 'opgebaard' was het door haar hoofd gegaan, lijkbleek, met gesloten ogen en zijn gevouwen handen op zijn borst. Inga had gedacht aan een beschieting of ontploffing. De volgende dag lag hij er nog net zo, bewusteloos of slapend, en toch was hij verplaatst, zijn haar was verzorgd, de beddenpan was halfvol en er lag een aangebroken reep chocolade op zijn nachttafeltje. In het voorbijgaan had ze het naambordje gelezen – *A. Hayden, Lt.* Waar stond die A. voor?

De vinger bleef pal op Inga wijzen. Alsof ze haast had, week ze slechts een stukje van de weg af en bleef op het grasveldje onder het terras staan.

'Ja, sir?'

Hij keek haar aan. 'De anderen zijn al lang in de stad.'

Zijn stem klonk verrassend diep. Ze merkte hoe levenloos het gezicht van deze man was, hij had geen haar in zijn witte hals, geen schaduw van een baard en hij deed haar denken aan een kerkbeeld.

'Hoe komt u thuis?'

'Te voet.' Haar hand steunde op de laatste plank.

'Daarvoor hebt u niet de goede schoenen aan.'

De uitbouw waarop hij zat, was verlicht, maar het gras daaronder was donker – hoe kon hij haar sandalen zien?

'Die zijn te koud voor de tijd van het jaar,' zei hij.

Te koud en te klein, dacht Inga. Alles aan haar moeder was gracieus. Aan het begin van de oorlog had ze de rode sandalen in de kast gezet. Die zijn voor een oorlog te vrolijk, had ze gezegd en droeg zwarte tot het einde van de oorlog. Nu ben ik daar te oud voor, had haar moeder vorig jaar gezegd toen de zomer voorbij was en ze had Inga de sandalen gegeven.

'U heet Inga, hè?'

Vanaf de eerste dag hadden de Britten moeite met haar achternaam gehad, sommigen braken er hun tong over en anderen maakten er een grap van. 'Dat is niet uit te spreken,' had de officier van de bevoorrading hoofdschuddend gezegd. Omdat haar aanslag foutloos was en haar potlood over het stenoblok vloog, wilde hij het toch met haar proberen. Iedereen in het kamp zei 'Inga', en toch had ze graag geweten waar de luitenant die wetenschap vandaan had.

'Komt u hier uit de buurt?'

Ze knikte.

'Hoe is het hier?'

'Als je van de hemel houdt, is het mooi.'

'De hemel?'

'Waar u ook heengaat, overal ziet u de horizon.'

'Zo vlak, bedoelt u?' De donkere stem klonk als kabbelend water.

'Nee, hoog. Voor mij is ons land hoog. Waar komt u vandaan?'

De vraag verraste hem. 'Trek een lijn op de kaart vanuit uw stad naar het noordwesten,' zei hij. 'Dan vindt u mijn stad.'

'Engeland?'

'Schotland.' Hij sprak het woord uit als een kostbaar kleinood. 'Groene bergen en klippen die tot vlak boven het water begroeid zijn.'

Hij merkte dat ze naar de slagboom door wilde lopen. 'Zou u mij een genoegen willen doen?'

Opeens had ze het gevoel weerloos te zijn in haar dunne jas van zwart-wit getwijnd garen, haar kniekousen en het gebreide vestje van haar moeder. Die vale man met zijn oude stem en zijn verbonden knie op de borstwering, hoe was hij naar buiten gekomen, hoe ziek was hij eigenlijk?

'Zal ik de zuster roepen?' Inga had tegen het terras aan geleund, nu duwde ze zich af.

'Het duurt niet lang.' Onder de stof van de badjas kwamen smalle, krachteloze armen te voorschijn, de beweging veroorzaakte pijn. Inga liep de drie treden op en zei dat hij naar bed moest.

'Ik heb iets nodig uit mijn barak.'

'Aan wie zal ik het doorgeven?'

Hij legde zijn handen op zijn buik ten teken dat er van hem geen gevaar te duchten was. 'Zou u het voor me willen halen?' Zijn ogen maakten geen zieke indruk, eerder een afwezige. Een haarsliert viel over zijn wenkbrauwen.

'Het is de vierde kamer in het rechter blok, in mijn kastje, een zwart foedraal.' In het hospitaal hoestte iemand, hij keek opzij. 'Wilt u me dat genoegen doen?'

Ze wilde nee zeggen, hij had geen dienst en kon haar geen bevel geven. Ze dacht, dom om naar hem toe te lopen, ze was anders al lang de slagboom voorbij geweest, op een vrachtwagen gesprongen of bij iemand op de stang van zijn fiets meegereden.

'Als iemand me in de officiersonderkomens betrapt, ben ik mijn baan kwijt.'

'Onzin.' Nauwelijks merkbaar legde hij een hand op haar mouw. 'Om deze tijd zitten ze allemaal in de mess. Kunt u levensmiddelenbonnen gebruiken? Ik geef u drie dagrantsoenen... voor een klein genoegen.'

'Ik hoef geen bonnen van u.' Ze schudde zijn hand af en schaamde zich ervoor dat ze bleef staan.

'Naar rechts draaien.' Ze voelde dat hij haar de sleutel gaf, zijn vingertoppen waren warm. Ze liep het trapje af met het sleuteltje in haar hand geklemd, tilde haar voeten in het gras overdreven hoog op en bedacht dat het verstandigste was naar de poort te gaan, de wachtpost goedenacht te wensen en er tussenuit te knijpen. Het avontuurlijke gevoel dat Inga steeds overviel wanneer het onbekende lokte, maakte dat ze de tegenovergestelde richting insloeg. Ze liep om de mess heen via het pad langs het tankstation en de officierskwartieren doemden op. Er hing één gloeilamp voor beide huizen en de kabel was om de takken gewonden; hoewel het windstil was, bewoog het licht heen en weer. Inga verschool zich in de schaduw van de eik, geen enkel raam was verlicht, maar er klonk zachte pianomuziek door het kamp, het had iets onwezenlijks, pianospel in het bos. Ze glipte over de open plek naar de rechter barak; op het trapje, doordrenkt met het vocht van een hele winter, klonken haar voetstappen dof. Ze draaide aan de deurknop, keek de duisternis in, *vier* dacht ze, en wist niet meer of het rechts of links was. Een koele gangwand, want de kachels waren sinds drie dagen uit, en ze probeerde de vierde deur, opende die op een kier en zag slechts omtrekken. Stroomuitval, dacht ze, verscheidene keren per week gaf de generator de geest, in Inga's kantoor hadden ze lucifers op de wastafel gelegd. Ze tastte naar rechts, een blad van aardewerk, de kraan, en daar lag het doosje; ze schudde het, de laatste twee lucifers, en ze streek er een af. Eén bed in plaats van de stapelbedden bij de soldaten, tafel en stoel, verder viel alleen de lamp op met zijn versierde bronzen voet en een veelkleurige glazen lampenkap. Tussen raam en bed stond de kast. De lucifer ging uit toen Inga hem liet vallen. De sleutel voelde vochtig aan, ze veegde hem af en stak hem in het hangslot. Het sprong open met meer lawaai dan haar lief was en de metalen deur draaide langzaam en knarsend open. Ze ontstak het laatste vlammetje. De vakken waren bijna leeg, wat er lag was ordelijk gesorteerd en ze zocht met haar vrije hand. Zacht leer en een druksluiting, Inga trok iets tussen boeken en briefpapier uit, een vederlicht foedraal. Waaraan ze ook had gedacht – tabletten, spuiten, flesjes misschien, die binnenin rinkelden – niets van dat alles kon het zijn. Ze brandde zich opeens, sprong achteruit, de vlam ging uit en ze legde haar vingertoppen ter verkoeling tegen haar oor. In het donker maakte ze alles weer in orde, klemde het etui onder haar arm en legde het lege lucifersdoosje op de plank. Bij de kamerdeur en meteen daarop bij de buitendeur luisterde ze of ze stemmen hoorde; de luitenant had nog steeds gelijk – rond deze tijd was de mess het centrum van de wereld.

Tweemaal speelden haar vingers op de terugweg met de sluiting, ze hoefde de lip er maar uit te halen en de drukknop los te trekken. Rekende hij erop dat ze het deed? Inga besloot de etensbonnen aan te nemen. Van achter het munitiedepot kwam de patrouillepost te voorschijn. Hallo Inga, zei hij, en onder een lantaarn zwaaide ze terug.

2

'Niet het groene.' Inga's moeder zat in de felgele leunstoel. Hoe moeilijker het was sigaretten te krijgen, hoe langzamer ze rookte.

'Ik moet de boer iets geven wat hij weer verkopen kan.' Met reuzenschreden marcheerde Inga's vader op en neer. Op straat en bij de instanties maakte zijn manier van lopen indruk, men liet hem voorgaan, vermoedde een sterke persoonlijkheid. Haar moeder keek niet eens op van haar boek.

'Het groene servies komt van mijn grootouders uit Husum,' zei ze. 'Verder heb ik niets meer van hen.'

'Oud en beschadigd spul.' Zijn uitgestrekte armen raakten de kamermuren bijna aan. 'Dat merkt de boer niet eens.'

'Niet het groene.' Haar moeder zette haar benen zo neer, dat haar dunnere linkerbeen door het rechter werd verborgen. Ze was vandaag niet knapper dan anders, maar in de lichte jurk zag je alleen beter hoe knap ze eigenlijk was. 'Als je per se wilt ruilen, neem dan servies van jouw familie.'

Het hoornen montuur trilde, achter de brillenglazen leken zijn ogen te schitteren als het sein van een vuurtoren. 'Moet ik dan met lege handen...!' Met zijn twee meter torende hij boven haar uit. Hoewel er geen zuchtje wind door de kamer streek, zag zijn asblonde haar er verwaaid uit.

Haar moeder nam een laatste hartstochtelijke trek en drukte de sigaret daarna uit in het zilveren schaaltje dat op de armleuning was vastgeklemd. Ondanks haar voorzichtigheid was de stof rond de asbak grijs gespikkeld. 'Erik,' zei ze op een toon alsof ze bitter teleurgesteld was in hem.

'Dus ik heb de auto voor niets laten komen?' Zijn handen zakten naar zijn broeksnaad. Het lichtgrijze pak stond hem zo goed dat hij het droeg als hij een serieuze indruk wilde maken, maar nu vervloog zijn hoop dat er nog wat terecht zou komen van hun tocht langs de dorpen. Hij zag zich het pak alweer uittrekken en de gabardine broek uit de kast halen – hoe afgedragen die ook was, zelfs zijn oudste broek werd gestreken, want zonder scherpe vouw begaf Erik zich niet onder de mensen.

'Vroeger zou zoiets niet zijn voorgekomen,' mompelde hij. 'Vroeger hoefde je je porselein niet te verpatsen als je...'

'Nog één woord over vroeger...' haar zachte ogen keken vlammend naar hem op, 'en ik haal je portretten van de vliering en hang ze uit de ramen.'

'Laat die portretten waar ze zijn!' blafte hij en deed tegelijk een stap achteruit.

Ze gaf geen antwoord, beiden wachtten af.

'Jij wilde eropuit, Marianne,' zei hij listig. 'Wat moet ik nu nog bij de boer?'

'We vinden wel iets.' Ze legde haar boek weg, stak haar hand uit en hij hielp haar opstaan, zo terloops als had het niets met haar been te maken. Langzaam, arm in arm, liepen ze door het huis alsof ze door een meubelzaak liepen. In de keuken vonden ze niets, het onderwerp porselein was afgehandeld en van Eriks keukengerei kwam niets in aanmerking.

Ze liepen de kamer op het zuiden in, een maarts zonnetje was boven de nok van het dak geklommen; Marianne stelde het schilderij met de aanstormende paarden voor en hij wees op de glazen mandarijn met de lampenkap die uit zijn hoofd oprees. Ze betraden de raamloze gang en stonden stil voor de deur van Eriks gestorven broer; diens weduwe woonde daarachter, zo geruisloos alsof ze hem al was gevolgd. Zwijgend wilden ze al verdergaan naar de huiskamer toen een moeizaam 'Tak!' tot hun bewustzijn doordrong. Tegelijk draaiden ze zich om; ze hoefden maar een paar seconden te wachten voor het raderwerk zich in beweging zette, de dikke kegels van de gewichten naar beneden zakten en het slagwerk metalig het kwartier sloeg. Erik keek Marianne aan, haar ogen zeiden ja.

'Krijgen we hem de kofferbak wel in?' Haar vader ging naast de notenhouten kast staan.

'Vast wel.'

'Twee zijden spek en twee flessen zelfgestookte,' berekende hij de tegenwaarde.

'Neem maar één fles.' Ze liep op hem af. 'We hebben aardappelen nodig.'

'Je hebt gelijk.' Hij legde zijn arm om haar heen. 'En wintersla. Het duurt nog weken voordat de tuin wat oplevert.'

Terwijl hij dat zei, gleed haar hand over de zak van haar rok, ze snakte naar de volgende sigaret.

Na twaalven verviel het kamp in een soort slaperigheid. De officier kwam niet terug uit de eetzaal en liet het aan de sergeant over hoeveel er niet werd afgehandeld en de sergeant liet het over aan Inga. Ze schreef de bestelling voor acht ontbrekende presennings, vroeg nog eens om carburatorkappen en gaf de weeklijst van de wasserij door. De platenspeler op batterijen, een speciale wens van de commandant, werd tot dienstaangelegenheid verklaard.

Het transport naar de stad vertrok een halfuur te laat, maar daar had ze rekening mee gehouden en ze kwam precies aan toen de achterklep naar beneden ging. Op de banken van de laadvloer verdrongen zich zestien Engelsen plus Inga. De wagen reed door het landschap waar zij als meisje voor het eerst alleen had gefietst, over modderige wegen en langs rechthoekige, omheinde weiden, onder populieren die zich hoog de hemel in strekten. Hoe had ze ooit kunnen denken dat ze hier op een dag zou werken, op een kantoor midden in het bos?

Het land hier lag tussen twee zeeën. Voor mensen aan beide kusten was het water hun werkplek, ze voeren over de Oostzee naar de Deense Bochten en verder naar Zweden. Ze werkten op Pellworm, Amrum en Sylt, de eilanden in het westen, hun nederzettingen lagen op verhoogde heuvels en werden beschermd door dijken. Groengele landtongen baanden zich een weg het water in, weiden die werden onderbroken door oplichtend koolzaad. Reed je verder landinwaarts, dan werden de velden begrensd door haagjes van struikgewas, stonden er beuken om de herenhuizen en werd menige bakstenen kerk door een speelse uivormige toren bekroond. Inga's stad lag in het midden van het smalle land, maar ook hier was de nabijheid van de zee te merken. Geen enkel herenhuis had meer dan drie verdiepingen, het gotische bouwwerk van de Sankt Johannis stak overal bovenuit. Föhrden werd omgeven door middeleeuwse torens en de kerkhoven lagen buiten de stad, want het grondwater stond er hoog en de doden moesten in ondiepe grond worden begraven. Een Deense koning, tevens hertog van Sleeswijk en Holstein, had de plaats in 1615 tot stad verheven, met als enige bijzonderheid de warme modderbronnen, waarmee zowel toen als nu reuma werd behandeld.

De Engelsen waren over de Bocht van Helgoland gekomen en hadden de havens bezet. Strijd hadden ze verderop geleverd, waar nu de straat werd aangelegd, maar hier in de omgeving was geen schot gevallen. In Föhrden rukten ze pas binnen toen alles voorbij was. Dat was nog niet zo lang geleden.

De zware banden wierpen het slijk de berm in. Niemand behalve Inga zag dat er al veldbloemen groeiden, narcissen en sleutelbloemen, rondom een kapotte rupsband, roestbruin, als een in de zon afgeworpen slangenhuid. De soldaat naast Inga staarde naar haar knieën, die maar voor de helft door haar rok werden bedekt, haar jas was ook te kort. Ze drukte haar kuiten tegen elkaar, trok haar sjaaltje dichter om haar hoofd en dacht aan de luitenant met zijn witte huid. Uit het donker was ze het terras op gelopen en had hem het foedraal overhandigd. In plaats van te bedanken knikte hij alleen en leek opeens volkomen uitgeput. Ze had de etensbonnen meegenomen en ze hadden alleen het hoogstnoodzakelijke gezegd.

Eenmaal binnen de stad sprong Inga uit de wagen en liep het laatste stuk, ze keek naar het patroon van de straatstenen en stelde zich alle schoenen voor die deze stenen zo blinkend glad hadden geslepen; de voetstappen reikten tot in een ver verleden. Een tor kon het hoogteverschil tussen twee stenen niet klaren, onwezenlijk langzaam bewoog hij zich, alsof het een gecompliceerde taak was om zes poten tegelijk te gebruiken. Met zijn voorpoten overwon hij de hindernis en trok zich op, maar zijn achterpoten struikelden en hij gleed terug. Was hij door de lente zo bedwelmd of had hij in de winter verzuimd te sterven en leefde hij langer dan zijn tijd was? Met een vinger hielp Inga hem de hoogvlakte te bereiken waar hij nu geen raad wist, slaapdronken bewogen zijn voelsprieten heen en weer. Achter Inga werd er getoeterd, ze rook de stank van een vrachtwagen. Ze realiseerde zich opeens dat ze op handen en voeten midden op straat zat, sprong overeind, ging opzij en sloeg de tor bezorgd gade, die tussen de wielen verdween en daarna weer opdook.

Toen Inga thuiskwam, stond Hennings auto voor de tuindeur. Hij en haar vader sleepten de staande klok de trap af; hoewel ze de slinger en de gewichten eruit hadden gehaald, sloegen de ijzeren onderdelen met elke stap tegen elkaar aan. Inga streek over de letters op de radiateur van de wagen en sloeg de mannen gade bij het werk. Henning was veertig en de beste vriend van de familie. Hij had twee zonen van twaalf en acht, en toen hij van de Balkan terugkeerde, hadden de jongens hem niet herkend. Dat hij ongedeerd was gebleven, had hij aan zijn paard te danken dat hem twee dagen voor het tegenoffensief van zijn rug wierp en toen hij met een gekneusde ruggengraat in het hospitaal lag, hoorde hij dat al zijn kameraden waren gesneuveld. Henning was zwaar, zij het niet lomp, met haar als staalwol. Maar vergeleken met Erik maakte hij toch weinig indruk.

'Pas op met het glas.' Marianne had haar kussen in de vensterbank gelegd en hield rokend toezicht op het vervoer.

Ze zetten het moeilijk hanteerbare uurwerk op de drempel en haar vader vloekte omdat zijn pak een minuscuul vlekje had opgelopen.

Henning ontdekte Inga, liep op haar af, pakte haar handen en kuste haar op haar wang. 'Ga je ook mee?' Hij glimlachte, zodat zijn gouden tand schitterde.

'We hebben ook eieren nodig,' zei haar moeder van boven.

'Hoeft niet.' Inga trok de volgeplakte kaart te voorschijn, tussen de bruine bonnen waren er ook twee met het begeerde rode stempel.

'We zouden je officier bij gelegenheid eens moeten bedanken.' Tussen duim en wijsvinger hield Marianne haar sigaret omhoog, om geen as in de tuin te laten vallen. Inga schrok, maar begreep tegelijk dat haar moeder niet de luitenant bedoelde, maar de bevoorradingsofficier.

'Rijd je mee?' herhaalde Henning. Zijn hemd stond open, zijn haren kleefden aan zijn borst door het opgedroogde zweet.

Ze wilde eigenlijk antwoorden dat ze moe was, maar tegelijk had ze zin om bij Henning in de auto te zitten. Hij komt vanwege jou, had Marianne een keer gezegd. Wat hij wil mag je hem niet geven, maar vriendelijkheid kost niets.

Inga maakte zichzelf wijs dat ze het voor haar moeder deed; Marianne genoot ervan door de omgeving te worden gereden. In de auto kon ze overal heen en was net zo beweeglijk als vroeger. Terwijl de anderen door de natuur liepen, stapte zij niet uit, maar ze stak slechts haar benen uit in de zon.

'Is er dan plaats voor iedereen?' Inga beantwoordde Hennings handdruk.

De kofferbak stond open met de wollen deken erin uitgespreid en haar vader en hij hesen de klok erin; ze zouden hem vast moeten binden.

'Plaats zoveel je wilt,' zei Henning. 'Instappen!' riep hij omhoog naar het raam.

Marianne sloot de openslaande ramen, het duurde even voor ze boven aan de trap verscheen en nu kwam het lastigste deel. Ze ging op de bovenste trede staan, plaatste het smalle been naast het gezonde, zette zich af en liep een tree naar beneden. Daarbij gebruikte ze de leuning zo terloops alsof ze het eigenlijk zonder had kunnen stellen. De anderen hadden best willen helpen, maar bleven bij de auto staan – buiten, waar vreemden haar konden zien, ontzegde Marianne zich de steun van anderen. Hoeveel tijd ze voor de steile weg ook nodig had, ze bleef stralend naar hen glimlachen, wat betekende dat het eindelijk lente was geworden.

Ze vertrokken naar Jemshoe. Wanneer er nog maar nauwelijks met de auto tussen de met regen gevulde gaten door te komen was, verduisterde Hennings gezicht, maar als hij dan Inga's blik in de achteruitkijkspiegel opmerkte, trapte hij het gaspedaal zo ver in dat het water opspoot en lachte om Mariannes angstige uitroepen.

De boer leverde rode bieten en selderijknollen, maar geen aardappelen of drank. Haar vader geloofde zijn uitvluchten niet, maar had geen zin om met de onhanteerbare klok weer naar huis te moeten. Maar een fatsoenlijk stuk vlees, daar stond hij op. De boer zei dat hij pas kort voor Pasen zou slachten. Dan moesten ze die verre reis nog een keer maken, zei Erik hoofdschuddend. Een lammetje kon hij wel meteen leveren, bond de boer in, want het zou de nacht niet overleven. Hoewel de schapen buiten in de wei stonden, ging hij de stal in en bracht een jong dier mee terug dat een bebloede kop had; er ontbrak een stuk van de snuit, waardoor de tandjes waren te zien, en het beefde over zijn hele lijf. De hond had het gebeten, verklaarde de boer en bood aan het meteen te slachten.

'Het duurt nog wel even tot Pasen,' zei Inga. 'Blijft het vlees dan wel zo lang goed?'

Haar vader kon ze bedriegen, haar moeder niet. 'Het heeft pijn,' zei Marianne. 'Zie je dat niet?'

Afgezien van de wond was het gezond, bracht Inga ertegen in. De boer keek Erik aan, het besluit lag nu bij hem.

'De klok is veel waard.' Door de dikke glazen maakte zijn blik een hulpeloze indruk.

'Dat kreng heeft nooit iemand mooi gevonden!'

De boer had het lam op de grond gelegd, het hoorde de andere blaten, wilde overeind springen, maar zijn achterpoten begaven het. Inga liep ernaartoe en nam het op haar arm. Het bloed rond de beet werd al dik.

'Je bent toch geen kind meer,' zei haar moeder en zinspeelde daarmee op de dag dat Inga de haas had vrijgelaten. Wekenlang geen stukje vlees, op de radio niets dan oproepen om ondanks alles tot het eind vol te houden en toch was Inga in de nacht voordat Erik het beest de nek zou omdraaien, naar de stal geslopen en had het op het veld losgelaten. Verscheidene keren moest ze in haar handen klappen om het dier weg te jagen, voor het in het duister verdween. Marianne had Inga een dusdanig pak slaag gegeven dat haar arm er pijn van deed, terwijl Erik intussen kreunend op en neer liep in de keuken.

'Tot Pasen,' bedelde Inga.

'Wie moet het slachten? Waar moet het blijven?'

Vannacht, misschien morgennacht, herhaalde de boer, dan was het toch voorbij. Inga beloofde gecondenseerde melk uit het kamp mee te brengen, wachtte mogelijke tegenspraak niet af en liep met het dier naar de auto, voor haar besluiteloze vader langs.

'Wacht.' Henning spreidde een deken over de achterbank. De blik die hij haar ouders toewierp, liefdevol en schalks, mocht zij niet zien. Het lam ademde met korte stootjes. Inga drukte het tegen haar borst en haar blouse kleurde rood.

Slechtgehumeurd kwam Marianne naar de auto. 'Jij en je verdomde dierenliefde.' Bij het instappen hield ze zich vast aan het portierraam.

De boer en Erik bezegelden de zaak op handslag, hij droeg de zij spek naar de kofferbak en Henning volgde met de zakken groenten. Toen Inga achterom keek, moest ze lachen – op de drassige weide stond de staartklok, omringd door schapen.

3

Het was een standaardenveloppe, zonder stempel, waaruit bleek dat hij niet via een bureau was binnengekomen, maar van barak naar barak. Inga's volledige naam stond erop met de toevoeging 'C. E.': niet-militair personeel. Inga rondde een klacht af over bedorven vlees in blik, pakte de brief tegelijk met de groene map op en verliet haar kantoor. Halverwege de commandobarak vormden vijf grove dennen een kring, waar Inga middenin ging zitten en de enveloppe opende. Slechts één gevouwen blaadje, uit een schrift gescheurd.

Zou u me dit weekend nog een genoegen willen doen?

Verder niets, behalve de ondertekening: *Alec Hayden.*

Ze liet het papier zakken en keek naar haar rode sandalen: haar kleine teen was uit het bandje geglipt en stak er aan de zijkant uit. Waarom was ze er zo zeker van geweest dat de brief van hem afkomstig was? Ze wipte het opstandige teentje op en neer – één regel, niet de moeite van een antwoord waard –, schoof het blad terug in de enveloppe en liep door naar de commandobarak.

's Middags at Inga niets van de stew, in plaats daarvan

nam ze appels en witbrood, keerde eerder dan de anderen terug naar haar werk en verraste de sergeant met afgeronde lijsten die pas over drie dagen werden verwacht. Ze keek een tijdje naar de zon, die 's middags fantastische patronen op de bosgrond tekende. Bij het verlaten van de barak ontmoette ze haar officier, die het een goed idee vond er eerder mee te stoppen en een stuk met haar opliep. Op de zandweg namen ze afscheid, Inga meed de ziekenafdeling en bereikte de poort via de rozenbottelstruiken. De soldaat wilde er niets van horen de slagboom te laten waar hij was, maakte er een sport van en de ijzeren balk zweefde omhoog. Inga liep eronder door, maar na een paar stappen bleef ze staan.

'Dom,' zei ze in het Duits, schudde haar hoofd en draaide zo onverwacht om dat de dalende boom haar hoofd bijna raakte. Ze mompelde een verklaring, liep dezelfde weg terug naar het kamp – het waren 58 passen naar H. Inga ontkende haar sombere voorgevoel en gunde zich geen tijd om te overleggen, nam de drie treden naar de achteringang, opende de deur en ging de schemerige kamer in. Aan twee kanten bedden, vijf van de twaalf waren bezet.

Hij sliep. Zag eruit als mannen op oude ansichtkaarten met zijn te lange haar, terwijl zijn ogen door zijn bleke huid nog donkerder kringen leken te hebben. In het bed naast hem duwde een man met zijn hoofd in het verband zijn handen tegen zijn slapen en hoestte voorzichtig; buiten tsjilpten de vogels. Ze stond daar maar, keek naar hem en zijn ziekenstaat, wist niet wat ze hier nog langer moest en draaide zich om – en net op dat moment werd hij zonder aanwijsbare reden wakker. Zijn oogleden gingen omhoog en hij keek Inga zo klaarwakker aan dat ze dacht dat hij maar had gedaan alsof.

'In het weekend heb ik geen tijd,' zei ze luid en duidelijk.

'Hoe is het weer buiten?' Hij schoof naar de rand van het bed.

Pas nu zag ze de rolstoel staan, hij hees zich erin, tilde zijn geopereerde been met beide handen op en liet het gestrekt op de beensteun zakken. Terwijl ze zich afvroeg of ze hem behulpzaam moest zijn, rolde hij al naar de deur.

Het terras lag in het laatste daglicht, rode nevelslierten hingen boven de bomen. ''s Avonds vind ik jullie vlakke land mooi,' zei hij. 'Je ziet overal de zon ondergaan.' Hij had, zo ging hij verder, al een tijd geleden een bijeenkomst georganiseerd, waar hij wat dingen voor nodig had die hij in het kamp niet kon krijgen. 'En toen dacht ik aan onze vlijtige Inga.' Glimlachend wreef hij over zijn kin.

Ze zweeg overrompeld en bedacht dat hij het alleen maar handig vond om haar te kennen, omdat ze bij de bevoorrading werkte.

'Ik beloof dat het de laatste keer is.' Hij keerde zijn stoel. 'Volgende week mag ik al opstaan.'

'Dan houdt u die bijeenkomst toch volgende week,' zei ze bot.

'Alleen een paar kleinigheden.' Het koude metaal van de hoepel raakte haar been. 'Een hanglamp met een donkere kap, een glad tafellaken en klemmen om het vast te zetten.'

'Zaterdag heb ik een afspraak,' zei Inga.

'Is die zo belangrijk?' De luitenant leunde achterover. Die ongegeneerd uitgestrekte man met het avondrood om zijn schouders, ze haatte hem vanwege die glimlach.

'Zoek maar iemand anders om u die lamp te bezorgen.' Bij

die laatste woorden liep ze de treden af. Hij riep haar na en uit zijn mond had haar naam een akelige klank.

Voor de avondboterham keek Inga naar het lam, waar het beter mee bleek te gaan, de wond heelde zonder te etteren. Ze wilde het vers stro geven, maar het had zijn slaapplaats helemaal niet bevuild. Haar moeder had haar verboden het een naam te geven – dat zou het nog moeilijker maken. Het lam at niets en wilde ook geen melk uit blik. Inga ging pas weg toen het volkomen donker was.

Haar ouders hadden het raam opengezet om de geur van de kastanjebloesem binnen te laten. De oude boom reikte tot aan de tweede verdieping, en als meisje was Inga naar boven geklommen en had van buiten naar hen gezwaaid. Haar vader had zich verschrikkelijk opgewonden, maar Marianne had Inga's moed geprezen.

Haar ouders speelden canasta. Ze liep de gang in en staarde in het halfduister naar de ladekast waarin bezittingen van haar overleden oom lagen. Ze trok de middelste lade open en voelde het gladde laken dat ze op zijn laatste verjaardag hadden gebruikt. Inga pakte het eruit en liep naar het balkon van de kamer aan de tuinkant. Sinds het goede servies jaren geleden door de wind op de grond was gekletterd, zette haar vader het tafelzeil met klemmen vast. Twee van die klemmen bleken in de winter te zijn verroest; Inga poetste ze op met een lapje. Niemand zou ze missen.

Terwijl haar ouders nog kaart speelden, ging Inga naar bed. Ze dacht aan de vaalbleke luitenant, aan zijn bevelende toon en zijn minachting, en tegelijk die moeheid. Alsof zijn witte huid afkomstig was van een gezicht erachter, dat van een versleten man, verscholen in een ander. Arrogantie zag je bij veel Engelsen, de zachte beheerste toon, terwijl ze heel terloops hun orders gaven – een stuk aangenamer dan de oude commandeerstemmen, maar ook killer. Inga stond weer op, liep op blote voeten de vliering op en vond na enig zoeken de lamp. Hij had een ouderwets scherm van raffia en was eigenlijk te groot, maar in de strandtas zou hij wel passen. Wat zou de wachtpost zeggen als Inga met een strandtas op haar werk verscheen? Ze nam de lamp mee naar beneden, verstopte hem in haar kast, sprong in bed en sliep in, zo vast dat haar vader haar de volgende morgen wakker moest maken.

Tijdens het transport naar het kamp zat Inga alleen met de verpleegsters, die geen van allen iets zeiden, twee van hen zaten in de grijze morgen lusteloos te paffen. Het was alsof de lente zich beledigd had teruggetrokken, het was bewolkt en koud en Inga merkte dat ze kippenvel op haar dijen had. De vrachtwagen stopte aan de poort, maar de wacht vond het niet de moeite waard om uit zijn hokje te komen om hun papieren te controleren. Ze sprong van de wagen af, glipte onder de boom door en liet de verpleegsters alleen.

De sergeant zat nog te ontbijten, Inga schoof de tas in de nis naast de kachel en gooide haar jas eroverheen. Terwijl ze het register voor de volgende maand opzette en blauwe en groene kartonnetjes beschreef, vroeg ze zich af waarom ze de luitenant dit genoegen deed. Zijn glimlach vreesde ze nog het meest.

Even voor twaalf riep de officier haar en dicteerde een aantal brieven. Door het raam zag Inga de verpleegsters naar de eetzaal lopen. Haar chef sprak snel en nonchalant, zonder op te letten of ze het bijhield. Ze had haar potlood moeten slijpen, maar onderbrak hem niet.

'Tikt u dat na de lunch uit,' zei hij, trok zijn das recht en zette zijn muts op. Inga keek de in het bruin geklede gestalte na, die tussen de bomen verdween.

Als om zichzelf te bewijzen dat het geen haast had, nam ze de tijd, sleep het potlood, waste haar gezicht en bekeek zichzelf in de spiegel. Zij was niet iemand die ze in het kamp als '*Fräulein*' bestempelden, een Fräulein was blond. Inga had haar moeders haar, kastanjebruin, en met net zulke krullen achter haar oren. Ze draaide haar haren in een wrong, stak ze met een parelmoeren speldje vast, trok haar vest aan, pakte de strandtas en liep over de zandweg naar de ziekenafdeling.

Ze was er niet op voorbereid dat hij bezoek had. Hij zat tegenover een vreemde, wiens lichte jas tegen de balustrade opbolde. Voorovergebogen in zijn rolstoel sprak de luitenant op de man in en zijn stem drong als een geheimzinnig gefluister tot Inga door. Besluiteloos stond ze bij de rozenbottels en liep toen aarzelend op de barak af, achter de onbekende man en onzichtbaar voor de luitenant. Gewoon een paar woorden, nam ze zich voor, ze wilde zijn verrassing en dankbaarheid zien, en dan zou ze meteen weer weggaan. Ze liep de drie treden op, de luitenant hoorde het geluid en draaide met een ruk zijn hoofd om.

'Ja?' Hardheid in zijn blik, weerzin.

'Ik heb iets...'

Hij ontdekte de tas, de lampenkamp welfde zich over de rand.

'Dank u. Zet het daar maar neer.' Geen vriendelijkheid, maar afweer, alsof er een dier zonder toestemming naar hem toe was geslopen en op het verkeerde moment hoopte gestreeld te worden.

'Dus dan zien we elkaar zaterdag?'

Zijn vaalbleke huid, zijn minachting, Inga voelde het tussen haar schouderbladen trekken.

'Voor het weekend heb ik een afspraak!' riep ze.

De onbekende nam haar nieuwsgierig op, zijn borstelige wenkbrauwen waren lichter dan zijn haar en hij had een onregelmatige neus, alsof die gebroken was geweest. Geen soldaat, dacht Inga, geen Engelsman. Heftig pootte ze de tas op de schoot van de luitenant en hij kromp in elkaar, ze had zijn gewonde knie geraakt. Over de treden heen sprong ze in het gras, rende de weg naar de mess in, maar kon het idee niet verdragen iemand tegen te komen, holde het bos in en stond met gebogen hoofd en verslagen boven de brandkranen achter het munitiedepot.

4

Het lam bewoog niet toen ze het schuurtje in kwam. Het lag op het stro met ingetrokken poten en krachteloos achterover geknikte kop. Schoppen en harken waren netjes bij elkaar gezet, de staken waar haar vader de bonen aan opbond, lagen in bundels in een hoek. Inga had de kruiwagen rechtop tegen de muur gezet en het stro opgehoopt tot een slaapplaats. Een goede stal voor haar lam, maar het was vandaag nog minder in staat tot eten dan gisteren. Druppel voor druppel goot Inga de gecondenseerde melk in zijn bek, maar het liep weg langs de wond en sijpelde het stro in. Ze ging zitten, legde het kopje in haar schoot en vertelde over haar eindeloze middag, de strandtas en de opbollende jas van de onbekende. Ze streelde het dier, dat zo zwak ademhaalde dat zijn buik nauwelijks omhoog kwam. Ze wist niet of ze huilde van teleurstelling of omdat haar lam stierf. Inga's dierenliefde was alomvattend. Sprong er een vos uit het kreupelhout, flitste ergens een muis weg of kruiste een kat haar pad, dan bleef Inga staan en fluisterde de dierennaam als een bezwering voor zich uit. Kikkers, spinnen of vogels – geen paard aan de rand van een wei of ze babbelde ermee. 'Kom, paard,' zei Inga net zo lang tot de knol naderbij draafde en zich liet aaien.

Ze herkende het motorgeluid van verre. Terwijl de auto dichterbij kwam, stopte, de deur werd geopend en zachtjes gesloten, moest ze toegeven dat ze blij was met Hennings bezoek. Hij zette zijn voeten behoedzaam neer, want hij wilde niet dat haar ouders hem hoorden. Inga veegde haar hand af, die vochtig was van melk en speeksel, streek haar rok glad en trok een kniekous recht. Henning liep naar hun huis – nu loerde hij om de hoek, zag dat haar raam donker was en wist waar hij haar kon vinden. Hoe meer tijd hij nodig had, hoe onrustiger ze werd.

Zijn hand schoof om de planken heen en het volgende moment stond hij boven haar en vroeg naar het schaap. Inga zei dat ze niet wist hoe ze het lam bij het sterven kon helpen.

Henning zakte op zijn knieën. 'Ik kan dat niet.'

'Mijn ouders worden boos als het niet fatsoenlijk wordt geslacht.'

'Vanwege Pasen,' knikte hij. 'Veel vlees zit er niet aan.'

Hij ging zitten en samen streelden ze het dier. Zijn andere arm legde hij om Inga's schouders en hij vertelde over zijn dag in de meubelfabriek. De aflevering stagneerde omdat er geen onderdelen voor de vrachtwagen waren en met de troepentransportwagen duurde het tweemaal zo lang. Inga zag al het hout voor zich, opgestapeld om te drogen, en de machines met de lange zaagbladen, Henning had haar ook de keukens laten zien die ze daar bouwden, nieuwe keukens, met mooie, gladde werkvlakken – *Die kun je in elke kleur krijgen* – en hij had haar de catalogus voorgelegd met tientallen vierkante plakjes hout, van zwart tot wit. Ze waren er 's avonds heen gereden toen de fabriek gesloten was; Henning wees haar ook het kantoor van zijn vrouw. Trude deed de indeling, hield de boeken bij en controleerde de aflevering – hij sprak steeds vol ontzag over haar. De foto's van de jongens hadden op Trudes bureau gestaan.

Henning tastte naar Inga's schouderblad, zijn hand ging speels over haar wervels en dwaalde langs haar rug omlaag. Zonder haast trok hij haar bloes uit haar rok en raakte haar naakte heup aan. Ze wilde zijn haar strelen, maar het lam lag in de weg en ademde onrustig. Glimlachend wees hij op het tuingereedschap, hier zou Erik al gauw weer met 'groene hand' regeren.

Henning en haar vader scheelden maar een paar jaar en konden prima met elkaar overweg. Marianne was het voorwerp van Hennings hoffelijkheid, hij bracht suiker langs, mosterdpoeder en rozijnen, en gammel meubilair nam hij mee naar de werkplaats en repareerde het voor niets. Bijna dagelijks maakte hij een omweg tussen de meubelfabriek en zijn woning. Beide gezinnen hield hij streng gescheiden. Inga wist waarom, haar ouders vermoedden het. Niemand bracht deze bijzondere verhouding ter sprake. Erik en Marianne begroetten Henning als huisvriend, reden in zijn auto de stad uit en waren blij met zijn geschenken, terwijl Inga's rol in dit kwartet niet nader werd aangeduid en glimlachend werd genegeerd. Om dezelfde reden hadden haar ouders er ook niets op tegen als Henning hun dochter op zaterdag mee uit zou nemen.

Er was een nieuwe bar geopend, zei hij, heel discreet, aan de rand van de stad, waar je kon dansen. Inga ging in gedachten haar jurken na, maar er schoot haar niet een te binnen die ze in de bar aan zou kunnen. Henning streelde haar heup, snel en zachtjes kwamen zijn woorden.

'Je bent zo jong.' Daarbij trok hij zijn hand uit haar bloes terug en meteen werd haar huid daar koud. Ze zeiden niets meer, Inga kende dat, als het Henning somber te moede werd vanwege hun 'situatie'. Hij nam afscheid en vertrok zonder Marianne en Erik gedag gezegd te hebben. In het donker alleen met het lam voelde Inga zich niet prettig meer en ze wilde opeens de avond met haar ouders doorbrengen. Ze legde het dier op zijn slaapplaats, schoof er stro overheen, ging naar binnen en bood aan bij het kaarten de derde man te zijn.

De volgende zaterdag zei Henning even voor zevenen af. Samen met Marianne was Inga in de kastenkamer op zoek naar een roze gespikkelde jurk. Erik bracht de boodschap over.

'Een van de jongens is ziek. Sorry.'

Ze zochten niet verder naar de jurk. De hele winter door waren de jongens steeds weer ziek geweest, het was Hennings standaarduitvlucht, hij brak zijn belofte vaak. Inga was woedend, ze wilde haar zaterdagavond – dan maar zonder hem – en liep naar beneden om andere schoenen aan te doen.

Op straat liep ze in de richting van het slotpark, omdat ze zin had om over de Krokusweide te lopen, tot ze zich realiseerde dat op zo'n avond iedereen naar het slot ging. Ze keerde de stad de rug toe en liep de weilanden in. Het eerste groen had de overwinning op het wintergras behaald, alleen rond de vijvers stond nog slaphangend, bruin riet. Als een onbehouwen blok stond de toren van de kerkruïne tegen de hemel afgetekend. Zes bomen telde Inga in de verte, als die er niet geweest waren had je kunnen denken dat je over een groene zee liep. Aan de horizon verschenen schapen, met een heleboel lammetjes erbij. Ze liep de andere kant op. Hoewel het licht afnam, ging ze naar het noorden en volgde het lint van wegen tussen de weiden, die met de minuut blauwer werden.

Daar bij het elzenbosje was de kruising vanwaar je linksaf binnen een halfuur bij de gevangenis was. Inga's vader had zijn beste spullen daarheen laten komen, want zelfs in de cel stond hij zichzelf geen slordigheid toe. In pak en stropdas was hij van de ene naar de andere muur gelopen, zijn grijze schoenen aan, waarvan hij het leer elke dag opruwde, en hij verscheen als een echte gentleman bij de lezingen van de Engelsen. Hij zag er zo elegant uit alsof hij niet de misleide was, bij wie de ideologie moest worden uitgedreven, maar gewoon een waarnemer tijdens de denazificatie. Als hij wilde strijken, lachten de bewakers hem uit, maar ze lieten hem ten slotte toch toe in de wasserij. Tot en met zijn proces werd hij 'de strijkende nazi' genoemd. Voor hij werd vrijgelaten liet haar vader een van hen zien hoe je de kraag van een hemd voor het strijken omsloeg om de perfecte lijn te verkrijgen.

Papieren die bij de huiszoeking niet waren gevonden, had Erik verbrand, maar zijn portretten bewaarde hij. Hij had ze Inga laten zien, zonder trots of schaamte, het waren gewoon zíjn portretten. Ze lagen op de vliering, en ook al zouden de vrouwen het graag willen, ze drongen er niet bij Erik op aan ze te vernietigen. Hij was destijds graag in de partij opgenomen, want hij was lang, had een scherpe neus en een krachtige kin, bovendien zag hij er in het 'goudfazant'-uniform stevig en officieel uit. Op geen van die foto's droeg haar vader een bril, hoewel hij zonder praktisch blind was. Bij hem zaten riemen en tressen onberispelijk, geen plooitje op de bruine borst, de knoop van de stropdas vormde de perfecte driehoek. Op geen enkel portret was Marianne te zien. Ze had niet veel op met het lidmaatschap, legde hij uit. Inga realiseerde zich dat haar moeder het altijd zijdelings over de partij had, niet schamper, maar gewoon alsof haar daarover nooit zoveel te binnen schoot. Dat was nu eenmaal zíjn tijd, zei ze, en beëindigde daarmee het gesprek.

Inga bleef staan, onwillekeurig had ze de weg naar het kamp genomen en ze was nu al zo dichtbij dat ze in de schemering de barakken tussen de dennen kon onderscheiden. Toen er nog luchtaanvallen waren, hadden de Engelsen zich in dit bos verschanst, maar nu was het er heel vredig. Ze zag de soldaat van de wacht honderd meter van de slagboom af in het veld zitten, hij merkte haar op, trok zijn broek omhoog en rende naar zijn post. Van verre riep hij haar aan met zijn wapen in de aanslag, dat hij niet liet zakken, ook niet toen hij zag dat ze een vrouw was. Inga herkende de kleine Welshman die vaak weekenddienst had, omdat hij de cafés in de stad te luidruchtig vond. Ze begroette hem met zijn voornaam, loog over de papierboel die was blijven liggen en werd doorgelaten. De hangar, de wegen en de meeste barakken waren leeg – Inga haalde bij de dienstdoende militair de sleutel, ging naar de burelen van de bevoorrading, maakte de deur open en betrad haar kantoor. Ze deed het licht aan, waste haar gezicht en haar handen, en herschikte haar haren; de lichtgroene jurk was voor 's avonds te dun, maar ze liet haar jas in de barak en liep naar H. Al haar angsten schoof ze opzij, ze wilde haar zaterdagavond. In de kamer van de nachtzuster brandde licht, Inga nam de weg langs de rozenbottels en bereikte de ziekenafdeling via het terras.

Meteen bij de ingang zag ze al dat zijn bed leeg was en dat de rolstoel ontbrak. Langzaam liep ze langs de bedden, langs zijn ziekenstaat, tot bijna bij de andere uitgang.

'Hij heeft zich aangekleed,' zei een soldaat, wiens boek opengeslagen op zijn borst lag. 'Toen is hij uitgegaan.'

'Waarheen?' Inga kwam naast zijn bed staan.

'Heeft hij niet gezegd.'

Onwillekeurig keek ze in de richting van het nachttoezicht.

'Met de zuster heeft hij het op een akkoordje weten te gooien.' De man kwam overeind, het boek gleed weg. 'Die kant op.' Hij wees naar het raam.

'Daar is het vliegveld.'

'Daar heb ik hem naartoe zien rollen.'

Ze bedankte hem en vertrok zonder dat de verpleegster haar had opgemerkt.

Nooit was Inga verder over de startbaan gelopen dan tot de zandbocht achter de hangar. Haar voetstappen klonken verloren op de strook beton; afgezien van de verlichting in de barakken was het donker. Inga had het ijskoud op de wijde vlakte en sloeg haar armen om zich heen. Het idee dat er uit het niets een vliegtuig op kon duiken dat haar neer kon maaien, schoot door haar hoofd. De wind duwde haar jurk tegen haar schoot en ze draaide zich om. Het kamp was haar vertrouwd – mess en eetzaal, officiersbarakken, bevoorrading – maar hier buiten was er niets. Brits territorium, duisternis en bossen: echt een leuke zaterdagavond.

Opeens verdween er verderop een lichtje. Er was daarnet nog een gele punt geweest, maar nu niets meer. Inga probeerde de plek te onthouden, liep sneller en dacht meteen daarop een soort donkere contour te zien – er lag een hut aan het eind van de taxibaan. De gele punt bleek een raam te zijn, met een gelijkvloerse deur ernaast en daarachter was bedrijvigheid te horen. Inga's armen en benen waren door en door koud, maar zo zacht als ze kon, kwam ze dichterbij en legde haar oor tegen het hout – er werd iets opgeruimd. Ze moest ertegenaan hebben geleund, want door haar gewicht kraakte de deur en meteen was het stil, ze deinsde terug, de deur zwaaide open en de luitenant zat haar in zijn rolstoel aan te staren. Hij droeg zijn uniformjasje, een hemd en een das, en had een deken over zijn benen uitgespreid; zijn wantrouwige ogen werden groot van verbazing.

'Inga!' Haar naam als een opgeluchte zucht. 'U vat nog kou.' Hij rolde naar achteren en liet haar binnenkomen. Haar eerste blik gold het tafellaken van haar overleden oom, dat glanzend uitgespreid lag over de tafel, die een groot deel van de ruimte in beslag nam. Hoewel de hut bijna leeg was, leek hij nogal smal, op de planken lag wat gereedschap, verder stonden er alleen stoelen en het raam was met een zwarte doek afgedekt.

'Ik wilde net uw lamp ophangen.' De luitenant leek opeens tamelijk opgewekt.

'Dat lukt u niet.' Ze wees naar het plafond. 'De gloeilamp hangt te hoog.'

'Waarschijnlijk heeft u gelijk.' Glimlachend volgde hij haar blik. 'Wat doet u hier eigenlijk buiten?'

'U heeft me uitgenodigd,' antwoordde Inga bijna fier, pakte de raffialamp van tafel, trok een stoel bij en stapte erop.

'Zei u niet dat u een afspraak had?' Hij sloeg zijn armen over elkaar en keek toe terwijl ze zwijgend bezig was. 'Pas op dat u zich niet brandt.'

Inga bevochtigde haar vingers, reikte omhoog, draaide de gloeilamp los uit de fitting en liet die in haar zak glijden. Haar vingers schroefden op de tast de fitting los, ze schoof de lampenkap eromheen, zette hem vast, de gloeilamp flakkerde even en toen was er weer licht. Ze sprong van de stoel af, vermeed zijn blik en samen keken ze naar de prettige lichtkegel die door de lamp op de tafel werd geworpen. Het raffiascherm tekende splinters licht op het plafond.

'En wat doet u hier eigenlijk buiten?' vroeg Inga toen het zwijgen te lang duurde.

'Daar moeten ergens glazen staan.' Hij keerde de rolstoel.

'*Lieutenant Hayden...*' Inga bewoog zich niet. 'Ik ben een *Civilian Employee*, mijn ouders zijn aangewezen op mijn salaris. Vertelt u eens wat er hier wordt georganiseerd.'

'Een spel,' antwoordde hij met donkere stem. 'We doen niets verbodens.'

'Waarom hier buiten? Waar zijn we hier?' De beensteun van de rolstoel raakte haar kuit.

'Dit is het weerstation.' Onbezorgd wees hij om zich heen. 'Het vroegere weerstation. Hier op het vliegveld vinden niet genoeg landingen meer plaats, daarom komt de prognose nu van de kust.' Voorzichtig nam hij Inga's hand in de zijne, alsof hij het gewicht ervan wilde bepalen. 'Ik heb u uitgenodigd... u bent gekomen. Hebt u er nu spijt van?'

Ze trok haar hand terug en liep naar de plank, waar ze vijf hoge glazen vond. 'Ze zijn stoffig.'

'Hier buiten is er helaas geen water.'

Inga bukte zich, pakte een hoek van de deken en veegde de glazen schoon, gnuivend sloeg hij haar gade, terwijl ze het ene na het andere glas op tafel zette. Hij schoof zijn haar achter zijn oor, het had geknipt moeten worden. Op het moment dat Inga het laatste glas tegen het licht hield, hoorden ze beiden het geluid. De luitenant rolde naar de deur en doofde de lamp.

Angstig en nieuwsgierig ging Inga achter hem staan – het was een auto, hij kwam snel dichterbij, zonder licht.

'De flessen staan buiten in het raamkozijn,' zei hij.

Ze glipte naar buiten, haar hand gleed langs de houten wand en vond op de tast twee flessen op de vensterbank. De auto zwenkte op het zand, de motor werd uitgezet, zachtjes gingen de deuren open. De nieuwkomers praatten gedempt. Inga telde drie silhouetten, die de jonge vrouw in de duisternis niet opmerkten en zonder groeten naar binnen gingen. Met in elke hand een fles keek Inga terug over het taxiveld – als een bekend dorp lag het kamp daar. Op dat moment had ze weg kunnen gaan, over de startbaan terug naar haar kantoor, waar ze zou afsluiten, zich dan door de dienstdoende militair in het boek zou laten noteren en de wachtpost een goede nacht zou wensen. Binnen anderhalf uur was ze dan thuis.

'Inga.' De stem van de luitenant, ze klemde een fles onder haar arm, ging naar binnen en sloot de deur. Hij deed het licht aan.

Drie mannen in burger, een al wat ouder, corpulent en met een bril op, de twee anderen zo te zien even oud als de luitenant. Korte begroeting, zonder handen schudden, ieder stond afwachtend op zijn plek.

'Treurige bedoening hebt u uitgezocht, Hayden,' zei de brildrager in slepend Engels.

'Moest improviseren, sir.' De luitenant wees op zijn bedekte been.

De ander rechtte zijn rug, onder de stof spande zijn buik. 'Hopelijk bent u er gauw weer bovenop.' Voor een Engelsman was zijn kapsel wat hoekig, hij moest bij een Duitse kapper zijn beland.

'En als er vandaag een kist naar beneden komt?' vroeg een van de anderen, zijn gekortwiekte baardje had een andere kleur dan zijn haar.

'Uitgesloten 's nachts,' zei de luitenant en schudde zijn hoofd. 'We hebben geen landingslichtbakens.' Hij glimlachte. 'Maar iets te drinken hebben we wel.'

'En wat moet zij hier?' De derde bezoeker monsterde Inga. Hij had een hoog voorhoofd, achterovergekamd haar en sprak met fluisterende stem. Geen Engelsman, maar ze kon zijn accent niet thuisbrengen.

'Inga zorgt voor ons welzijn.' De luitenant spreidde zijn armen uit. 'Waarom gaan we niet zitten? Straks is de nacht voorbij.'

'Duits?' vroeg de man met de bril met gedempte stem.

'Duits en betrouwbaar,' knikte Hayden.

'Verstaat ze mij?' De dikke man draaide Inga zijn rug toe, achter hem zag ze het bleke gezicht van de luitenant, zijn ogen stonden opgewekt. 'Ze verstaat er geen woord van,' knipoogde hij, alsof hij wilde zeggen: het is maar een spel.

Inga zette de flessen op tafel en vroeg zich af wie deze mannen waren. Militairen, vermoedde ze, behalve de man met de fluisterende stem. Geen van hen had ze ooit in het kamp gezien. Hoe waren ze voorbij de wachtpost gekomen en wie reed er?

Stoelen werden naar de tafel geschoven, de mannen gingen zitten. Inga verdeelde de glazen, schroefde de doppen los, een fles whisky en een fles gin, en wilde net vragen of ze in zou schenken, toen ze op het laatste moment zweeg – het idee alles te horen en te verstaan terwijl niemand het wist, beviel haar. De luitenant trok speelkaarten te voorschijn, een Frans spel, zoals je het ook in de stad kon krijgen.

Inga schoot onwillekeurig in de lach, zodat ze haar allemaal aankeken.

'Is ze wel goed bij haar hoofd?' vroeg de fluisterende man. De luitenant pakte de kaarten uit het doosje en verwijderde de bovenste kaart en de joker.

Inga moest denken aan de honderden avonden waarop ze thuis had gespeeld. Met canasta lag ze tienduizend punten voor, met skaat vreesden zelfs de meest gehaaide kaartvrienden van haar vader haar als tegenstander, en zo ook met tarot en klaverjassen, duiken en *straight* – opgelucht keek Inga de kring rond. Wat die geheimzinnige aankomst ook mocht betekenen, hier werd geen zwarte handel gedreven, er werden geen militaire geheimen uitgewisseld – deze mannen ontmoetten elkaar op deze afgelegen plek om te kaarten!

'Ik stel Sussex-Havellock voor,' zei Hayden, liet de omgekeerde kaarten uit elkaar glijden, zodat ze in een lijn lagen, tikte vervolgens met zijn middelvinger tegen de eerste, waardoor het spel als door magische kracht bewogen omhoog kwam, de andere kant op kantelde en weer terug, daarna schoof hij de kaarten bij elkaar en schudde, waarbij hij slechts twee vingers van elke hand gebruikte. 'Ingeruilde kaarten liggen open,' praatte hij verder, zonder zijn bewegingen te onderbreken. 'Poker slaat kleur, straat van één kleur slaat poker. De aas kan onderaan worden aangelegd.'

'Limiet?' vroeg de man met het baardje.

Als op commando trokken ze alle vier hun portefeuille, maar de man met de bril wierp Inga een wantrouwige blik toe voor hij zijn geld te voorschijn haalde.

'Met uw welnemen spelen we zonder limiet.' De luitenant

greep in de tas van de rolstoelleuning en haalde het zwarte foedraal te voorschijn dat Inga hem een paar dagen geleden uit zijn kastje had gebracht. Nieuwsgierig keek ze toe hoe hij de klep opende en Britse ponden op tafel legde.

'Hayden, houdt u de bank?' De man met de bril telde zijn biljetten.

Uit het 'depot' van zijn rolstoel diepte de luitenant een kistje op met daarin de kleurige schijfjes van het speelgeld, schoof de dikkerd de tegenwaarde van zijn geld toe en borg de bankbiljetten op. Ook de anderen wisselden hun geld. De man met het baardje stapelde zijn fiches op tot drie even hoge torentjes, en als laatste wisselde Hayden zijn eigen geld en propte het foedraal weer in de rolstoel.

'Uw serveerster is niet veel waard,' zei de man met het gladde haar – het kon een Zuid-Duits accent zijn, of misschien wat oostelijker. Inga deed of ze het niet had verstaan en wachtte op een teken van de luitenant. Op zijn knikje schonk ze iedereen in, zette de flessen op de plank, schoof de laatste stoel tegen de wand en ging zitten.

De luitenant gaf, de fluisterende man pakte zijn kaarten bedachtzaam en spitste daarbij zijn lippen. De man met de bril trok zijn kaarten gretig naar zich toe, bekeek ze een ogenblik en schoof ze dicht.

'Eén pond,' zei hij en wierp een groen schijfje in het midden, de anderen sloten zich aan. De man met de bril schoof een kaart omgekeerd naar Hayden, de man met de fluisterstem ruilde twee kaarten in.

'Drie,' zei de man met het baardje.

De luitenant verzamelde de fiches, gooide zelf twee kaarten weg en pakte de stapel kaarten. 'Harten voor u.' Hij draaide een negen om voor de man met de bril. 'Klaverboer, kan een straat worden,' zei hij tegen de man met de fluisterstem en tegen de man ernaast: 'Klaver zeven, schoppen acht, een zootje.'

Inga keek naar de ellebogen die op het tafellaken steunden, naar de scherpe lichtgrenzen rond de mannen en de glanzende kaarten in de handen van de luitenant. Haar zaterdagavond! Hoeveel beter, opwindender was dit dan met Henning in een bar te zitten en hem over zijn jongens te horen vertellen. Ze deed haar best alles op te vangen en prentte zich elk detail in. Henning en Marianne hadden een keer over poker gesproken – als je echt geld inzet, krijg je altijd ruzie, had haar moeder gezegd en ze weigerde het te proberen, zelfs als het om lucifers ging.

De luitenant zette vijf pond in.

'Uw vijf en nog eens vijf,' zei de man met de bril.

'Ik pas.' De man met het baardje leunde achterover.

'Ik doe er twintig bij.' De man met de fluisterstem pakte zijn sigaretten, een Amerikaans merk. Buiten het kamp kende Inga alleen Duits geld, omgerekend was de som die hier werd ingezet ongelooflijk hoog. De man met de bril schoof fiches naar het midden. 'Zien.'

De ander draaide een negen om en een boer. De dikke man liet twee tienen zien. Met haar ellebogen op haar knieën boog Inga naar voren, haar stoel kraakte. Op dat ogenblik legde hij een derde tien bij de andere en plukte glimlachend aan zijn onderkin. De man met de fluisterstem bekeek zijn kaarten als loonde het nog nauwelijks de moeite ze om te draaien.

'Nog een geluk dat u me de ruiten tien hebt gelaten,' zei hij en schoof die als een na laatste kaart tussen de negen en de boer. 'Straat tot en met de koning.'

'Ik zie geen koning.' Massief boog de dikkerd zich naar voren.

Zonder een spier te vertrekken legde de ander de klaverkoning erbij, streek een lucifer af en nam het eerste trekje.

Inga had warme wangen, ze probeerde ze met de rug van haar hand te koelen, ze hield het nauwelijks uit op haar stoel aan de rand van het lichteiland, wilde aanschuiven, erbij horen en in het innerlijk van de spelers kijken. Uit gebaren en blikken probeerde ze hun kaarten te raden. De man met het baardje hoopte op ruiten, zijn vinger tikte aan een stuk door op de ruitenboer. De man met de bril wilde zijn goede kaart geheim houden, schoof zijn hand haastig dicht, om die het volgende moment weer te openen. Het geluk bleef op de hand van de man met de fluisterstem, hij speelde beheerst en tegelijk onvoorspelbaar. De luitenant verloor – tweemaal had hij het foedraal al te voorschijn gehaald en biljetten tegen speelgeld gewisseld. Toch was hij in een uitstekend humeur, zijn gezicht was vrolijk gespannen en het leek wel of hij kleur had gekregen. Vaardig gaf hij de kaarten en amuseerde de anderen met zijn commentaar.

De eerste paar keer schonk Inga pas in wanneer ze dat wensten, later deed ze het uit eigen beweging. Het whiskypeil zakte snel. De man met de bril trok zijn jasje uit, er tekenden zich donkere kringen onder zijn oksels af en er hing een bedompte lucht in de kleine ruimte. Ze besloten te pauzeren, deden het licht uit en gingen naar buiten, waar de man met de fluisterstem de anderen een sigaret aanbood. Achter Inga kwam de luitenant naar de deur gerold.

'Moe?' Ze ontkende. 'Vindt u het leuk?' Ze keek hem enthousiast aan. Haar blik viel op de cijfers van zijn horloge, het was even voor enen. Ze had tegen niemand gezegd waar ze heen ging – Erik en Marianne maakten zich zelden zorgen, maar zo laat was Inga nog nooit van huis geweest.

Tegen half twee begon de luitenant te winnen. De man met de fluisterstem liet twee paar met azen zien, Hayden hield hem drie achten voor. Meteen daarop zette de man met de bril dertig pond in op een straat en de luitenant sloeg hem met een paar en drie vrouwen. De anderen begrepen deze serie niet meteen, want de luitenant speelde nu sneller en hoogst geconcentreerd, zijn vingers beheersten de kaarten en de fiches, hij liet zich door Inga niet meer inschenken en speelde in op de vermoeidheid van de anderen. Het was alsof hij de hand van zijn tegenstander kon voorspellen.

De man met de bril zag er doodop uit, kale plekken schemerden door zijn haar. 'Straat tot en met de tien.' Hij keek de luitenant uitdagend aan.

Die draaide zijn kaarten vanuit de pols om. 'Straat met de boer.'

'Hoe wist u dat ik geen vrouw had?'

'Wat zei de oude kolonel ook alweer?' Zonder zijn bewegingen te onderbreken streek Hayden de speelstenen op. '*DAT was de prijs voor het meedoen. Uitleg kost extra.*' De anderen lachten. 'Ook nu ik net aan de winnende hand ben...,' hij pakte de kaarten, 'stel ik voor een tijdslimiet vast te stellen.' Hij coupeerde, boog de helften omhoog en de kaarten ritselden in elkaar. Ze spraken af op te breken vóór het licht werd.

Inga merkte haar eigen vermoeidheid, ze had warme voeten in haar schoenen en haar huid was plakkerig. Ondanks de hitte in de barak rilde ze en had ze dorst, maar water was er niet. Toen de flessen leeg waren, stuurde de brildrager de man met het baardje naar de auto, en hij kwam met twee volle terug. Inga trok haar benen op, haalde het speldje uit haar haren en schudde ze los; hoe uitgeput ze ook was, het moest doorgaan. Ondanks zijn rust was de luitenant zijn enthousiasme aan te zien. De arrogantie die hij anders aan de dag legde en zijn onaangename minachting, ze waren verdwenen. Speelt als de duivel, dacht Inga en sloeg de witte vingers gade die de kaarten voor de volgende partij gaven.

Er drong geen licht door het doek heen, maar ze merkte dat de dag aanbrak. De man met de bril keek op zijn horloge. 'Heren...'

De ronde werd uitgespeeld, de man met de fluisterstem won. Zonder iets te zeggen opende de luitenant het foedraal, wisselde het speelgeld en stapelde de fiches in het kistje, ook die van hemzelf – zo wist niemand hoeveel hij had gewonnen. Tegelijk stonden de mannen op, trokken hun jas aan en deden het licht uit. Zonder afscheid te nemen verlieten ze de barak, wrevelig staarde de man met de bril naar het schemerende oosten, zijn bolle buik leek een beetje vermagerd.

'Kunnen we u ergens afzetten?' vroeg de man met de fluisterstem in het Duits aan Inga. Ze dacht aan de eindeloze weg naar huis en wendde zich naar de luitenant, alsof ze hem verantwoording moest afleggen.

'Ga maar mee, Inga.' Hij trok de deken over zijn benen recht.

Het was een buitenlands model, niet zo ruim als Hennings auto, en de man met de fluisterstem nam achter het stuur plaats. Als laatste wrong Inga zich naast de man met de bril en maakte zich klein. In de ijzige ochtendschemering leek het lawaai van de motor haar overdreven luid, de wielen slipten in het zand. Ze bereikten de betonnen strip, reden over het verlaten vliegveld en Inga draaide zich om – een waanzinnig beeld om te zien hoe de luitenant zijn rolstoel met krachtige rukken over de startbaan voortbewoog. Haar jas schoot haar te binnen en de sleutel van het kantoor die ze in haar zak had gestoken, maar ze durfde er niet over te beginnen. Langzaam rolde de auto tussen de barakken door, alles sliep. Bij de uitgang groeide Inga's angst – de anderen kon het misschien niet schelen, maar zij mocht niet ontdekt worden – en ze drukte zich in haar stoel en boog haar hoofd. Met lopende motor bleef de wagen bij de sluitboom staan, de wacht kwam naar buiten en opende zonder groeten de slagboom, ze konden ongehinderd passeren. De man met de bril was ingedommeld en de man met het baardje staarde voor zich uit. Ze reden rechtstreeks naar de stad. Inga voelde over de zitting onder zich en stelde vast dat ze op een zachte vacht zat. Toen de eerste straten in zicht kwamen, noemde ze haar adres en ze werd een paar meter voor haar huis afgezet. Niemand zei iets, ze gooide de deur dicht en ze reden verder.

Ze stond in de ontwakende dag als in een andere wereld.

5

Erik verborg zijn bezorgdheid onder woede, Marianne rookte zwijgend; ze hadden de hele nacht zitten wachten. Hij had een hemd en een pyjamabroek aan en was ongeschoren, Marianne stond in haar gevoerde ochtendjas bij het raam, haar bruine lokken lagen plat tegen haar hoofd. Met drie schreden vloog haar vader door de kamer heen.

'Er had je wel ik weet niet wat kunnen overkomen!' Het daglicht viel van achteren door zijn bril; beneden was te horen dat er mensen naar de vroegmis gingen.

Inga begreep zijn bezorgdheid wel, maar voelde toch geen schaamte. Een avond met vrienden, legde ze uit, ze hadden gespeeld en de tijd vergeten. De twee vermoeide gestalten waren opgelucht dat het wegblijven van hun dochter een onschuldige reden had. Terwijl Inga verder loog, zag ze het licht op de voorhoofden van de spelers en de kleurige stenen; hoe schitterend had de luitenant de kaarten gehanteerd.

Marianne drukte haar sigaret uit, haar ogen kregen een merkwaardige uitdrukking. 'Kom mee naar de tuin.'

Terwijl Inga achter haar aan liep had ze al een vermoeden.

‘Het is nog voor het donker gestorven,’ zei Marianne. Ze deed een stap opzij, zwijgend opende Inga de deur, het licht viel het tuinhuisje in en ze keek naar haar lam. Zijn gewonde bek stond open, zijn vel had alle glans verloren, de hoefjes waren ingetrokken. Ze voelde de blik van haar ouders en wrong haar handen. Niet deze aanblik, niet deze treurigheid, maar haar eigen onverantwoordelijkheid stak haar het meest. ’s Ochtends had ze nog geprobeerd het te voeren, met nieuwe hoop, omdat het zijn kop optilde. Maar toen het stierf was ze er niet. Inga stelde voor het dier in de kruiwagen te laden en naar de slager te brengen.

‘Het is gestorven,’ antwoordde Marianne. ‘Dat is iets anders dan slachten.’

Inga herinnerde haar ouders aan de staartklok en het vlees dat daarvan moest worden gekocht, ze was bereid alles zelf af te handelen, de slager zou wel weten wat er moest gebeuren.

‘Dit was allemaal niet nodig geweest,’ zei haar moeder hoofdschuddend.

Erik kon de sfeer niet langer verdragen, pakte de spa uit de hoek en vroeg Marianne welke plek ze het beste vond. Ze wees naar de noordkant van de tuin.

‘Niet de eerste keer dat er met Pasen geen vlees is,’ mompelde hij, ging naar buiten en begon te graven. Inga hielp hem met de grote stenen, haar moeder ging in een tuinstoel zitten roken; het was nog steeds onwezenlijk vroeg. Erik hulde het lam in een aardappelzak, samen legden ze het in de kuil. Toen de heuvel zich eroverheen welfde, kwam de zon te voorschijn. Hij ging naar binnen om ontbijt te maken en Marianne volgde hem na haar tweede sigaret, Inga zette de spa terug, bracht het stro naar de composthoop en ging naar haar kamer. Met haar armen onder haar hoofd dacht ze aan de nacht bij de spelers.

's Avonds aten ze gevulde aardappelen. Erik sneed het kapje eraf, holde ze uit en vulde ze met ui en gedroogde paddenstoelen, zout en peterselie, daarna legde hij de aardappelen in groentebouillon en kookte ze gaar. Niemand had meer een woord over het lam gezegd, Eriks straf bestond eruit dat hij Inga tijdens het koken niet aankeek. Door de damp gleed zijn bril naar zijn neuspunt. Bloem en vet roerde hij tot een saus, voegde er azijn en mosterdpoeder aan toe en garneerde hem met laurierblaadjes – dit was Eriks beroemde gekookte mayonaise.

In de kamer met het balkon dekte haar moeder de tafel. De zilveren kandelaar brandde en de servetten met grootvaders monogram lagen naast het goede bestek.

'Het tafellaken van Hans is er niet,' zei ze. Er lag geen verwijt, alleen verwondering in haar stem.

In geen weken had iemand de ladekast geopend, waarom dan vandaag opeens wel?

Inga wees op de feestelijke tafel. 'Het is toch pas over een week Pasen.'

Marianne keek haar dochter zo lang aan tot ze het uit zichzelf begreep.

'Vandaag?' vroeg ze zacht. Het was 3 april.

Marianne begaf zich naar het dressoir, maar Inga was haar voor, pakte de foto van haar grote broer en zette hem naast de kandelaar. Horst was sprekend Erik, alleen waren zijn ogen nog zachter. Zijn getuigschrift van de mijnbouwhogeschool hing aan de muur. Inga herinnerde zich zijn damesfiets, die ze nooit van hem had mogen lenen, en haar jaloezie, omdat haar broer al van school was voordat zij erheen ging.

'Toen we die foto lieten maken, had niemand gedacht dat het zijn laatste zou zijn.' Marianne streek even over de foto.

Negen jaar geleden op 3 april, een pantservuist, de zwartgerande brief en de bezwijming van haar vader, waar hij drie dagen lang niet uit bijkwam. Voor Inga begon Horst te verbleken, zoals de oorlog verbleekte. Haar vaders portretten op de vliering, een vergeten lied op de radio, het waren allemaal herinneringen, daartussen bewaarde ze ook Horst. Hij zou zich geschaamd hebben als hij wist dat ze voor de Engelsen werkte, want de luchtaanval op hun eilanden en de jubelende berichten had hij nog meegemaakt.

Later diezelfde dag, toen het al donker was, klom Inga naar de vliering. Al een hele tijd had ze haar schelpenverzameling niet meer te voorschijn gehaald. Iemand moest het houten kistje hebben bewogen, want de schelpen lagen rommelig door elkaar. Hun kleuren leken mat, bijna doods, ze opende het glazen deksel en haar vingers zochten tussen de schelpen. Ze waren al een eeuwigheid geen dag meer naar zee geweest, zand en stranden, het eindeloze vlakke water, alsof er slechts een voetdiep laagje zee over de aarde lag. Inga had de schelpen zelf verzameld, en toch had ze nu het gevoel ze van een vreemde weg te nemen. Als ze aan zichzelf daar aan het water dacht, zag ze een veel jongere vrouw. Op die dag aan de Noordzee had ze een stuk of twintig van die zeldzame rode mosselen gevonden met onder de structuur verborgen, weggedraaide schelpen zodat je ze gemakkelijk aanzag voor stenen. Inga sorteerde ze tussen de grijze en groengestreepte schelpen uit en legde ze terug in de vakjes. De mooiste hield ze even in haar mond, de van speeksel glanzende schelp glom in het kaarslicht. Nu was ze weer levend.

6

Ze vroeg of er iemand op hem had geschoten.

'Er wordt niet meer geschoten,' zei de luitenant. Het was zulk bewolkt weer, dat ze het licht op de ziekenafdeling aan lieten. Inga zat tegen de balustrade van het terras, terwijl hij zijn been uit de rolstoel tilde en het verband zich aftekende onder zijn broek.

'Wat is er met die knie gebeurd?'

'Ze hebben me uit een rijdende auto gegooid.' In zijn ogen zag ze dat hij haar hoopte te choqueren. 'Een verschil van mening.'

'Bij het spelen?'

'Jij ziet ook alles.' Hij keek naar de boomkruin en zag er ziek en doodop uit, witter dan ooit. Vanbinnen kwam de verpleegster aanlopen.

'Kun jij nog eens voor serveerster spelen?'

'Wanneer?' vroeg Inga iets te haastig.

'Donderdag.'

Ze herinnerde hem eraan dat het de donderdag voor Pasen was.

'Des te beter. Dan zijn ze allemaal gevlogen,' knikte hij. 'De heren hebben naar je gevraagd.' Het was vreemd zoals hij haar aankeek.

'Legt u me een keer uit hoe dat spel gaat.'

Nonchalant legde hij zijn hand op haar schouder. 'Normáál doen is voor jou niet goed genoeg, hè Inga.'

Daar was die minachting weer. Ze vroeg zich af waarom ze zich ten opzichte van hem de mindere voelde. Andere Engelsen die ze kende, waren mannen die in den vreemde met hun rol van bezetter niet makkelijk uit de voeten konden. Ze verdoezelden het met een kwinkslag of door luchtige wellevendheid, doorgaans niet door heerszuchtig optreden. De meesten wekten de indruk dat ze gewoon toevallig in het lichtbruine uniform terecht waren gekomen. Inga beschouwde de Britten als haar chef, soms als collega's, zelden als de vijand. Alec Hayden was niet ouder dan dertig, bekleedde een van de lagere officiersrangen en was in het gewone leven misschien administratief medewerker of handelsvertegenwoordiger, geen groot licht in ieder geval, dacht Inga. En toch vond ze zichzelf in zijn aanwezigheid nogal kinderachtig en gedroeg ze zich ook zo, haar onzekerheid weerspiegelde zich in zijn houding. Trouwens, wat had die toespeling te betekenen, wat dacht hij wel, die schoolmeester?

'Wat bedoelt u daarmee?' Door zijn toon en die slappe hand op haar schouder moest Inga hem wel tegenspreken.

'Ieder ander eet een sandwich,' antwoordde hij, 'ergert zich aan het weer, koopt of verkoopt iets op de zwarte markt. Maar voor Inga is het normale leven niet goed genoeg.' De witte vingers gleden langs haar bovenarm. 'Ze wil iets bijzonders. Daar rekent ze op.'

De verpleegster kwam naar buiten. Zonder haast trok de luitenant zijn hand terug en legde die in zijn schoot.

'Ik help u, als u me uitlegt hoe dat spel gaat,' zei Inga in weerwil van de blik van de verpleegster.

'Donderdag, dus.' De luitenant rolde weg, maar keerde de stoel nog een keer om. 'Regel 1 luidt: Soms is het voordelig iets weg te geven zonder daarvoor meteen iets terug te krijgen.' Hij reed naar binnen.

Inga verliet het terras, liep langs de rozenbottels en probeerde haar verwarring van zich af te schudden. Tussen de bomen doemde de bevoorradingsbarak op. Ze zou de ontbrekende sleutel moeten verantwoorden en moeten uitleggen waarom ze zich 's nachts niet bij de dienstdoende militair had afgemeld. Toen ze de burelen binnenging, hief de cockerspaniël onder het bureau zijn kop op, maar in het donker van zijn hol waren alleen zijn glanzende ogen te zien. De officier wilde brieven dicteren, Inga ging snel zitten en duwde haar knieën tegen elkaar. Ze stelden een gecompliceerd schrijven op aan het bevoorradingscommando en hij corrigeerde het ontwerp diverse keren; over Inga's vergrijp werd niet gerept.

Iets bijzonders. Ze stelde het zich voor als een dievenlantaarn waarmee in de verte werd gezwaaid: iedereen liep erop af, zonder te weten wat hem te wachten stond. Een gebeurtenis uit een ver verleden schoot haar te binnen, het was nog vrede en ze was zeven. Er kwam een beroemde man naar de stad en haar vader zei dat zij hem de welkomstgroet mocht overbrengen; zou ze het gedicht *An die Freude* nog uit haar hoofd kennen? Een dag later lag er een pastelkleurige jurk op haar bed met strikken op de mouwen. Haar vader hielp haar bij het aankleden en haalde liefdevol de borstel door Inga's haar. Hij was stationschef, maar op die dag droeg hij niet zijn gewone pak, maar het goudfazantuniform. Door mannen in zwarte pakken omringd wachtten ze op het perron. Vanaf het spoor aan de overkant riep iemand iets over 'vuile bruinhemden' en er werden agenten op af gestuurd om de herrieschopper te verwijderen. De trein kwam binnen, de beroemde man lachte en nam de bloemen in ontvangst. Voor Inga het gedicht af had, nam hij haar op zijn arm en duwde haar gezicht tegen zijn wang. Op het perron werd geklapt, vrolijke gezichten waar ze ook maar keek en achter de brillenglazen de gelukkige ogen van haar vader. Vandaag had ze net zo min als toen kunnen zeggen wie die beroemde man was of waarom hij daar was – maar het was voor haar een bijzondere dag.

Al schrijvend nam Inga haar chef op, somber staarde hij naar de punten van zijn schoenen, dicteerde 'ten tweede' en 'onder verwijzing naar', terwijl de hond jankend geeuwde. De afgesleten tafelrand, de onregelmatige 'F' van de schrijfmachine, de zure adem van de officier – dat was het normale leven. Maar daar wilde Inga niet in blijven hangen, en daarom wilde ze het spel leren. Ze sloeg het blad van haar stenoblok zo heftig om dat het papier scheurde.

Meteen posteerde de officier zich voor haar. 'Dat gedoe zaterdagnacht... wat is er eigenlijk gebeurd?'

Ze zag aan zijn ogen dat haar misstap hem nauwelijks interesseerde. Inga vertelde de eerste de beste leugen, de officier gaf haar een standje, floot naar de hond en ging voor zijn thee naar de mess.

Ze was slank en stevig, het jasje van haar grijze mantelpak hing open, eigenlijk was ze klein, maar zo in de deuropening, met het glas in haar hand, leek ze bijzonder groot. Ze had kort haar, van een zo onechte kleur als Inga nog nooit had gezien. De vrouw had een krachtige kin, haar huid spande om haar botten; als je haar op straat tegen was gekomen, had je het idee dat het een oudere vrouw was, hoewel ze jonger was dan Marianne. De vrouw in het mantelpakje merkte Inga's blik op en maakte een gebaar alsof ze haar jurk natekende.

'Zelf genaaid?' vroeg ze in het Duits.

Voor Inga de kastenkamer binnen was geslopen, had ze gewacht tot haar moeder sliep, meteen daarop had ze haar spullen stuk voor stuk bekeken en jurken uit andere tijden aangetroffen. Verborgen achter een jas hing de jurk met de roze stippen aan de muur en midden in de nacht had Inga een volant aan de zoom vastgezet, zodat de lengte tenminste klopte.

'Van mijn moeder,' antwoordde ze en sloeg haar armen over elkaar om haar taille te verbergen. In de rug had ze de jurk uitgelegd, maar hij zat nog steeds strak, op haar borst dreigde er een knoop af te springen.

'Maakt je jonger,' zei de vrouw. 'Wil je dat echt, er jonger uitzien?' Ze stapte over de drempel en zette het glas neer. Voor Inga kon antwoorden, klapte ze in haar handen. 'De kaarten worden koud!'

Als op bevel kwamen de mannen terug naar de barak, de brildrager, de man met de fluisterstem en ten slotte de luitenant. Hij had aan het begin van de week krukken gekregen en deed zijn best ze nonchalant te gebruiken, maar het zag er schutterig uit.

Witte Donderdag. In een kleine zak had Inga alles wat ze nodig hadden in de zandbocht achter de hangar verstopt, ook de roze jurk. Hoewel de feestdagen voor de deur stonden, kreeg ze na de middagpauze geen vrij en liet de officier haar pas één minuut voor tijd gaan. Ze dekte de machine af met de hoes, wenste vrolijk Pasen en gaf de sleutel af. Thuis had ze iets verteld over een afspraak met Henning – hij wilde er met de jongens op uit, en zou het te druk hebben om haar ouders te bezoeken. Niet ver van het munitiedepot had Inga gewacht tot het donker was. Het was verkeerd en verboden – maar wat verheugde ze zich er op! Toen de patrouillepost eenmaal aan het andere eind van het kamp was, rende ze naar de zandige plek en greep de zak. Zonder het bos te verlaten was ze langs de taxibaan gelopen, had de lege barak bereikt en was aan het werk gegaan. Ze had de stoelen omgekeerd op tafel gezet en de ruimte aangeveegd, daarna ooms tafellaken uitgespreid en over het blad gelegd. De sifonfles had ze op de plank gezet, de patronen in de houder gestoken en vastgedraaid, tot het gas sissend in het water stroomde. Vijf schone glazen stonden klaar, plus vijf gevouwen servetten. Inga had spiedend naar buiten gekeken of er niemand kwam, zich met een vochtige doek gewassen en zich omgekleed. De lucht was koel, ze had het licht uitgedaan en op de drempel op de luitenant gewacht. Het geluid van zijn krukken was al te horen voor ze hem kon zien en de landingsbaan kostte hem heel wat tijd.

Als uit een magazine, dacht Inga, en de elegante vrouw had inderdaad zo uit een tijdschrift gestapt kunnen zijn. De heren wachtten tot ze ging zitten. Haar zwarte sigaret lag uitgedoofd op de rand van de tafel, maar ze stond de man met de fluisterstem toe een nieuwe voor haar aan te steken.

'Morgen is de leverantie,' zei hij, terwijl hij zich naar haar overboog. 'Via welke sector hoor ik op het laatste moment.'

'Nu niet.' De vrouw greep naar de kaarten.

'De kleintjes zijn zo gezond als maar kan,' grijnsde hij.

'Gabor...' De vrouw seinde met haar ogen naar Inga.

De man met de fluisterstem stopte zijn aansteker weg en de mannen gingen tegelijk zitten. De vrouw met het onechte haar liet de kaarten door haar handen glijden en ze landden als vlinders voor de heren. Die vier kenden elkaar, de vrouw en de luitenant leken goede vrienden te zijn. Hun inzetten waren hoog, ze speelden vinnig tegen elkaar en als ze verloor, vloekte de dame en dan kuste hij haar hand.

Gabor, de man met de fluisterstem, liet zijn blikken vaak over Inga dwalen; hij sprak twee talen vloeiend, was goed gekleed en speelde kaart met de Engelsen. Waar kwam hij vandaan?

'Wij zouden Inga mee moeten laten spelen,' zei hij opeens in het Engels. En tegen haar: 'Wat denk je ervan?'

'Ik weet het niet.' Met een schok merkte Inga dat ze in het Engels had geantwoord.

'Dat verstaat ze tenminste,' lachte Gabor tegen de anderen.

'Ik heb geen geld.' Ze voelde zich voor schut staan.

De man met de fluisterstem schoof haar een paar speelstenen toe.

'En als ik verlies?'

'Dan sta je bij mij in het krijt,' antwoordde hij onbewogen.

Ze deed een beweging naar voren en voelde de hand van de luitenant onder tafel, hij hield haar tegen.

'Laat haar begaan,' zei de vrouw en keek Hayden aan. 'Je hebt haar al lang vergiftigd.'

De man met de fluisterstem gaf.

Inga wás vergiftigd. Aan deze tafel had ze tegenover de luitenant gezeten, de speelkaarten lagen in het midden en voor haar stond een stapeltje fiches. Ze had een kaart willen pakken. 'De kaarten zijn onbelangrijk.' Hij legde een hand op de stapel. 'Als je er te veel betekenis aan hecht, dan ontwikkelen ze zich tot je vijanden. Dan zijn het grimmige boeren, geslepen vrouwen en wordt de aas je grafsteen. De kaarten betekenen niets, alleen de figuren leiden tot muziek. Die moet je spelen, en dan doen ze wat jij wilt.' Ze had gegeven, terwijl ze voelde hoe er vlekken op haar wangen kwamen, hoe haar jurk spande, en had verloren. Bij de volgende partij had ze een te slechte kaart om mee te gaan, de luitenant streek de fiches op en toen ze zijn kaart wilde zien, verwaardigde hij zich niet eens een antwoord. Op het moment dat ze de auto door het donker hoorden aankomen, had Inga bijna alles verloren. Terwijl de autodeuren dichtsloegen, had Hayden zijn krukken onder zijn oksels geklemd. 'Mensen met macht zijn makkelijke tegenstanders,' zei hij bij de deur. 'Ze willen meteen winnen. Met een goede kaart verliezen om later met een slechte te winnen, dat begrijpen ze niet.' Hij had opengedaan, de vrouw in het mantelpakje was als eerste binnengekomen.

Wrevelig poetste de dikzak zijn bril met het tafellaken terwijl de man met de fluisterstem de winst opstreek.

Er werd geklopt. Iedereen verstarde, een voor een keken ze de luitenant aan, en weer werd er geklopt. De man met de bril gebaarde dat hij antwoord moest geven. Hayden vroeg wie het was. 'Wachtpost 1 op patrouille,' klonk het volgens de voorschriften. Een geruststellend knikje van de luitenant, hij pakte zijn krukken en wees op de tafel. Iedereen pakte zijn fiches, Inga schoof de kaarten bij elkaar en borg ze op.

'Wat moet er met haar gebeuren?' De vrouw wees op Inga.

De luitenant gaf haar een wenk om in de hoek achter de deur te verdwijnen, toen deed hij pas open. Tussen de deur en de hengsels door zag Inga de wachtpost, een jonge vent, met zijn geweer in de aanslag, die verrast achteruit stapte toen hij de luitenant herkende. Hayden zei dat hij het wapen moest laten zakken. Ondanks de bevelende toon liet de patrouille zich niet intimideren en zei dat barak 27 volgens het terreinplan niet werd gebruikt. Hij sprong in de houding en wilde weten wie er behalve Hayden nog meer in de barak aanwezig was.

'Naam?' vroeg de luitenant scherp.

Niet onder de indruk noemde de soldaat rang, naam en eenheid.

'Moment.' Hayden deed een stap naar achteren en sloot de deur.

'Waarom weet die vent nergens van?' De man met de fluisterstem werd zenuwachtig.

'Het is Pasen... misschien is er van dienst geruild,' antwoordde de luitenant.

'Geeft niks', zei de brildrager geruststellend en ging met Hayden naar buiten.

Achter de deur zakte Inga door haar knieën. Haar ouders, het standje van de bevoorradingsofficier, Henning en zijn jongens, al die onbenullige leugens. Wat was ze dom en roekeloos geweest! Zij onderhield het hele gezin en als Civilian Employee had ze bepaalde voorrechten waar anderen haar om benijdden; in één klap kon er een eind komen aan het privilege van werken voor de Engelsen. Door de kier zag ze de laarzen van de wachtpost, de luitenant praatte op hem in en werd na korte tijd onderbroken door de man met de bril. Enige seconden stilte, Inga loerde naar buiten, de soldaat ging in de houding staan en stamelde een verklaring. Ze zonk op haar knieën. Een geur bereikte haar neus – het tafellaken van haar overleden oom. Daarnaast de benen van de vrouw in het grijze mantelpak, die over de tafel stond geleund en gedempt met de man met de fluisterstem sprak. De deur zwaaide open en ging weer dicht, de mannen kwamen terug. Inga werd verblind door de lamp die de luitenant weer aandeed. Afwachtend luisterden de vier anderen naar de voetstappen van de wachtpost, die zich verwijderde. Inga stond op en wreef haar knieën.

'Zelfs als de wachtpost het voor zich houdt...' de man met de bril schonk gin in, 'is het hier buiten nu wel afgelopen.'

'Ik kan niet zeggen dat ik erg teleurgesteld ben.' De vrouw pakte haar tas. 'Ik wil wel naar huis.'

'Maar we zijn net begonnen,' wierp de luitenant tegen en keek de anderen aan met een enthousiasme dat Inga nog niet eerder bij hem had gezien. De dame bleef erbij dat ze naar de stad gebracht wilde worden. De man met de bril haalde de speelstenen uit zijn zak. Toen ook de anderen hun fiches op tafel wierpen, opende de luitenant het foedraal; langzaam, alsof hij zich wilde vergewissen van de waarde van elk biljet, overhandigde hij de contanten. De stemming was ontnuchterd, alleen de raffialamp wierp haar speelse licht nog over alles heen. Opgelucht dat ze er nog zo genadig vanaf was gekomen en haar ouders niet opnieuw voor hoefde te liegen, liep Inga als eerste naar buiten. 'Hoe kom ik het kamp uit?' vroeg ze in het algemeen.

De man met de fluisterstem bood aan haar ook ditmaal in zijn wagen mee te nemen.

7

Ook al woonden er veel katholieken bij hen in de wijk, bij Inga thuis vonden ze het vasten op Goede Vrijdag niet erg belangrijk. Haar vader had spek, uien en koriander gekregen voor de glazen mandarijn. Hij mengde aardappelpuree met dobbelsteentjes brood, maakte er ballen van en kookte die in water met zout. De ui met speksaus rook zo heerlijk, dat moeder en dochter lang voor etenstijd al aan tafel kwamen zitten. Onder het balkon werd getoeterd – Henning had een bijzondere claxon ingebouwd, schel en doordringend. Met een ingepakte fles kwam hij de trap op. 'Gefeliciteerd!' riep hij.

Inga wilde weten waarom.

'Papa krijgt eindelijk zijn pensioen,' zei haar moeder gnuivend.

Henning scheurde het cadeaupapier eraf. 'Wijn kon ik niet op de kop tikken, vlierbessenlikeur is het enige wat er op de zwarte markt voor de feestdagen te krijgen is. Hij liet het handgeschreven etiket zien. Met beslagen bril kwam Erik uit de keuken, de ballen moesten nog twee minuten. Hij veegde zijn handen aan zijn schort af. Henning pakte de kleine glaasjes.

'Op de nieuwbakken gepensioneerde!'

Ze klonken. Haar vader voelde zich er niet gelukkig bij. Hij had zijn leven als stationschef heerlijk gevonden, want alle mensen behandelden hem alsof de treinen zijn persoonlijk bezit waren. Het gezin had gratis mogen reizen, destijds waren ze met Horst kriskras het land door geweest. En dan de mooie dienstwoning in Föhrden, waar de vrouw van de wisselwachter tot in de laatste oorlogswinter was komen schoonmaken. Inga keek om zich heen – de elegante meubels pasten niet in het huis van haar overleden oom, die hun een onderkomen had aangeboden toen alles was ingestort. De collega's waren Erik nog altijd toegenegen, maar met zijn niet helemaal vlekkeloze reputatie kon hij onmogelijk stationschef blijven. Drie dagen na de capitulatie waren ze naar zijn kantoor gekomen en hadden het hem voorzichtig meegedeeld. In een lagere rang had hij kunnen blijven werken, maar degradatie wees hij af. Toen hij uit de gevangenis vrijkwam, was 'de kwestie van zijn ogen' de enige mogelijkheid die hem nog restte. De sterkte van Eriks dioptrie overtuigde zelfs de Engelsen ervan dat hij arbeidsongeschikt was. Op zijn achtenveertigste ging Inga's vader met pensioen.

Henning vroeg wat Erik met al die vrije tijd zou gaan doen. Haar vader antwoordde dat hij de spoorwegen dankbaar was dat ze hem een vervroegd pensioen hadden verleend, maar dat het nog lang zou duren voor hij weer in de buurt van spoorrails zou kunnen gaan wandelen.

Koken, bedacht Inga, dat deed haar vader plezier, en tuinieren, maar bovenal Marianne op handen dragen.

'We hebben de auto toch!' negeerde Henning de weemoedige stemming. 'Waar zullen we vandaag heen gaan?' Hij dronk zijn derde likeurtje.

'Moet je niet naar je gezin?' Marianne sprak het woord uit alsof ze het over een onderontwikkelde negerstam had.

Hij wilde net vertellen van het uitstapje dat hij de vorige dag met de jongens had ondernomen, toen een luid gesis haar vader naar de keuken deed vliegen – er spoot water over het fornuis. Inga pakte Hennings hand. Met die snelle blik die haar aan een kater deed denken, volgde hij haar naar het balkon.

'Ik zou liever met jou alleen gaan,' zei ze.

'Alleen wij tweeën?' Hij kneep in haar vingers totdat het pijn deed. 'Goed, dan gaan we met ons beidjes de vrije natuur in.'

Ze werd onpasselijk bij het idee – alleen met Henning naar buiten: hij was haar te wild in zijn vreugde. In de kofferbak lag de deken, op een dag als vandaag leek het heel natuurlijk om daarop in het gras te gaan liggen. Ze hadden het al eens eerder gedaan, afgelopen herfst, toen ze aan de bosrand waren gestopt, hadden gegeten en bier gedronken. Henning had Inga's knieën gestreeld, haar kuiten heen en weer bewogen, en had zonder hemd in de herfstzon gelegen. Bij de aanraking van haar voeten werd ze heel opgewonden en terwijl hij haar bij haar middel vasthield, keek ze in zijn verblinde ogen en bewoog haar bekken. Opeens had hij haar opzij geschoven, zich weggedraaid en zijn broek in orde gemaakt.

Ze deed alsof ze de narcissen in de tuin bekeek en bedacht intussen waar het niet al te veel kwaad kon. Inga vertelde aarzelend dat ze de afgelopen nacht had toegekeken bij een spelletje poker en daar als serveerster nog wat had bijverdiend.

'Maar mijn ouders denken...' Ze keek Henning aan, hij was dol op heimelijkheden.

'Goed,' zei hij grijnzend en keek over haar schouder de kamer in, waar net de ballen op tafel werden gezet.

Ze reden onder de zacht glanzende hemel tussen de weiden door, op het motorgeluid na was het zo onwezenlijk rustig dat het leek alsof de zwijgende klokken het land in hun stilte hadden meegetrokken.

'Een spelletje poker?' vroeg Henning.

Inga dacht aan de terugreis met de lugubere Gabor, bij het schakelen had de gouden ring aan zijn vinger een schrapend geluid gemaakt. De elegante vrouw was eerder dan Inga uitgestapt, bij een poort met hoge bomen, zodat het huis erachter niet te zien was geweest.

'Je hebt heus wel een idee wat dat voor mensen zijn,' zei Henning. Engelsen in burger, antwoordde ze, een met een hoge rang. Hij stopte en stapte uit. Zo ver als Inga keek, alleen weilanden, geen bosje, geen kerktoren in de verte te zien, alleen de weg die aan de horizon verdween.

'Zullen we een eindje lopen?'

Opgelucht stelde ze vast dat de deken in de kofferbak bleef.

Hij legde een arm om haar schouder. 'Niet te koud?'

Ze liepen over steengruis tot Henning een pad insloeg dat tussen het jonge gras nauwelijks te zien was en hij zijn pas versnelde.

'Je vader heeft me verteld van die avond laatst. Je zou de hele nacht weggebleven zijn.'

De weide was nat, Inga voelde het vocht door haar zolen heen komen.

'Mijn ouders overdrijven.' Ze had een hekel aan natte voeten, hield zich aan zijn arm vast en deed haar schoen uit. 'Heb je papier bij je?' Hij schudde zijn hoofd. Inga trok wat klein hoefblad uit en legde de fluwelige bladeren in haar schoen.

'Daarboven is het droog.' Henning wees op een jagersstoel,

waar ze al minuten naar keek, maar die ze niet had gezien. Met opgetrokken knieën liep hij door het hoge gras. 'Dat jij bij de Engelsen werkt, betekent nog niet dat wíj normale tijden beleven.' Hij klom als eerste omhoog.

'Zijn de tijden ooit normaal?' Ze zag zijn krachtige benen sport na sport nemen, volgde hem, het laatste stuk trok hij haar omhoog. Een nauwe stoel van grenenhout waar de hars uit de poriën parelde, maar de jager had de zitting en de rugwand met mos bekleed.

'Bij dat spelletje poker...' Henning rekte zijn woorden. 'Waren daar veel Britten?' Ze zaten dicht tegen elkaar aan, hierboven zag je meer gras dan hemel. Inga vertelde over de Duitse vrouw in haar mantelpakje. Zuchtend legde hij beide handen op de balustrade.

'Heb je je met een Engelsman ingelaten?' Henning staarde naar buiten alsof daar iets te ontdekken viel.

'Engelsman,' herhaalde Inga en dacht aan de arrogantie van de luitenant en aan zijn geheim; hoe ongelooflijk handig hij met de kaarten om kon gaan.

'Ik mag je graag.' Hennings schouders zakten af. 'Ik zou zelfs kunnen zeggen dat ik van je houd. Maar jij lacht me alleen maar uit.'

Er woei een briesje door de toren. 'Je mag het best zeggen.'

In plaats van iets te zeggen pakte hij haar bij haar middel, kuste haar hals en oor en liet zijn grote hand door haar haren glijden; wat hij mompelde verstond ze niet, zijn mond was te dichtbij. Inga dacht aan de klaverkoning. Hij schoof haar rok omhoog en ze moest haar benen schrap zetten om haar houvast niet te verliezen. Voor haar liet hij zich op zijn knieën zakken, het houten geval in de lucht kraakte, en zijn hoofd verdween tussen haar benen, ze voelde zijn neus en het baardhaar dat sinds de ochtend alweer was opgekomen. Hij kuste haar dijen en trok zonder veel te bereiken aan haar onderbroek. Haar kuit sidderde, Henning dacht dat zijn kussen dat veroorzaakten en drong aan; met kracht tilde hij haar achterwerk op en trok het slipje uit voor zover dat ging. In een toren boven de weide, in de koele lucht, de moeite die het haar kostte om niet weg te glijden, *vriendelijkheid kost niets*, had haar moeder gezegd. Doelgericht tilde Henning Inga op en zette haar neer, zijn borsthaar sproot boven zijn hemd uit en zijn neus was rood van het kussen tussen haar dijen. Hoe had hij haar bloes uitgetrokken, haar hemd en haar bh naar boven geschoven? Hij was wild en wist tegelijkertijd wat hij deed. Ze kreunde zijn naam en Henning kleedde zich uit. Omdat ze dacht dat het zo hoorde, zei ze dat ze van hem hield. Hij kreunde en gleed meteen in haar. Inga vergat wat ze erover had horen vertellen en was opgelucht dat het zo gemakkelijk ging. Een tak stak door het mos in haar rug; toen ze haar ogen opende, zag ze haar rode knie boven Hennings hoofd en hoe zijn adem uit zijn mond kwam, want de middaglucht was koel. Op dat moment werd ze verrast door haar eigen gevoelens en wilde ze Henning helemaal voor zich alleen – Trude zou de zaak houden en met de jongens moesten ze dan maar praten; waarom zou het onmogelijk zijn? Inga perste zich tegen Henning aan. Boven haar, in het baldakijn van hout, hing een oud wespennest, een eenzame wesp vloog eropaf en ging onvast op de grijze raat zitten, alsof ze net was ontwaakt, trok met haar pootjes, rekte haar kop en scheidde een vloeistof uit. Met haar mond als gereedschap begon de wesp te bouwen en het nest met een bizarre snelheid te herstellen. Inga verwachtte dat er andere wespen zouden komen, maar de wesp bleef alleen in haar inspanning. Henning schokte omhoog, rukte haar los uit haar waarneming en dicht naast haar stortte hij zich uit in het mos.

Later sliepen ze op de deken achter de auto. Ook al had het haar moeite gekost naar beneden te klauteren, Inga was als eerste afgedaald, omdat ze niet wilde dat Henning onder haar rok keek. Het slipje zat in haar tas, er was maar weinig bloed, het was eenvoudiger en tegelijk verbazingwekkender dan ze had gedacht. De hars zou moeilijker uit haar kleren te krijgen zijn. Ze schoof dicht tegen Henning aan, merkte dat zijn adem langzamer ging en dat hij zacht begon te rochelen. Half slapend, met Hennings arm om haar heen geslagen, zag Inga de vrouw in het grijze mantelpakje voor zich – ze kreeg een goede kaart en trok genietend aan haar zwarte sigaret.

8

Het was een oude madonna, ze noemden haar thuis de barokmadonna, hoewel Erik had gezegd dat ze was gemaakt door een houtsnijder uit de late middeleeuwen. Het beeld werd niet in het zicht gezet noch verkocht, waarschijnlijk haalden haar ouders het niet van de vliering, omdat de boer er te weinig voor zou hebben gegeven. Haar mantel was blauw geschilderd, ze hield haar hoofd schuin en het kindeke Jezus was afneembaar.

Toen Inga de madonna uit de kast tilde, viel de scepter op de vloer, ze blies het stof eraf en stak hem weer in de geopende hand. 'Die zal toch eens een keer van jou zijn' – deze woorden van haar vader gaven haar het recht de madonna in de kleine reistas te leggen, met watten te bedekken en het huis uit te dragen. Ze nam de voordeur, een blik over het hek, Erik en Marianne waren in de tuin, het leek er gemoedelijker uit te zien dan anders, haar vader was gepensioneerd.

In de stad was alles dicht en de straten waren leeg; ze pakte de tas na steeds kortere afstanden over in haar andere hand. Bij de Friedrichspoort verliet ze de stad, meteen daarachter lag het pandjeshuis, eigendom van de paardendokter, die August heette en een oog had verloren. Wilde hij iets bekijken, dan draaide hij zijn hoofd tot zijn gezonde oog het zag; de plek waar het andere ontbrak, was dichtgenaaid. De deur naar het pandjeshuis lag niet aan de straatkant, zodat de mensen hun waardevolle spullen ongezien naar August konden brengen. Inga liep langs de muur en door de poort, de paddock was leeg en er stonden drie paarden in de boxen, die hun hoofd in de zon hielden. Het izabelkleurige paard kende ze, zijn eigenaar had het in de oorlog gebracht om het te laten aansterken, maar was intussen gestorven. Nu was de izabel van niemand meer, maar August dacht er niet over het paard naar de vilder te brengen. De bruine merrie en de ruin waren nieuw. Gras is er altijd, luidde Augusts lijfspreuk, ze kunnen alles platwalsen, maar elke keer groeit het weer bij.

Inga hoefde niet te kloppen, want August kwam het huis al uit, kauwend op een wortel. Hoewel hij haar meteen herkende, draaide hij zijn oog nieuwsgierig naar haar toe. ‘Wat heb je bij je?’ Hij boog zijn hoofd naar de tas. Deed hij zaken met Marianne, dan praatten ze eerst wat, zaten in de zon of streelden de paarden voor het marchanderen begon. Overrompeld zette Inga de tas op de putrand en haalde de madonna eruit, de scepter bleef eerst haken, maar toen had ze haar op haar arm.

‘Kom je van je moeder?’ Het oog peilde. ‘Antiquiteiten brengt ze me anders persoonlijk.’

Inga legde uit dat ze de laatste tijd met hun spullen vaak naar de boer waren gegaan.

‘Wie heeft er immers behoefte aan geld?’ knikte hij.

‘Ik,’ zei Inga impulsief.

Hij zweeg even en zijn oog dwaalde af naar de madonna. 'Waarvoor?'

De izabel sloeg met zijn hoef tegen de planken wand, de merrie antwoordde hinnikend. Inga vroeg wat het beeld waard was.

'Wil je weten wat het waard is, of wat ik je kan geven?'

Hij pakte de figuur, liep naar de grijs geboende tafel, zette haar er voorzichtig neer en onderzocht de sokkel, de schroefdraad en de schroef waarmee het lichaam was vastgezet.

'Ik zou haar voor je kunnen bewaren, als dat je wat lijkt.'

'En het geld?'

'Hoeveel heb je nodig?'

Inga ontweek het oog en dacht na – tijdens die nacht op de taxibaan was haar opgevallen dat de dame in het grijze mantelpakje geen ponden wisselde, maar met Duits geld speelde. In bed had Inga een bedrag bedacht dat haar ongelooflijk hoog leek. Ze sloeg haar armen over elkaar en noemde de prijs. Bij daglicht kreeg het iets onfatsoenlijks.

August keek tegen de zon in, zijn oog knipperde. 'Weet je moeder dat je hier bent?'

'Natuurlijk.' Ze merkte dat het hem niet geruststelde. 'Mama doet je de groeten. Ze zal blij zijn als je onze madonna neemt.' Inga draaide zich om en liep naar de izabel, die een stap terugdeed, het halfdonker in. 'Afgesproken?' vroeg ze over haar schouder.

August streek over een mantelplooi van hout. 'Ik geef je de helft.'

Inga slikte en schoot in de lach bij de gedachte aan de berg papier die al die opgestapelde biljetten zouden vormen. Toen ze haar hand uitstrekte, raakten de zwarte lippen van de izabel haar vingers aan.

'Heb je nog een worteltje?' vroeg ze om haar opwinding te verbergen.

August pakte een peen uit zijn zak. 'Zo fijntjes als dat gezicht is gesneden.' Hij trok de bank bij, ging zitten en bekeek het kunstwerk met een schuin hoofd.

Niemand heeft deze madonna nodig, dacht Inga, maar het vervelende gevoel bleef.

Het lege bed verontrustte haar niet, hij mocht immers opstaan – het was verschoond. Geen boek op het nachttafeltje, de krukken ontbraken, misschien was hij naar de mess gegaan – lastig, over de oneffen bosgrond. Inga keek langs de corridor tussen de bedden, er vielen strepen zonlicht op het terras, nu pas viel haar zijn ziekenstaat op – daar stond zijn naam niet. Dit bed wachtte op een nieuwe patiënt. Ongerust haalde ze de houder eraf, verzekerde zich ervan dat het papier er niet tussen was gegleden, duwde het blikken ding terug, maar het liet zich niet meer vastzetten, dus wierp ze het op bed en liep naar het einde van de gang, naar de kamer van het verplegend personeel.

'Hayden?' herhaalde de verpleegster met de wrat, ze zaten elke dag naast elkaar op de transportwagen. 'Die is goedgekeurd.'

'Maar hij kon nog niet goed lopen.' Inga hing op de vensterbank alsof ze alle tijd had.

'Wat moet je van hem?'

'Ik heb een boek voor hem bij me.'

'Wil je het hier misschien achterlaten?' De nieuwsgierigheid was van haar gezicht af te lezen.

'Hij moet toch ergens uithangen. Of hebben ze hem naar Engeland teruggestuurd?'

'Ik vond hem onaangenaam,' zei de zuster met een hatelijke grijns. 'Vanochtend vroeg werd er aan de touwtjes getrokken en meteen daarna was hij weg.'

Op weg naar haar afdeling verdreef Inga alle verwarde gedachten, ging achter de machine zitten, tikte bestellingen en liet de sergeant ze tekenen. Ze wachtte tot hij aan zijn middagpauze begon en maakte zijn archiefkast open. Op dat moment verscheen de officier in de deur en stelde een vraag. Het was Inga niet verboden de salarislijsten in te kijken, maar op dat moment voelde ze zich een misdadigster. De telefoon rinkelde, de officier trok zich terug. Luid vogelgetjilp, door het raam vergewiste Inga zich ervan dat er niemand aankwam en voorzichtig liet ze metalen lade openglijden, waarbij de rollende wieltjes meer lawaai maakten dan anders. Zonder de map eruit te halen vond ze het juiste papier en haar vinger ging over het blad, de maandelijkse salarislijst van de officieren, op zoek naar *Hayden, Alec, Lieutenant* – de naam ontbrak. Verward schoof Inga de lade terug en sloot de kast.

Tijdens het middageten ging Inga's blik meer dan eens naar het afzonderlijke deel voor de officieren in de hoop het geluid van zijn krukken op de drempel te horen, en ze wachtte tot de laatste man zijn blad had gevuld en weer had teruggebracht. Uiteindelijk zat alleen Inga nog in de eetzaal.

Toen ze de officiersonderkomens naderde, versperde een pezige korporaal haar de weg en vroeg of ze verdwaald was. Een bericht voor luitenant Hayden, antwoordde ze, maar ze kon niet verhinderen dat hij naast haar bleef lopen. Samen bereikten ze de barak, stonden stil voor de vierde deur, maar het klemmetje waar anders het naamkaartje in hing, was leeg. De korporaal bood aan het voor Inga na te vragen, maar ze sloeg het af en haastte zich terug naar haar afdeling – halverwege bedacht ze zich en liep naar het bureau van de commandant.

Met de lippenstift in de aanslag stond de blondine voor de spiegel. Inga kende de secretaresse van de commandant slechts vluchtig, omdat zij het manschappentransport maar zelden gebruikte. Inga vroeg met samengeknepen handen naar luitenant Hayden. Terwijl de secretaresse zwijgend haar lippen natekende, bekeek ze Inga via de spiegel. Ook al waren sommige dingen versoepeld, toch waarde het spook van de verbroedering nog steeds rond: betrekkingen van Duitse C.E.'s met de strijdkrachten waren verboden.

'Hayden?' herhaalde de secretaresse. 'Overgeplaatst, lichte dienst.' Haar hoed zat niet helemaal zoals ze wilde. 'Stadsbureau.'

'Naar Föhrden?' vroeg Inga verbaasd.

'Vraag het maar na op het slot.' De secretaresse van de commandant pakte haar tas en hield met een niet mis te verstaan gebaar de deur open voor Inga. Die bedankte en deed alsof ze terugging naar haar kantoor, maar verdween tussen de dennen. Waar de zon lichtvlekken tussen de bomen wierp, ging ze op het mos zitten. Ze had haar antwoord gekregen maar begreep er tegelijk niets van.

Diezelfde avond naderde ze het slot over het grindpad en zag het embleem van de Britse instantie op de gesloten deur. Het werkelijke commando bevond zich buiten in het bos, dit hier had een representatieve functie, voor het ontvangen van gasten. Een bruine hond tilde zijn poot op tegen een lantaarnpaal en Inga speelde met hem tot zijn baasje hem riep. De krokussen waren allang uitgebloeid.

's Nachts in bed staarde Inga naar de klerenkast, waar ze

het geld achter een oude matras had verstopt. Terwijl ze in slaap viel moest ze aan Henning denken en het wespennest in de hoge jagersstoel. Hij had haar in zijn armen gesloten en had in zijn slaap liggen mompelen; nu lag hij weer naast Trude. Zou de eenzame wesp nog leven?

9

De volgende dag handelde ze het meeste af voor het eind van de middag en het lukte haar het transport van vier uur naar Föhrden te halen. Ze waste haar gezicht en armen in de fontein, streek haar jurk onder haar boezem naar beneden en liep dwars over het gazon. De deur van het bureau van de commandant was open. Inga's pas van C.E. werd geaccepteerd, men stuurde haar naar de eerste verdieping en ze betrad het kantoor. Ondanks de stralende middag brandden de plafondlampen, die zich spiegelden in de gegolfde ruit. Vier schrijftafels vormden een straatje dat naar de volgende deur leidde, waarachter waarschijnlijk een belangrijk persoon zetelde. De luitenant was de tweede van rechts en voor het eerst zag ze hem in vol uniform, zijn krukken stonden in de hoek. Hij keek op, liet niets blijken, zelfs geen herkenning. Nog drie ogenparen waren op Inga gericht, van jonge officieren. Ze deed een pas naar voren, wat akelig luid klonk op de stenen plavuizen, en zei dat ze hem moest spreken. De luitenant sloeg een dossier open, met daarin een gelig, dun velletje papier, alleen maar een doorslag – wat hij daar aan werk deed was onbelangrijk. Vanwege de hol klinkende ruimte sprak hij gedempt en zei dat hij nog iets moest afmaken. Uit de manier waarop hij zijn potlood vasthield, maakte Inga op dat hij niet las, alleen naar de regels keek.

De middelste deur ging met een zwaai open en uit het halfdonker kwam iemand in een pas gestreken uniform naar binnen, Inga telde de strepen, een majoor – ze lachte verbaasd, het was de man met de bril. Hij wendde zich tot de officier het dichtst bij de deur, merkte de jonge vrouw op en verstarde, zijn buik spande onder het gekeperde jasje. 'Ach,' zei hij met een blik naar Hayden, hij borg een stuk op en verdween weer.

'Half zeven in de Charlottenhof,' stelde de luitenant voor zonder Inga aan te kijken. Ze stemde in met tijd en plaats en nog geen drie minuten na haar binnenkomst stond ze weer buiten.

De Charlottenhof was een weg tussen vakwerkhuizen door, waar vrachtkarren elkaar vroeger hadden verdrongen en waar nu tafels op het plaveisel stonden en 's avonds petroleumlampen aan werden gestoken. Peinzend slenterde Inga naar de afgesproken plaats. Dat de man met de bril officier was, had haar niet verrast, maar ze vroeg zich wel af waarom de groep zo was samengesteld – de luitenant, zijn majoor, de vrouw in het mantelpakje, de fluisterende Gabor – die vier waren meer dan zomaar een kaartclubje. Inga keek op, ze wilde niet meteen de schemerige straatjes in en liep de Charlottenhof voorbij om bij het Mariabosje in het gras te gaan zitten. Ze trok haar kniekousen uit, want haar kuiten waren nog wit van de lange winter. Sinds Goede Vrijdag had Henning niets van zich laten horen – anders kwam hij een paar keer per week vanuit de fabriek langs op weg naar huis, maar sinds die middag in de jagersstoel had ze niets van hem vernomen. Inga leunde op haar ellebogen, zag Hennings naakte arm om de houten stam, de opbollende pees in zijn nek, zijn vrolijke wildheid. Hij en Trude waren al lange tijd getrouwd, maar zelfs als ze als broer en zus leefden, zou Henning haar nooit verlaten. Het was aan haar te danken dat de fabriek niet was ontmanteld – hij had het Inga een keer verteld – terwijl overal in de omgeving bedrijven met moderne machines als herstelbetaling waren geconfisqueerd, afgebroken en verscheept. Trude was naar het hoofdkwartier van de Engelsen gegaan en had hen ervan overtuigd Henning de fabriek te laten houden. Hij en Trude waren een paar voor het leven, zijn hartstocht voor Inga was maar bijzaak. Ze maakte haar haren los en bekeek het speldje, het parelmoer was met de jaren zo donker als barnsteen geworden.

Gewoon een normale afspraak, prentte ze zichzelf in en het sprak haar wel aan de luitenant ergens te ontmoeten waar iedereen heen ging. Inga trok haar kousen en schoenen aan, liep terug en ging onder de houten arcades zitten.

Hij liet haar wachten. Na een halfuur was ze kwaad, maar in principe niet kwader dan ze altijd al op hem was. Hij hechtte er geen waarde aan of mensen hem mochten en wekte vertrouwen om het bij de volgende gelegenheid te beschamen. Steeds weer maakte hij zich onzichtbaar. Inga genoot van het idee dat de luitenant alleen maar zo bleek was om met de eerste de beste wand te kunnen versmelten.

'Je maakt het me wel lastig.'

Geïrriteerd stond hij onder de galgvormige gevel, schoof zijn baret in de epaulet, ging zitten en zette de krukken tegen zijn stoel. 'Dat was dom van je om in het slot aan te komen zetten.'

Ze vroeg of hij haar niet meer wilde kennen nu hij uit het hospitaal was ontslagen.

'Wat blijft er dan nog over?' zei ze als het ware tegen zichzelf.

Hij wenkte de kelner, koffie was er niet en zuchtend bestelde hij bier. Inga wilde over de madonna en de schat in haar kast vertellen. Zij had hem graag gevraagd wanneer de volgende bijeenkomst plaatsvond en wie die onbekende in haar grijze mantelpakje was, maar in plaats daarvan kon ze niets beters bedenken dan dat ze de raffialamp terug moest hebben. Het trok koud op vanaf het plaveisel en ze schoof haar rok recht. Hij dronk met grote slokken en sprak ten slotte de verbazingwekkende woorden: 'Spelen is beslist geen genoegen.'

Hij wenkte de ober en terwijl die nog rekende, greep hij al naar de kruk, haalde geld uit zijn zak en vergiste zich in de munten, zodat de kelner hem bedankte voor de vorstelijke fooi. De luitenant hield zijn hand ver voor zich uit, zijn blik omhoog en zijn lippen stijf op elkaar – bij de ingang van de Charlottenhof stond iemand rond te kijken. Borstelige wenkbrauwen, een vlezige neus; zonder zijn lichte, opbollende jas had Inga hem niet herkend. Het was de man die de luitenant in het hospitaal had opgezocht. Hayden draaide zich zo bruusk om dat de tafel wankelde, zijn ogen zochten een andere uitgang. De houten arcade verborg hem nu nog voor de blik van de man.

'Kom.' Instinctief gaf Inga hem de tweede kruk.

Hij begreep dat er achter de deur waar ze hem heen duwde een doorgang was, de toegang tot de steegjes van de binnenstad. Zo onopvallend mogelijk hompelde hij die kant op, zette zijn gewicht op zijn gewonde been en zoog de lucht naar binnen. Hij keek niet om, maar Inga wel. De man in de jas ontdekte haar op het moment dat ze door de deur glipte en hij keek haar aan – zijn herinnering liet hem even in de steek.

Inga haalde de luitenant met een paar passen in, hij wilde het grof geplaveide pad inslaan, maar ze pakte hem bij zijn schouder en wees op de houten trap die over het hoge deel van de molenbeek naar de brug over de stuw voerde. Hij vertrouwde haar, hol weerklonken de krukken op de treden terwijl Inga achter hem bleef en hem hoorde hijgen. Zijn smalle lijf verloor het evenwicht en ze legde haar hand tegen zijn rug. Bij de balustrade moest Hayden op adem komen – beneden klonk geluid, de deur vloog open, een paar snelle schreden en de man in de mantel bleef onder aan de trap staan, het water ruiste en er verliepen enige seconden. Stap voor stap liep de man, als was hij niet zeker van zijn beslissing, het steegje in.

'Hij keert nog wel om,' fluisterde Inga. 'Je kunt daar niet verder.' Uitgeput keek Hayden haar aan, een ogenblik lang merkte ze dat hij geen zin had haar nog eens te volgen. Ze trok hem naar het hek dat de toegang tot de stuw vormde, sloot het achter hen en schoof de grendel erop. De molenbeek had zijn hoogste stand, zoals altijd in de lente.

10

De bankbiljetten, neergeteld op de sprei, bedekten het halve bed. De meeste biljetten waren bruin, sommige met een blauwe ondergrond en hoge, krullerige cijfers, maar de getallen en de waarde ervan waren al heel lang niet meer met elkaar in overeenstemming. Nietszeggende hoofden, terwijl de afbeeldingen op de achterkant er op de landkaart inmiddels heel anders uitzagen. In de stad werd gezegd dat er ander geld zou komen, maar de Engelsen in het kamp deden er het zwijgen toe. De madonna was duurzamer dan de beduimelde biljetten, dacht Inga, maar aan de andere kant kon je het papier meenemen en er je geluk mee wagen. Misschien kreeg het aan de speeltafel zijn oude waarde terug. Haar vinger tekende de nullen op het biljet na.

Ongehinderd hadden ze het Mariabosje bereikt, waar de luitenant somber in het zonnige bos zat met zijn gewonde been uitgestrekt op het mos. Hij zei weinig, gaf geen verklaring en antwoordde op Inga's dringende vragen niet meer dan: 'Ik heb schulden. Ze wachten niet graag op hun geld.'

Inga zat op de resten van een wegrottende populier, met

haar blik op de klimopranken die de boom bijna verzwolgen.

'Ik heb het een keer meegemaakt,' zei de luitenant onverwacht. 'Het was een badplaats in het zuiden. Negenendertig uur werd er aan één stuk door gespeeld. Alle contanten belandden bij de winnaar, zelfs de fiches. Niemand wilde ophouden. Toen de derde nacht aanbrak, schreven ze hun verplichtingen op bierviltjes en op de rand van de krant, zelfs uit de Hotelbijbel werden bladzijden gescheurd en volgekrabbeld. De grote slag komt wel eens voor,' knikte hij, alsof hij Inga's zwijgen opvatte als protest. 'Mensen die in één nacht het geld van hun leven binnenhaalden.'

'De grote slag!' De uitdrukking beviel haar. Ze overwoog hem over de reistas in haar kast te vertellen, maar ze wist ook dat Duits geld voor hem waardeloos was.

'Neem me de volgende keer mee.'

'Dus hier word je niet bang van?' Hij had op zijn knie gewezen.

'Zoveel zou ik nooit kunnen verspelen, dat ze me uit een auto gooien.'

Voor het eerst sinds ze hem kende, had hij hartelijk gelachen. Ze herinnerde zich hoe de avondzon wat kleur in zijn gezicht getoverd leek te hebben.

'Ja. Ik zou je mee kunnen nemen,' had zijn antwoord geluid. 'Misschien doe ik het wel. Als mijn talisman. Je hebt er talent voor.'

Inga had wat mos en twijgjes van haar jurk geveegd, nog nooit had iemand zoiets moois tegen haar gezegd. Toen ze de weide verlieten, begon het donker te worden.

Inga stond op met een blik op de bundels biljetten, liep haar kamer uit en struinde zachtjes door het huis. Haar ogen zwierven over de weinige dingen waarvan haar ouders het niet over hun hart konden krijgen ze te verkopen – schilderijen in zware lijsten, in elkaar geschoven bijzettafeltjes, het logge notenhouten dressoir. In de keuken bukte ze zich naar de onderste lade waarin het bestek van Mariannes familie nog werd bewaard, voor als de nood aan de man kwam, en bekeek de zilvermerken op de messen, het bloemmotief op de lepels. Het was uitgesloten.

'Voor de grote slag heb je bedrijfskapitaal nodig,' had de luitenant bij het afscheid gezegd. 'Wie klein pointeert, zal nooit de wind in de zeilen krijgen.' Ze wilde dat ze iets voor hem kon doen.

Had haar moeder geroepen? Geschrokken duwde Inga de la dicht. Marianne stond op de eerste verdieping, precies voor haar kamer.

'Ik ruim de winterkleren op,' riep ze van boven.

Inga rende de keuken uit, stond onder aan de trap en zag hoe haar moeder de volle wasmand naar haar deur sleepte.

'Dat is te zwaar voor je!' Ze liep met drie treden tegelijk naar boven.

Net toen Marianne met haar elleboog op de deurklink duwde, haalde Inga haar in en trok de mand uit haar handen.

Haar moeder rook een geheim, maar beslist niet de bundel rijksmarken op Inga's bed. 'Doen we jouw spullen er ook meteen bij,' giechelde ze.

'Ik wil eerst kijken wat weg kan,' antwoordde Inga ademloos.

Haar moeder vatte het op als hulpvaardigheid en ging met haar licht hinkende stap terug naar de trap. 'Henning heeft naar je gevraagd.'

'Wanneer?' De mand in haar arm werd zwaar.

'Gisteren voor de avondboterham.' Marianne zette haar gezonde been op de bovenste trede. 'Ik wist niet wat ik moest zeggen... waar je was.'

Inga wilde haar iets naroepen, wat meer weten – en zweeg. Met haar rug duwde ze haar deur open, zette de mand op de grond, knielde op haar bed en graaide het geld bij elkaar. Terwijl ze het in de tas stopte, dacht ze dat het het beste zou zijn Henning in vertrouwen te nemen en tegelijk was ze blij dat hij haar niet thuis had getroffen.

Ze stond voor de spiegel en achter haar knielde Marianne.

'Als hij zo lang is, sleept hij achter me aan.'

'Dat is nou juist de charme van de jurk,' antwoordde haar moeder met opeengeperste lippen, nauwelijks tot spreken in staat vanwege de spelden in haar mond. Op haar gezonde knie schoof ze om Inga heen en speldde de zoom af. 'Die jurk heb ik genaaid toen ik al zwanger was.' Met een zucht kwam Marianne overeind. 'Helaas hebben we geen blauw garen, dus gebruik maar zwart.'

De jurk zat zo krap dat Inga slechts oppervlakkig adem kon halen. Op haar rechterschouder schoof ze het bandje recht, dat dwars over haar boezem liep en onder haar oksel verdween. Ze rolde met haar schouder, het kuiltje onder de spier beviel haar.

Toen Marianne hoorde dat haar dochter naar een partijtje mee mocht, was ze naar het bijkamertje gegaan en met de jurk over haar arm weer naar beneden gekomen. 'Waarom een Engelsman?' had Erik gevraagd. Haar ouders wilden een onopvallende aanbidder waar ze mee voor de dag kon komen. Het was al erg genoeg dat een getrouwde man hun dochter het hof maakte, nu ook nog iemand van de bezettingsmacht.

Inga sprong van de taboeret.

'Met zo'n jurk kun je niet huppelen.' Met een tevreden glimlach stak Marianne een sigaret aan.

'Is dit nog wel in de mode?' Trots draaide Inga voor de spiegel.

'Tegenwoordig bestaat er helemaal geen mode.' Haar moeder tikte as in de bloemenschaal. 'Wanneer komt hij?'

'Niet voordat het donker is.'

Marianne ging achter haar dochter staan en opende de haakjes van boven naar beneden. Inga liet haar adem ontsnappen, rende in haar onderjurk naar de keuken en strooide bieslook en zout op een stuk brood.

Uit de damp van de uiensoep doemde het hoofd van haar vader op. 'Wat loop jij erbij.' Hij bekeek haar door zijn beslagen brillenglazen. 'Eet de luitenant mee?'

Inga liep de keuken uit om de zoom van de jurk vast te naaien.

Toen ze later bij het raam op de Engelsman wachtte, was de soep al lang op. Hij dook op bij het tuinhek, zag het huisnummer niet en liep te ver. Hij droeg een uniform zonder onderscheidingen, alleen het rangteken van luitenant op zijn revers, de das had dezelfde kleur als het hemd en de broek was te kort. Het Engelse uniform maakte kleine mannen dik, vond Inga, en slanke mannen vormeloos. De winterse stof, waarbij de broek ook nog eens tot boven de taille kwam, kleedde niet af. Ze moest aan vroeger denken, aan de strakke snit van hun eigen grijze uniformen, de markante vorm waarin elke slungel van een officier ergens op had geleken. De jasjes zag je nog wel op straat, maar de rangtekens waren eraf gerukt, want de mannen droegen ze tegenwoordig naar hun werk. Inga opende het raam en zwaaide.

Hij begroette haar moeder als eerste; haar bloemenjurk had Marianne sinds de dood van Horst niet meer aan gehad. Ondanks zijn afschuw van het bezoek had Erik het flanellen pak gestreken en een gesteven overhemd met een blauwe stropdas aangetrokken. Marianne sprak simpel Engels en als ze het niet verder wist, glimlachte ze charmant. Erik deed alsof hij geen woord begreep, deed ook geen moeite en verwachtte dat zijn dochter alles zou vertalen. Ze lieten het niet merken, maar haar ouders waren teleurgesteld dat de luitenant niets mee had genomen – Marianne was dol op Engelse sigaretten. Met gespannen schouders stonden de mannen tegenover elkaar in de balkonkamer, maar tegen de vlierbessenlikeur zei Hayden geen nee.

'Wat doet u in het gewone leven?' vroeg Marianne.

'Ik ben banketbakker.'

Inga had niet verraster kunnen zijn. Op een kantoor had ze zich hem voorgesteld, als technisch tekenaar of ontwerper – onwillekeurig keek ze naar zijn handen en stelde zich voor hoe hij met deze vingers taarten versierde.

Erik zei dat het hem verbaasde dat Engelsen ook maar iets van bakken afwisten. Inga seinde dat hij niet zo direct moest zijn.

'Wat wordt er bij u dan voor zoetigheid gegeten?' volhardde haar vader.

'In de hulppakketten, die u na de capitulatie kreeg, zaten scones,' antwoordde de luitenant gevat. 'Engelse theebroodjes, weet u nog?'

Het zwijgen duurde een aantal seconden. Erik streek langs zijn revers, alsof hij het partijspeldje miste.

'Ik heb me in fruitcake gespecialiseerd.' Hayden ging zitten. '*Dundee cake* bijvoorbeeld maak je met sinaasappelmarmelade en cognac. Maar het moet wel echte Franse zijn.'

Eriks gezicht bleef gesloten, maar zijn nieuwsgierigheid als kok was gewekt.

'*Florie cake* bevat marsepein en citrusvruchten, *skeachan* voornamelijk gember en bier.'

Ineens kwam het gesprek op gang. Inga was verbaasd dat haar vader Engelse uitdrukkingen gebruikte, Marianne serveerde limonade en Hayden vertelde over de taartenbakkerij van zijn familie in North Berwick, waar de zaken zo vlak bij de grens bijzonder goed liepen. Welke grens, vroeg haar moeder. 'Tussen Schotland en Engeland,' antwoordde hij en wilde weten in welke rang Erik dienst had genomen. Haar vader vertelde over zijn slechte ogen en bracht het goudfazantverleden niet ter sprake.

'Ik heb nog niet begrepen naar wat voor soort bijeenkomst u onze dochter mee wilt nemen?' vroeg hij.

'We zijn in het huis van generaal Kosigk uitgenodigd,' antwoordde de luitenant en keek Inga aan. De vermelding van die in de hele stad bekende naam veranderde alles. Opgeruimd vertelde Erik hoeveel de weduwe van de generaal voor de stad deed. 'Sinds kort oefent zelfs het vrouwenkoor bij haar thuis.'

'Haar man werd geëxecuteerd,' zei Marianne. Op Haydens zwijgen voegde ze eraan toe: 'In een van de laatste oorlogsdagen.'

Na een uur stond de luitenant op, klemde de kruk onder zijn oksel, schudde haar vader bij de deur de hand en verklapte hem het recept voor een taartglazuur.

'Veel plezier in het Kosigk-paleis,' zei Marianne. 'Helaas is het voor de helft gebombardeerd.'

'Er is nooit een aanval op Föhrden geweest,' wierp de luitenant tegen.

'Op de terugweg hebben Britse bommenwerpers overtollige lading uitgeworpen.' Spijtig trok ze haar schouders op.

Binnen een seconde was de oude stemming terug, de mannen zwegen. Marianne merkte dat Inga de trap op was gegaan. Onopvallend had ze haar moeders grote handtas gepakt en de helft van het geld erin gepropt.

'Die past niet bij die jurk!' riep Marianne.

Haar dochter en de luitenant waren al op weg naar het tuinpoortje. De zijde glansde in het licht van de maansikkel en de jurk sleepte inderdaad achter haar aan, al lopend probeerde Inga de sleep tot zijn recht te laten komen. Haar moeder had haar de blauwe oorbellen geleend en met een beweging van haar hoofd liet ze de stenen fonkelen.

II

Een gardenia rechts van het bord van de heren, een bosje viooltjes voor de dames. Het porselein was afkomstig van de Berlijnse Manufactuur, voor de borden verdrong zich een hele collectie glazen en aan weerskanten lag zilveren bestek. Als meisje had Inga aan tafel Eriks opdrachten moeten uitvoeren en deze etiquettelessen waren de enige opvoeding geweest die ze ooit van hem had gekregen. Terwijl ze ging zitten, kwam het gevoel van destijds terug, vaders liniaal in haar rug en de boeken onder haar oksels die bij het eten niet mochten wegglijden of vallen. Op welk moment je het servet openvouwde, welk glas je als eerste gebruikte, hoe de messen en lepels werden vastgehouden, Erik had het uit en te na met haar geoefend.

De gastvrouw droeg een donkerrode, tot op de grond hangende jurk met een zijden volant om haar boezem en een uitgesneden rug, en haar haarkleur leek Inga vandaag nog lichter dan die nacht in het kamp. Bij de begroeting had Marion Kosigk haar even de hand gedrukt en nu troonde ze aan het hoofd van de tafel en babbelde met de man met de bril. Ook de luitenant had een plaats in de buurt van de generaalsvrouw, terwijl Inga tot haar teleurstelling ver van hem weg zat.

De groep uit de vliegeniersbarak was voltallig, de man met de bril droeg het majoorsuniform met alle mogelijke onderscheidingen, en tussen zijn borstzakken bungelde een gouden kettinkje. In een donkerblauwe naaldstreep en met haar dat glansde van de brillantine zat de man met de fluisterstem naast een weelderige Duitse; als hij dacht dat niemand hem gadesloeg, liet hij zijn blik in haar decolleté zakken. De man met het baardje was een officier met de rang van kapitein, het uniform verschafte hem een nonchalance die hij bij het spelen niet had. Het gesprek werd in het Engels gevoerd, de kapitein sprak met de dame links van hem over de economische hervormingen in de zones.

Inga legde de dessertlepel recht. Haar jurk zat zo strak dat ze slechts oppervlakkig adem kon halen, ze schoof het bandje over haar schouder terug. Er was voor drie gangen gedekt, alle gerechten op de ivoorkleurige kaart waren haar onbekend. De soep werd opgediend – 'Potage crême d'artichauds', Inga had in haar leven nog nooit artisjokken geproefd, maar de smaak deed denken aan de veldzuringsoep van haar vader. Er kwam een merkwaardig gevoel in haar op, vol liefde herinnerde ze zich de kostbaarheden die Erik in die moeilijke jaren op tafel had gezet. Aardappelschillen die hij zonder eieren of melk in een ovenschotel veranderde, koolstronk, gras en boomschors pureerde hij tot soep, gepaneerde schijven selderij serveerde hij als kalfsschnitzel.

De vis was roodachtig, had veel graten en zwom in de botersaus; Inga sopte haar brood in de warme zoete boter, het vettige stuk brood smaakte haar beter dan alles wat er verder nog volgde. Terwijl ze de champignons met gehakte lever proefde, werd ze zich ervan bewust dat ze dingen at die geen mens in de wijde omtrek in jaren had gegeten. Op de flessen stond *Schloßabzug 1913* of *Scharzhofberger-Auslese*, het meeste sloeg ze af, maar al snel steeg de wijn haar naar het hoofd. Ze raakte de tas aan die tussen haar voeten stond, ze mocht maar tot middernacht wegblijven, dus wanneer begon de partij? In de kamer naast de eetkamer speelde een kwartet van twee violistes, een celliste, en een pianist die Inga nog van school kende. Er werd taart met gekonfijte nootjes geserveerd en daarna mokkakoffie. De deuren naar de kamer ernaast gingen open, samen met de anderen stond Inga op met de propvolle tas onopvallend onder haar arm. De musiciennes legden hun instrumenten weg en haastten zich naar het eten, terwijl de pianist er moe uitzag, zijn haar was dunner geworden. Inga ontmoette hem bij de vleugeldeuren, maar het was heel vluchtig, want hij wilde bij de maaltijd niet tekortkomen.

Inga betrad de salon. Omringd door haar gasten stond mevrouw Kosigk op het podium in de erker en praatte gedempt met de man met de bril. In een hoek liet Gabor zijn cognac ronddraaien, zijn andere hand had hij op de dij van zijn tafelgenote gelegd.

De luitenant praatte met twee Duitsers. 'Het vertrek van de Russen,' zei hij en draaide Inga zijn rug toe.

Ze balanceerde op haar hoge hakken, de jurk spande zich en de ongewone stof schuurde op alle mogelijke plekken. Dames met armloze jurken hadden keurig geschoren oksels, Inga perste haar armen tegen haar lichaam, bang haar eigen zweet te ruiken. De kapitein maakte zich uit een groepje los en Inga wilde hem tegemoet gaan, maar twee vrouwen versperden haar de weg. Alsof ze wortel had geschoten stond Inga midden in de ruimte. Ze wenste dat Henning bij haar was, hij behandelde haar tenminste niet zoals de luitenant, die net zo lang vriendelijk was als hij haar nodig had – nee, op Henning kon ze aan.

Op verzoek speelden de musici een Amerikaanse schlager. Inga wiegde met haar heupen en probeerde net zo ontspannen als de anderen te zijn; in plaats daarvan perste ze haar lippen zo hard op elkaar dat het pijn deed. Verontwaardigd staarde ze naar de generaalsvrouw – zo vanzelfsprekend als haar jurk om haar heen viel, haar buik vormde een kleine welving. Het gebleekte haar glansde onder de kroonluchter.

'Iedere economische strafmaatregel tegen Duitsland treft de Amerikaanse belastingbetaler.' Een witharige man met een Zuid-Duits accent liep langs haar. 'De heren in Frankfurt...'

Inga ontdekte een oorfauteuil, dook erin weg en zette haar tas op haar schoot. Wat had ze zich erop verheugd de luitenant met haar 'bedrijfskapitaal' te verrassen en nu verstreek de tijd en niemand dacht aan spelen. Ze wilde weg, maar waarheen, wat had ze in dat onbekende huis te zoeken?

'Ken je Leverton High?'

Ze schrok op, haar tas gleed op de vloer.

'Het is gecompliceerder dan Sussex-Havellock,' fluisterde Gabor. 'Maar dan ook een beetje spannender.' Terwijl hij verder liep, tikte hij voorzichtig op Inga's naakte schouder. 'We zien elkaar in de groene kamer.'

Verwachtingsvol greep ze haar tas, stond op en wekte haar ingeslapen ledematen weer tot leven. Met verende passen zette ze koers naar de schoorsteen en sprak de luitenant met zijn voornaam aan.

Midden in een zin draaide hij zich om. 'De Controleraad is vervallen tot een discussieclub...' Hij gaf Inga een arm, de kapitein sloot zich bij hen aan. Gedrieën verlieten ze de salon, liepen door een aantal kamers en al snel kwamen ze geen genodigden meer tegen.

Inga had nog nooit groene zijde tegen een wand gezien, de hele kamer, de stoelen, de gordijnen, zelfs het tapijt was groen. Mevrouw Kosigk controleerde de drankjes en stuurde het bedienend personeel weg.

'Leverton High dus,' zei de man met de bril.

De generaalsvrouw hield de bank, wisselde Engels en Duits geld voor fiches, terwijl Hayden iedereen twee gesloten kaarten gaf. Hij bood de kapitein een open kaart, maar die schoof hem door naar Gabor. De volgende kaarten werden van de stapel getrokken en zo ging het de rij langs. Hoewel er een stoel voor haar was gereserveerd, ging Inga achter de luitenant zitten. Ze legde haar hand op haar borst; haar hart sloeg zo heftig dat de stof van haar jurk trilde.

De kapitein viel aan met koning en aas, iedereen paste behalve de luitenant, die een tegenbod deed en verloor. In de volgende ronde hield hij drie harten vast tegen de majoor, kocht bij en gooide zijn kaart zwijgend neer. Na een halfuur greep hij weer naar het foedraal, pointeerde vanaf dat moment voorzichtiger en ging slechts met een hoog bod mee als hij zeker was van zijn kaart. De magie die hij de eerste avond had bezeten, toen hij het spelverloop naar eigen believen voortstuwde en afremde, wist hij niet op te roepen. Hij bood hoger met schoppen, onderschatte de kaart van de man met de fluisterstem – en diens handen schoven de stenen over de tafel. Ieder optimisme ontglipte de luitenant en op bepaalde momenten merkte Inga zijn pure vertwijfeling. Hij vroeg de generaalsvrouw om een sigaret. Voor de derde keer opende hij het foedraal en haalde bankbiljetten te voorschijn. Inga wilde hem net te verstaan geven dat ze reserves voor hem klaar had liggen, toen de luitenant het servet over zijn fiches uitspreidde en opstond.

'Is er iemand tegen dat ik even pauzeer?' Hij trok zijn manchetten uit zijn uniformjasje en duwde zijn das recht.

'Maar u laat uw vervanger toch wel hier.' De majoor poetste zijn bril op.

Zonder antwoord te geven verliet Hayden de kamer en Inga vroeg zich af of hij het goed vond als ze voor hem inviel. Gabor interpreteerde haar aarzeling verkeerd en schoof een stapel fiches naar haar toe. Het gebaar maakte Inga woedend, meedoen prikkelde haar alleen als ze het risico zelf nam. In een en dezelfde handeling klapte ze haar tas open en liet ze de geldbundels op tafel glijden.

De stilte duurde een paar seconden.

'Die meid is praktisch,' lachte de brildrager. 'In plaats van de oude mark te verstoken, geeft ze hem nog een kans!'

'Alles?' vroeg Marion Kosigk.

De moederlijke uitdrukking waarmee de weduwe van de generaal haar opnam, beviel Inga niet. In plaats van antwoord te geven deelde ze het pak kaarten in tweeën en liet het met haar duimen in elkaar flitsen; ze bleef schudden tot mevrouw Kosigk het geld had geteld en de fiches over tafel had geschoven. Duizend keer had Inga gegeven en nieuwsgierig haar kaarten gepakt, maar nog nooit met zo'n gevoel van diepe ernst. Ze kreeg schoppen, de koningin met haar arrogante gezicht en de klavervrouw als haar gezelschap. Ze legde twee chips op elkaar en schoof ze naar het midden. Niemand paste, een vierde kaart werd gegeven en de ruitendame glimlachte haar koel toe. Inga liet niets merken en zette bescheiden in; ze wilden haar eerste partijtje leuk houden en gingen allemaal mee. De majoor ging over haar bod heen en de kaarten lagen al bijna op tafel, toen Inga naar haar stapel greep en een twintig over tafel schoof.

'Zien spelen doet spelen,' schertste Gabor in zijn moedertaal, maakte de twintig gelijk en zette nog tien in.

'Uw tien plus vijftig.' Inga richtte zich zo vurig op dat Mariannes jurk in de naden kraakte.

De man met de fluisterstem had niet meer dan een paar azen. Haar vingers jeukten om de vrouwen meteen om te draaien – maar Inga haalde zich haar leraar voor de geest, legde schoppen naast ruiten en zakte teleurgesteld terug tegen de leuning.

'Met een paar vrouwen had je dat niet mogen wagen,' zei de generaalsvrouw. Iedereen aan tafel boog naar voren om een nieuwe ronde te beginnen.

'Waarom glimlacht de klavervrouw eigenlijk niet?' Inga had de kaart met beide handen vast. 'Omdat ze de knapste is van allemaal.' Stralend legde ze de zwarte koningin erbij. Gabors handen die al naar de stenen grepen, vielen neer: de verrassing was echt en het gelach heel vrolijk.

Inga won driemaal op rij, ze kreeg het warm en steels schoof ze haar schoenen uit. Ze voelde zweet in haar halskuiltje, maar vond het ongepast het weg te vegen.

'Beginnersgeluk,' zei de majoor hoofdschuddend.

Toen Inga voor de derde keer aan de beurt was om te geven, was de stapel fiches voor haar verdubbeld. Was dat het wat de luitenant de grote slag noemde – overwinning, optimisme, de feeling voor succes, de zekerheid bij elke stap de juiste beslissing te nemen? Ze had goede en slechte kaarten, benutte alles, daagde uit, trok zich op het juiste moment terug en ging mee met de bluf van de anderen. Ze speelde als in een roes en beheerste de kaarten alsof ze haar leven lang niets anders had gedaan. Een keer ging de man met de fluisterstem zo hoog met zijn inzet dat de generaalsvrouw hem aan de limiet herinnerde – hij probeerde de overwinning af te dwingen – maar Inga's kaart overtroefde zijn bluf. Woedend greep hij naar zijn sigaretten.

De generaalsvrouw vond het tijd voor een onderbreking, de deuren werden geopend en ze verdween om zich om haar gasten te bekommeren. Drankjes werden geserveerd en Gabor schonk zichzelf een behoorlijke bel cognac in. Nu pas viel het Inga op dat de luitenant wel erg lang wegbleef. Ze wilde haar triomf met hem delen, had zin om over haar grote slag te vertellen en volgde de bedienden naar buiten. De gang leidde naar de salon en ze wierp een blik naar binnen, overal heerste een uitgelaten stemming, maar de luitenant was er niet bij. Inga begaf zich naar de tuin, de deur stond op een kier, maar van binnenuit werden alleen de eerste meters verlicht. Geen tuin, begreep ze, maar een park, omringd door een gordel van smeedijzer; de bomen hadden zilveren kruinen in het maanlicht. Gedragen door het gevoel een bijzondere avond mee te maken, liep ze naar buiten. Een kussend paartje liet elkaar los, toen ze Inga's voetstappen hoorden.

Het huis bestond uit twee vleugels, verbonden door een gaanderij. Ze ontdekte de plaats waar de bom het gebouw getroffen moest hebben. Van het dak tot aan de parterre gaapte een scheur, delen van de muur waren ingestort, ramen waren uitgebrand – Inga tilde haar rok van de grond en kwam dichterbij. Een half verwoeste trap leidde vanuit de borders naar de parterre en voorzichtig stapte Inga op de ingezakte treden. Gekruiste planken barricadeerden de deur, maar ernaast zat er een spleet in het metselwerk, breed genoeg om een kind door te laten. Ze keek om, het kussende paartje was verdwenen, ze zette een eerste stap het donker in: ze voelde koude steen tegen haar huid en stof dwarrelde neer.

Op haar veertiende was ze via een bovenlicht de Andreaskerk in geklommen, met geen ander doel dan erin zien te komen. Vanuit de zijbeuk had ze de klokkentoren veroverd, ze was via een wenteltrap boven gekomen en had over de hele stad uitgekeken. Toen het begon te schemeren, wilde ze naar huis. Intussen had iemand het bovenlicht gesloten, ook de deuren zaten op slot; dus legde Inga zich te slapen aan de voeten van de heilige Sebastiaan en bracht de nacht door in de kerk. In die tijd woedde de oorlog op zijn felst, de Engelsen stonden al in het land en haar ouders hadden een nacht lang niet geweten waar ze was. Om ergere kastijding door Marianne te voorkomen had haar vader Inga een pak slaag gegeven; in zijn ogen las ze geen toorn, alleen spijt.

Het was onbezonnen en zinloos om het gebombardeerde gebouw binnen te glippen, bovendien kon haar jurk smerig worden. De reusachtige ruimte leek leeg, en het licht dat door de gaten van de ramen viel, reikte niet tot achterin. Inga's voet tastte verder.

Ze hoorde een hoog en sissend geluid, haar volkomen onbekend, toen ritselde er iets, geen gewaad of bladeren – vervolgens stilte, dan weer een beweging en dat gesis, alsof er iemand floot die het niet kon. Met haar ogen wijd opengesperd en haar armen voor zich uitgestrekt liep Inga op het lichte gerucht af en stootte tegen metaal, een solide frame van ijzerdraad; daarbinnen bewoog iets. Een dier glipte weg, het waren er meer, ze botsten tegen hindernissen en het metaal veroorzaakte dat lichte gerucht – het moesten kooien zijn. Voorzichtig tastte Inga langs het draadwerk, plotseling raakte iets haar arm aan, ze rook een krachtige lucht, bijtend als looizuur of gier die net uit de mesthoop loopt. In een fractie van een seconde lichtte er iets op, de ogen van het wezen reflecteerden in het maanlicht. Inga stond stil en spreidde haar vingers als antennes voor haar uit.

'Hé, kom eens,' fluisterde ze naar het wezen in het donker. Het was geen kat, daar waren de bewegingen te fel voor. Zou het zich laten strelen? Thuis had jaren geleden een marter in het dakgebint gezeten en Inga was 's nachts naar de vliering geklommen en had hem melk gebracht, maar hij liet zich nooit zien, ook al hoorde ze hem achter de betimmering trippelen. Ze had zo lang op de ijskoude vloer gehurkt gezeten, dat ze 's ochtends met koorts wakker werd; vanaf dat moment sloot haar vader de vliering af.

Terwijl Inga roerloos in de duisternis staarde, moest ze ook denken aan de das, die vorig jaar herfst de voortuin had omgewoeld op zoek naar engerlingen. Maar wat voor dier zat hier achter de tralies van ijzerdraad te blazen? Hoe langer Inga bij de kooi bleef staan, hoe wilder en vertwijfelder het gefluit klonk, de dieren renden als dollen heen en weer en botsten tegen het draad en het frame. Ze wilde hun rust niet langer verstoren – ze bevond zich in een onbekend huis en op een plek waar ze niets te zoeken had – en ze moest terug. In eerste instantie vergiste ze zich in de richting, stootte tegen een muur en liep er tastend langs tot ze een deurkozijn voelde, meteen drukte ze de klink naar beneden, maar de deur zat op slot. Niet alleen zaten de dieren in volledige duisternis, dacht ze bij zichzelf, maar ook nog eens in een afgesloten ruimte, en waarom? Het duurde even voor ze de scheur in de muur terugvond, opgelucht de frisse lucht in stapte en zag dat er een wolk voor de maan was geschoven.

De kruk hing schuin over een stoel, de luitenant zat met zijn rug naar haar toe. Rap bewogen zijn armen, de kaarten vlogen in alle richtingen, zwijgend namen de spelers ze op. Niemand leek Inga te hebben gemist.

'Het park is verrukkelijk.' Ze ging zitten en had zin om over haar belevenis te vertellen, maar hoe kon ze dat doen zonder haar inbraak toe te geven?

'Vijf,' zei de kapitein.

'Vijf van u plus tien,' bood de man met de bril en de generaalsvrouw steunde de inzet. Inga stapelde haar chips op en wierp Hayden een uitdagende blik toe, maar haar rijkdom scheen hem niet op te vallen. Hij en Marion Kosigk verhoogden onderling de inzet, na een aantal keren bieden en tegenbieden lag er een aanzienlijk bedrag in het midden. Op Haydens slaap klopte een ader, zijn tong speelde over zijn ondertanden. De generaalsvrouw zocht zijn blik, maar zijn ogen lieten de kaarten niet los.

'Het is niet waarschijnlijk dat je de derde acht hebt,' zei ze.

'Je moet wel honderd neerleggen,' antwoordde hij, niet onder de indruk.

Marion Kosigk ging mee en liet twee paren zien. De luitenant legde de kaarten naast elkaar, draaide de laatste om met een vingerknip en onthulde de derde acht. Onverwachts keek hij Inga aan, vrolijk en jong. Marion Kosigk vloekte, de anderen lachten om haar ruwe taal.

Misschien verleidde de ontspannen stemming Inga tot die opmerking, misschien maakte haar eigen winst haar overmoedig.

'Houdt u hier dieren?' vroeg ze de generaalsvrouw.

'Koeien, paarden en schapen,' knikte Marion Kosigk. 'Maar niet hier, buiten in Fenebeck. Vanwaar de belangstelling?'

Het was maar een idee geweest, haspelde Inga. In haar onzekerheid begon ze over een leraar te vertellen die bij hen in de wijk woonde, die van zijn salaris had afgezien en in plaats daarvan een stuk weide had gekregen, met geiten en al – Inga voelde dat ze rood aanliep, wat een idioot verhaal. Opgelucht stelde ze vast dat niemand acht sloeg op haar geklets en de luitenant wierp haar een blik toe die haar tot zwijgen bracht. Het spel werd voortgezet en Inga nam er weer aan deel. Alec forceerde; handig bracht hij de anderen ertoe tot aan de limiet te gaan en Inga was blij als hij zo nu en dan won. Ze wilde hem nieuwe moed geven, zijn geluk een handje helpen – en ging mee. Telkens als hij de leiding van de partij had, ook al was haar hand er niet naar, zette Inga in, ook zeer hoge bedragen. Streek de luitenant dan de fiches op, dan leunde ze hoofdschuddend naar achteren en deed teleurgesteld. Meegesleurd door de serie merkte Hayden niet meteen hoe buitensporig zijn winsten waren, hoe snel de stapels vóór hem aangroeiden.

Er begon een nieuwe ronde, allen zetten in, hij ruilde kaarten in, ging mee met Inga's bod, toen ze voor de derde keer hoger ging – en van de ene op de andere seconde begreep hij dat ze hem liet winnen! De luitenant keek Inga met zo'n kracht en dreiging aan dat ze terugdeinsde. In haar strakke jurk, met haar naar voren gestoken boezem, voelde ze zich plotseling naakt tegenover hem zitten. Die verachting – Inga sloeg haar armen over elkaar –, wat deed ze nou helemaal? Had ze hem niet vanaf het begin met de opbrengst van de madonna willen helpen? 'Zinkt de moed je in de schoenen?' vroeg ze om haar eigen verwarring te verdoezelen.

'Pas,' stootte hij uit. Verrast zagen de anderen hoe Hayden de kaarten neerwierp, opstond en Inga de winst liet.

'Gaat u voor een beginneling door de knieën?' schertste de brildrager.

Zonder een spier te vertrekken vroeg Gabor om een sigaret.

Sprakeloos en gekwetst wist Inga niet hoe ze moest reageren. Ze wilde het geld niet, het had in zijn handen moeten vloeien en nu keerde het weer terug bij haar. Hectisch boog ze zich over tafel, omvatte de fiches met beide handen en schoof ze naar zich toe. Haar elleboog schampte het glas van de generaalsvrouw. Inga probeerde het ongeluk te voorkomen, Marion Kosigk schoot achteruit – maar het was te laat, de rode wijn gutste in haar schoot. Het glas kantelde, viel om en brak, het groene vilt kleurde donker. Iedereen aan tafel bracht broek en mouwen in veiligheid. Inga verontschuldigde zich al met luide stem toen het gezelschap nog aan het redderen was. Marion Kosigk wilde er niets van horen en hield tussen duim en wijsvinger de natte plek van haar schoot af. De kapitein riep de bediening, de heren ruimden chips, kaarten en glazen weg en het personeel verwijderde het tafellaken. De luitenant stelde voor nieuw vilt neer te leggen en door te spelen, maar de generaalsvrouw brak de partij af. Geschrokken probeerde hij haar op andere gedachten te brengen, het was immers nog vroeg en de kaarten waren net warm. Marion Kosigk wierp tegen dat ze zich moest verkleden en meteen daarna terug naar haar gasten wilde; ze stond erop de fiches in te wisselen.

Het papiergeld paste nauwelijks in Inga's tas, maar haar blijdschap over de winst was al lang vervlogen. Een kort afscheid, behalve de luitenant gingen ze allemaal terug naar de salon. Hij had geen zin meer in een feestje en aan zijn zijde vertrok ook Inga, die merkte hoe onaangenaam hij het vond dat hij verplicht was haar thuis te brengen. Zwijgend liepen ze langs het smeedijzeren hek en ondanks zijn kruk was hij haar steeds een paar passen voor.

'Hoe ging het vanavond?' vroeg ze om de vijandige stemming te verjagen.

Hij stopte abrupt en Inga botste haast tegen hem op. 'Doe dat nooit meer!' De punt van de kruk pookte ruw in haar richting. 'Nooit meer!' Hij stak de rijbaan over zonder haar antwoord af te wachten.

'Ik heb je heus niet laten winnen,' loog ze verontwaardigd.

Hij hinkte verder en keek langs de gevel omhoog. 'Hier moet ik naar links. Je bent er toch bijna.' Opeengeperste lippen, een knikje en hij sloeg een straat in van de Rautjeswijk.

Hulpeloos hield Inga de tas omhoog, wilde hem iets naroepen, maar hij verdween al om de hoek. Als een geslagen hond sloop ze naar huis, het papier onder haar arm was een heel gewicht. Doodmoe kwam ze binnen, liep op haar tenen langs de kamer van haar ouders, waar Erik door bleef snurken. De haakjes opende ze een voor een, de blauwe jurk gleed op de vloer en onverschillig wierp ze de propvolle tas in haar klerenkast.

12

Inga werkte nu met groene ordners, de grijze werden vernietigd. Ze lachte om de sergeant, die in haar aanwezigheid alles wat Duits was, zwart maakte, want zijn *Sauerkraut*-moppen bleven onschuldig. Ze speelde met de kortademige hond van haar chef. Het humeur van de officier werd met de dag slechter, omdat hij al lange tijd op overplaatsing naar huis rekende. Het kamp moest worden verkleind, eenheden zouden afzwaaien, eenheden zouden aankomen, elke dag hoorde je wat anders. Een jonge piloot werd betrapt toen hij een kameraad bestal, vervolgens werden in zijn kastje aanstekers aangetroffen, zakmessen en wat geld; hij bekende zonder meer en vroeg de bestolenen in het openbaar om vergeving – het was opeens over hem gekomen als een soort verslaving. Iedereen kreeg zijn spullen terug, maar de commandant maakte er toch een proces van. Omdat zijn secretaresse met griep op bed lag, moest Inga de verwijzing naar de gevangenisbarak uittikken. Bij de reden voor inhechtenisneming hield ze op, trok het papier uit de machine en pakte nieuw doorslagpapier – in het woord diefstal had ze twee tikfouten gemaakt. De volgende dag begon de piloot aan zijn straf, hij was een pezige jongen met lichtblond haar, die zijn uniform op zijn borst graag open liet hangen. Vanuit het raam sloeg Inga de militaire politie gade die hem naar het gevangenisblok aan de westkant bracht.

Het slot en het Kosigk-paleis meed ze sinds die avond, en om de luitenant zelfs niet toevallig tegen te komen nam ze een omweg voor lief. Ze at met de andere Civilian Employees in de mess, reed met de transportwagen naar de stad en babbelde met de soldaten. Thuis haalde ze zelfgeschilderde platen van de vliering en maakte haar kamer gezelliger. Afstand houden leek haar de beste oplossing.

Marianne merkte de verandering in haar dochter en vatte haar ontgoocheling op als genezing. Ook al wilde haar moeder wel weer eens met de auto rondgereden worden, naar Henning vroeg ze nooit en over de Engelsman werd al helemaal met geen woord gerept. Erik zwolg in zijn recepten en de uitbetaling van het eerste pensioen stond voor de deur, dus ze deden allemaal hun best een gezin te vormen.

Bij de avondboterham bracht Erik een keer het koorconcert ter sprake dat in het Kosigk-paleis zou plaatsvinden. Hij en Marianne wilden er wel naar toe, en ze refereerden aan de prachtige soirees die vroeger bij de Kosigks werden gegeven, nog tot ver in de oorlog. Inga dacht aan het ivoorkleurige menu, de artisjokkensoep en de groene kamer, maar vertelde er niets over. Generaal Kosigk, meldde Marianne, had in februari vijfenveertig in het front een doorbraak naar het zuiden geforceerd om zijn leger de Russische krijgsgevangenschap te besparen. Het geallieerde tribunaal dat hem veroordeelde, erkende hij niet. Tot het laatst had Marion Kosigk moeite gedaan om de kogel voor hem te bewerkstelligen, omdat hij als soldaat recht had op executie. In de krant stond dat de Engelsen hem hadden opgehangen.

'Hebben jullie wel eens van een man genaamd Gabor gehoord?' vroeg Inga.

'Ik ken alleen zwarte Gabor,' antwoordde Erik. 'Die schijnt alles te kunnen leveren waar verder niemand aan kan komen. Zowel hier als elders weten ze dat te waarderen.'

Inga wilde niet aan de vier mensen in de lichtkegel denken, maar de beelden van de speeltafel doemden toch op. De vette majoor, die steeds zijn bril poetste als hij niet zeker was van zijn zaak, het onechte haar van Marion Kosigk, die vloekte als een bootwerker, en de in elkaar gevlochten vingers van de luitenant. Het botte afscheid, zijn beledigde gevoelens – Inga vervloekte de neerbuigende manier waarop ze hem te slim af had willen zijn – dat de avond was verpest lag helemaal aan haar.

Of ze nu op kantoor op een potlood zat te kauwen, in de mess boven haar middagmaal gebogen zat of met haar gezicht in de wind op de vrachtwagen zat, onophoudelijk keerden Inga's gedachten terug naar het spel. Voortdurend werd ze door combinaties achtervolgd – een koning op de achterhand, samen met twee tienen als mogelijkheden voor varianten met drie kaarten – als er een rode vrouw bij de tegenstander opdook, dan moest je je eigen koningin tot het einde toe vasthouden – en hoe kreeg je de derde zeven uit de stok zonder dat de anderen het merkten? In elke vrije minuut botste in Inga's hoofd de ene volte op de andere. De onmogelijkheid ze uit te proberen, ervoer ze als een lichamelijk gemis. Haar werk deed ze ongeconcentreerd. De sergeant die vroeger op haar betrouwbaarheid aan kon, controleerde schriftelijke uiteenzettingen nu weer zelf voor hij ze liet uitgaan. Inga haatte die verstrooidheid in zichzelf, waardoor ze alles tegelijk en niets goed deed. Maar vooral haatte ze die onophoudelijke drang tot spelen in zichzelf.

De behoefte was zo groot dat ze naar een kinderachtige oplossing greep. Op een avond, nadat ze de afwas had opgeruimd, ging ze naar de vliering en haalde haar schelpenverzameling te voorschijn. Ze zette die voor haar ouders op tafel.

'De Engelsen hebben me een spelletje geleerd,' begon ze.

'Met schelpen?' vroeg Marianne.

Inga legde de regels uit en zei dat het meer op combinatietalent dan op geluk aankwam. Allemaal volkomen onschuldig, maakte ze zichzelf wijs, geen hoge inzet, geen winst of verlies en toch het vooruitzicht om een kansspel te spelen.

Nieuwsgierig legde haar vader zijn oude krant weg. 'Dus dat spelen de Engelsen?' vroeg hij met een trage oogopslag.

'Waar heb je die schelpen voor nodig?' Haar moeder rook onraad, maar haar argwaan was te vaag om er vat op te krijgen.

Inga pakte een handvol. 'We zouden kunnen zeggen dat de rode de hoogste zijn.' Vol ongeduld opende ze de la en haalde de kaarten te voorschijn.

Opgeruimd poetste haar vader zijn brillenglazen. 'Proberen kan altijd. Dat eeuwige canasta...'

Inga schudde vaardig en gaf. Haar moeder begreep meteen waar het om ging, maar Erik moest alles verschillende malen uitgelegd krijgen; steeds liet hij Inga zijn hand zien om te vragen wat die waard was. Hij besloot voor een te hoge inzet aan schelpen en verloor. Ze speelden een halfuur zonder dat de partij echt op gang kwam: de dans van de kaarten bleef uit.

Mariannes blik zweefde naar haar sigarettendoos.

'Vijf grijze,' zei Erik.

'Dat is te veel.' Haar moeder hield zijn hand tegen. 'Ruil eerst je kaarten maar eens om.'

'Ik hoef niets om te ruilen.' Zijn verontwaardigde blik. 'Vijf schelpen, en daar blijf ik bij.'

'Stel je eens voor dat het echt geld is.'

Onverstoorbaar hield hij zijn hand over zijn inzet heen en zuchtend schoof Marianne de hare erbij.

'Harten voor moeder,' citeerde Inga de luitenant en legde een rode kaart voor haar moeder neer. Zijzelf kreeg ruitenaas en wachtte af. Marianne zette gematigd in, Erik ging eroverheen met alle rode schelpen die hij bezat. Ze sprong uit haar vel van woede, schold hem uit dat hij niet nadacht en dat er niets aan was als de waarde van de schelpen voor hem niets betekende. Erik pakte er een terug, maar dat was haar niet genoeg. Als hij niet volgens de regels kon spelen, moest hij maar naar bed gaan! Marianne stond op het punt haar kaarten neer te gooien, maar Inga wilde de partij beslist afmaken. Haar moeder negeerde de inzet van haar man en schoof drie tijgerschelpen naar het midden. Beledigd sprong hij overeind en trok zich terug op de sofa. Ze legde haar hand open, twee lage paren, Inga had haar graag laten winnen, maar haar azen overtroefden haar moeder.

'Ik dacht al dat jij azen had!' Ze lachte gespannen.

'Dat stelt niets voor!' Erik boog met zijn reusachtige lengte over tafel en draaide zijn kaarten om. De twee vrouwen bekeken de kaarten secondenlang.

'Wat moet dat voorstellen?'

'Schoppen,' antwoordde hij triomfantelijk.

Daar lagen de schoppenheer, de vrouw, de negen en de zeven.

'Papa, sorry...' wierp Inga tegen.

'Geef maar toe dat het hoger is!' riep Erik. 'Geef het maar toe!'

'Dat is de klaverboer.' Ze trok de kaart tussen de andere te voorschijn.

'O?' vroeg hij en alle kracht zakte uit hem weg. 'Wat heb ik dan?'

'Niets!' Marianne wees naar hem met haar nicotinevinger. 'Je hebt zoals altijd ingezet op niets.'

De volgende avond liep Inga na werktijd alleen door de stad: de dagen waren te lang om na het werk meteen naar huis te gaan. Somber zat ze op de zonnige weide voor het slot, sloop door de Charlottenhof en hoorde het water bij de stuw ruisen. Ten slotte liep ze nog eens door de oude straatjes.

Er kwam in volle vaart een auto aanrijden, de banden ratelden over de straatstenen, Inga ging tegen de huizen aan staan. Meteen daarop werd er getoeterd en naast haar stopte Gabor. Hij boog zich over de bijrijderstoel en draaide het raam naar beneden. 'Inga!' klonk zijn begroeting. 'Wat hebben we jou lang niet gezien!'

Ze mompelde iets over al het werk in het kamp.

'Schaam je je niet zo te liegen?' Zijn hele gezicht was één lach. 'Engelsen vinden al die Duitse werkdrift maar niks. Jij loopt over straat omdat je je verveelt.' Hij vroeg of ze wat met hem wilde gaan drinken, maar ze loog dat er op haar werd gewacht.

'Ben je het spel ontrouw geworden?' Hij liet de motor draaien, zodat het dreunde in het ravijn tussen de huizen. Een ouder echtpaar stond naar hen te kijken. 'Volgende week vrijdag,' zei Gabor, 'wat denk je?' Hij noemde een adres. 'Ik reken erop. Het zou je geluksavond kunnen worden.'

Zonder haar antwoord af te wachten gaf hij gas, het echtpaar deed een stap achteruit, het dreunen was nog te horen toen de wagen al uit het zicht verdwenen was.

De rit 's ochtends op de vrachtwagen, het stenoblok en de Remington, het lusteloze dicteren van de officier, theewater opzetten, lunch in de mess – Inga deed haar best om iets leuks aan de sleur te ontdekken. De dagen volgden elkaar in een voorspelbare aaneenschakeling op, ze liet elke kans op iets bijzonders aan zich voorbij gaan. Ze beschouwde het normale leven als een leuning waar ze langs kon balanceren, en tegelijk had ze behoefte aan het vluchtige, aan de afleiding en de bijbehorende voorpret. Het duurzame ontmoedigde haar, moest Inga toegeven, ze had er een hekel aan.

Op een van deze dagen liep ze na werktijd vanuit de schaduw van de rozenbottels naar de ingang van het kamp. Hennings auto was net gewassen, hij had het chroom gepoetst, het was bijna onfatsoenlijk zoals de onderdelen schitterden. Hij en de man van de secretaresse van de commandant stonden tegen hun wagens geleund te praten en te roken. Mannen die hun vrouwen afhalen, dacht Inga. Ze had blij moeten zijn met Hennings bezoek, hij behandelde haar zo fatsoenlijk als de omstandigheden toestonden. En toch wilde ze niet bij Henning zijn noch bij wie dan ook. Ze deed haar best hem akelig te vinden. Waarom bleef hij niet in zijn meubelfabriek, bij zijn Trude, die hem van hot naar haar stuurde, en Henning maar rennen.

Inga zag de verpleegsters uit afdeling H komen, van de andere kant kwam de secretaresse aanlopen met haar wippende hoedje. Henning hielp een leerling-verpleegster de laadvloer op; de secretaresse bereikte haar echtgenoot, kuste hem met haar rode lippen en hij opende het portier voor haar. De vrachtwagen zette zich in beweging, de verpleegsters hielden zich vast, terwijl de limousine het manschappentransport al na enkele meters inhaalde. Henning bleef achter in een stofwolk. Hij zag Inga, deed zijn jasje met het patroontje dicht en ging op de slagboom zitten. Ze zwaaide, glipte tussen de boom en het wachthuisje door, de wachtpost wenste haar een prettige avond.

Henning nodigde haar uit om te gaan eten en ze reden naar een gelegenheid aan de rand van de stad waar ze buiten gingen zitten. Hij bestelde vis en een fles wijn. Bij de zonsondergang had hij een blauwe hemel besteld, lachte hij, ze ontdekte een ontbrekende kies en zag dat zijn tandvlees op sommige plaatsen grijs was. Hij ging dicht naast haar zitten alsof ze een paar waren dat het met elkaar eens was geworden.

'Hoe gaat het met de jongens?' vroeg Inga en hij vertelde wat ze verwachtte. Ze schoof wat opzij, want ze wilde zijn dij niet langer tegen de hare voelen. De wijn werd gebracht, hij schonk haar een half glas in en boog voorover om een paardenbloem te plukken; de kale plek op zijn achterhoofd was groter geworden. Inga dronk, koel vloeide de wijn naar binnen.

Henning, de man die twee keer zo oud was als Inga, bezitter van de mintgroene auto, keek haar treurig aan. 'Ik weet dat ik niets van je kan verlangen,' zei hij. Het was allemaal zijn schuld, omdat hij de kracht miste om een besluit te nemen. Ze greep naar haar glas, want ze zag Henning niet graag zo armzalig doen.

'Dat is zware wijn,' zei hij. 'Die is alleen om van te nippen.'

Inga nam een grote slok. Het liefst was ze opgestaan en naar huis gelopen, maar daar wachtten Mariannes vragende ogen op haar, ook zij wilde weten wat er was, en wat ervan zou komen.

'Heb je je met die Engelsman ingelaten?' vroeg Henning. Nooit was haar opgevallen dat zijn dichte wenkbrauwen in elkaar groeiden. Ze zou zich met hem bedrinken, nog eens de jagersstoel beklimmen, alles met hem doen, op de deken, aan de bosrand of in de auto – alleen over de luitenant praten wilde ze niet. De doodsbleke man, de banketbakker uit Schotland, die haar riep en naar zijn pijpen liet dansen. Dacht niet iedereen recht op Inga te hebben? Maar intussen was zij de enige die vrij was: haar stenoblok en schrijfmachine, meer had ze niet nodig. Ze moest denken aan de propvolle tas: weg van het kamp, van haar ouders en de luitenant – aan zee, een briefkaart aan hem, een paar snel neergepende regels, de rode schelpen op het strand – hoe lang zou ze met het geld toe kunnen? Ze schonk nog eens in. Ze dacht aan de generaalsvrouw als de ruitenvrouw, streng en met ijsblauwe ogen, op wie heren en boeren dol waren. Hadden ze de keus, dan hadden alle knapen met hun onbenullige hellebaarden hun hart aan de ruitenvrouw verpand. Maar intussen was klavervrouw de knapste, dacht Inga, ze had bijna net zulk haar als zij en haar lievelingsbloem was net als van Inga de margriet.

'Margriet?' vroeg Henning.

De bovenste knoop van haar bloes was opengesprongen, waarom tastte hij niet toe? Geen Fräulein, lachte ze, niet blond, meest in het oog lopende eigenschap: de bh-sluiting.

'Hè, wat bedoel je in hemelsnaam?' riep Henning.

Inga voelde zich opgetild, eerst haar hoofd en daarna haar benen, maar ze duwde hem van zich af, stond op haar eigen benen en zakte als een lappenpop in elkaar. Als ze het geld naar de paardendokter bracht, kreeg ze haar madonna terug, maar zou ze het kapitaal niet beter kunnen gebruiken om het te laten groeien, moediger te spelen, roekelozer? Was alles eenmaal gelukt dan kreeg de madonna een ereplaats, de zegenrijke madonna.

Grashalmen, vlak bij Inga's gezicht, ze spreidde haar armen uit en streelde het gras als was het een veren bed: wie zou daar niet graag liggen?

'Ik had je gewaarschuwd voor die wijn.' Hennings reusachtig grote hand boven haar. 'Kom, sta op. Of lukt het niet?'

Ze moest ervan af, van dit afgrijselijke gevoel, en ze gaf over; de paardenbloem boog opzij. Inga haalde haar neus op, tranen schoten haar in de ogen en de serveerster die de vis bracht, werd wazig.

Ze kende het gevoel niet dronken wakker te worden. Had Henning haar naar haar kamer gebracht, uitgekleed – ze was niet uitgekleed – ze hoorde stemmen op de begane grond, hij en haar ouders. Inga is misselijk geworden, ze heeft zich te veel ingespannen. Ze moesten beter op haar letten, het moest afgelopen zijn met die escapades, het was niks gedaan om bij de vijand te werken. Bij de vijand.

Ze voelde zich zwak en onwel, maar haar toorn was niet vervlogen. Opstaan, jij! Wanneer alles tolt, gewoon even wachten. Haar kleren waren vochtig en stonken, ze trok haar bloes, slipje en kousen uit. De groene jurk in de kast was koel en kleedde slank af, *slender*, zoals de Engelsen zeiden; ze voelde zich al beter en greep de parelmoeren haarspeld. Wie verbood haar de schat in de reistas te voorschijn te halen? Niet via de trap, besloot ze, want ze zouden haar opvangen als drijvers het wild. Horst had haar uitgelegd hoe je over het voordak kon klimmen. Horst was dood. Een ogenblik je evenwicht bewaren wanneer je wankelend het raam losliet en zonder houvast op de sneeuwvanger af liep. Haar tas zat in de weg, het was alleen maar papier, en in een grote boog gooide Inga hem de tuin in, daarna ging het klimmen vanzelf. De siermuur van baksteen gaf goed houvast, een ongevaarlijke sprong, een gejaagde zoektocht naar de tas, en Inga stond al bij de tuinpoort. Ze was bijna over de kleine heuvel gevallen, daar lag haar lam onder de aarde en rotte weg: het niet gegeten paaslam.

Voor de oorlog was het 'Hopeldoor' als het mooiste huis van Föhrden gepresenteerd aan mensen van buiten, maar nu maakte het een verwaarloosde indruk: de eigenaar was gesneuveld en zijn vrouw was bij haar kinderen ingetrokken. De Engelsen hadden het in beslag genomen en er woonden nu officieren, terwijl het beheer in handen was van Duitsers. Bij de receptie zat een korporaal, te oud voor die lage rang, zonder schroom vroeg Inga naar luitenant Hayden. De man keek het register na en noemde een kamernummer; geen dubbelzinnige grijns, maar ze merkte dat hij haar nakeek. Op de gang van de tweede verdieping waren alle peertjes kapot, op één na. Inga klopte, wachtte niet op de zware stem en ging naar binnen.

Hij zat bij het raam te roken, leunend op één elleboog. Ze zette de tas op het onopgemaakte bed, pakte de ene na de andere bundel geld eruit, praatte over de barokmadonna en de paardendokter en zei dat niemand dit geld miste. 'Speel ermee!' Wat klonk haar stem schutterig. Ze tuimelde tegen de bedrand en midden tussen de bankbiljetten zakte Inga op de matras neer.

'Heeft er wel eens iemand tegen je gezegd dat je gestoord bent?' Hij wierp het eindje sigaret het raam uit, liep zonder kruk door de kamer en plukte met twee vingers tabak van zijn lip. Zijn minachting had plaatsgemaakt voor bezorgdheid, hij naderde haar alsof ze een ziek dier was. Inga wilde hem pijn doen en stootte hem toornig tegen zijn borst. Overrompeld tuimelde hij achterover, er stond een stoel in de weg en terwijl hij zwaaiend met zijn armen achterover viel, bleef hij Inga strak aankijken. Het patroon van het oude tapijt, bosjes bloesems in blauw en bruin, was versleten waar veel was gelopen, zodat het stramien er hier en daar doorheen kwam. Zijn hoofd kwam neer op de bloesems en voor het eerst was hij hulpeloos, ze balde haar vuisten en stortte zich op hem, maar slaan durfde ze niet. Veegde alleen zijn zwarte haar uit model tot het over zijn ogen viel, en nu hij haar niet meer aankeek was het makkelijker. Ze trok zijn hemd uit zijn uniformbroek en krabde zijn witte buik. Hij verweerde zich niet, gromde alsof het pijn deed en daarop liet ze zich voorover vallen, kuste hem niet; de geur van zijn nek achter zijn oor, ze rook onder zijn oksel. De geluidjes kwamen van haar, ze bewoog snel en verwachtte zijn handen op haar rug. Haar ogen volgden de figuren van het tapijt – wie bedenkt een kronkelende blauwe twijg die uitmondt in een vierkant en daar in een bloem verandert? Elk figuur werd afgebakend door een rand, en weer door een andere rand, op het laatst ontbraken de randen, en hielden de kronkels en bloesems op. Woedend duwde Inga haar gezicht tegen zijn lichaam. Toen ze opkeek, had de luitenant zijn hoofd opzij gedraaid en streelde haar schouder. Ze vlijde zich tegen hem aan, natuurlijk wist hij dat ze er was, maar zijn strelen bleef gelijkmatig, bijna afwezig. Ten slotte ging hij rechtop zitten.

'Dus je hebt geld gestolen.'

'De madonna is alleen maar een onderpand,' protesteerde ze.

'Dan heb je de madonna gestolen.' Hij begon zijn hemd dicht te knopen. 'Zo begint het altijd.'

Inga wreef in haar ogen, voelde zich opeens verschrikkelijk moe. Ze verdedigde zich en zei dat ze het geld voor de madonna had verdubbeld. 'Het is om mee te spelen!' herhaalde ze, maar haar aanval sloeg om in afmatting.

Hij trok zijn das recht, ging correct op bed zitten en legde de geldbundels een voor een terug in de tas.

'Wissel je madonna weer in en ga nooit meer naar de generaalsvrouw.' Hij drukte het slot dicht.

'En jij?' vroeg Inga teleurgesteld. Ze lag daar met haar blote benen en zag aan zijn blik dat hij iets vriendelijks wilde zeggen. Er schoot hem niets te binnen.

'Ik wil liever niet dat je je druk maakt over mij.' Hij stond op en hinkte steun zoekend tegen de wand naar de wasbak. Het water had wat tijd nodig, het brulde en giechelde in de leiding. Hij waste zijn handen en droogde ze zorgvuldig af. Toen hij zich omdraaide, verliet Inga zonder een woord de kamer. Er was iets op het tapijt blijven liggen, een voorwerp dat hij niet kende.

Voor de tweede maal liep ze met het geld door de stad, ze struikelde verschillende keren, haar lichaam bewoog alsof het van rubber was. Bij de paddock hoorde ze de paarden tegen de balken trappen, de boxen waren gesloten. Inga zette de tas neer, hield haar hand boven haar ogen en keek door het raam. Een tafel, hangsloten op de kasten, daarbovenop kisten tot aan het plafond gestapeld. Ze riep en klopte, maar niets bewoog. Wat bleef het 's avonds al lang licht!

Met de tas tegen haar borst geklemd liep Inga om het huis heen. Aan de straatkant waren de ruiten met verf ondoorzichtig gemaakt, er was niets te horen, alsof alles al jaren verlaten was. Ze liep terug naar de paarden en ging op de putrand zitten, haar hoofd zakte op haar borst. Jaren geleden had haar vader thuis eens bij de put gezeten, op tafel voor hem lagen geschilde appels. Hij sneed de klokhuizen eruit terwijl ze zaten te praten en hij schoot uit met het halfronde mes, dat in de bal van zijn hand terechtkwam. Er kwam meteen bloed uit de wond, maar zonder te kijken trok hij het mes eruit en greep naar de volgende appel. Op die dag hadden ze vastgesteld dat hij geen pijn voelde. De reusachtige man merkte niet dat hij zijn hoofd aan de dakbalk stootte, Marianne moest hem erop wijzen dat het bloed in zijn hemdkraag liep.

Op dit moment was Inga bang dat ze op hem leek. Ze blies haar slechte adem uit, sprong op de grond en klopte harder op de deur; schreeuwde dat ze geld had en haar madonna terug wilde! Ze was ervan overtuigd dat August haar hoorde, maar hij liet zich niet zien. Peinzend staarde ze naar de donkere paardenboxen, sjokte de straat op en ging op weg naar huis; opeens voelde ze zich met haar tas vol geld niet veilig. Bedrukt streek ze door haar haren – greep geschrokken nog eens – ze had haar parelmoeren speld verloren.

13

De kamers waar Inga doorheen werd geleid, maakten overdag een kille en vreugdeloze indruk, sommige meubels waren beschadigd en de eettafelstoelen hoorden niet bij elkaar. De generaalsvrouw zat niet in de eetkamer of de salon, maar in een klein kantoor. Ze droeg het grijze mantelpakje en had een leesbril op. Naast het bureau hing het portret van een generaal van de Wehrmacht in winteruniform, zonder decoraties, zijn rustige gezicht was in grote streken opgezet. Pas toen ze binnenkwam, besefte Inga dat ze zich eigenlijk geen voorstelling van dit bezoek had gemaakt. Ze keek naar de opengeslagen ordners met de duidelijke opschriften, de generaalsvrouw hield haar boeken bij. Ze vroeg de jonge vrouw de stoel naast het raam bij te schuiven en Inga ging zitten. Marion Kosigk draaide zich om in haar zetel, ze droeg zwarte schoenen en donkere kousen, en bladerde langzaam door de map terwijl haar vingertop een kolom getallen volgde. Inga had gehoopt dat ze haar iets zou vragen – hoe het was om bij de Engelsen te werken, hoe oud Inga was, hoe het thuis was.

'Waar heb je het geld vandaan?' Marion Kosigk keek niet op

uit haar papieren. Voor het raam bleef het druilerig weer, april eindigde somber. Haperend vertelde Inga over de madonna en wat ze ervoor had gekregen. Toen de naam van de paardendokter viel, leek de generaalsvrouw niet verrast.

'Die heeft de touwtjes op de zwarte markt in handen.' Ze keek over de rand van haar bril. Inga wees op een andere kant van August: hij behandelde de paarden goed en was een vriend.

'Waarom geeft hij je zo veel voor dat stuk antiek?'

'Omdat het waardevol is?' Ze haalde haar schouders op.

'Nee.' Marion Kosigk haalde een etui te voorschijn. 'Hij weet meer.' Ze streek de lucifer afgedekt af, zoals soldaten doen. 'De zwarte markt levert niets meer op, iedereen hamstert.' Ze rookte anders dan Marianne, die haar sigaret rechtop in balans hield; de generaalsvrouw liet hem in haar mondhoek hangen en lette nauwelijks op of er as vanaf viel. 'Er wordt iets voorbereid, niet hier, maar bij de Amerikanen.' Ze leek verder te rekenen. Inga vroeg wat ze met de inhoud van de reistas moest beginnen.

'Doe niet zo schijnheilig.' Marion Kosigk richtte het gloeiende sigarettenpuntje op haar. 'Je speelt, en denkt dat je het in de hand hebt. Tegelijkertijd verslindt het je.'

Inga was niet geschrokken of beledigd, ze staarde naar de met de hand beschreven etiketjes op de ordners achter de generaalsvrouw, met sjablonen kreeg je een beter resultaat.

'Hebt u een secretaresse nodig?' vroeg ze zonder meer.

Een korte, verraste blik. 'Je hebt een betrekking waar iedereen je om benijdt.' Marion Kosigk sloot haar vulpen. 'Waarom zou je die op het spel zetten?'

'Ik wil niet meer voor de Engelsen werken.'

'Vanwege Alec?' De generaalsvrouw stond op. 'Hij maakt het gevoel in je wakker dat je hem wilt helpen, hè?' Zonder de jonge vrouw uit te nodigen haar te volgen, liep ze naar de deur en de gang in.

'Wie is Gabor?' riep Inga haar na. 'Wat doet hij voor werk?' Ze vreesde dat het gesprek was beëindigd, maar wilde niet weg. Over deze gang had ze al eens eerder gelopen, 's nachts, haar jurk had op de vloer een licht geruis veroorzaakt. De generaalsvrouw liep naar buiten. Overdag maakte het park een kleinere indruk, de loofbomen bloeiden nog en langs het hek stonden sparren, sommige tien meter hoog. In de gaanderij tussen de twee vleugels was een oude man aan het vegen.

'Gabor was de adjudant van mijn man.'

Om met de generaalsvrouw op te lopen, moest Inga zich inhouden.

'Hij mocht er tijdens de terechtstelling bij zijn. Mij werd het verboden.'

Inga's blik dwaalde naar de scheur in de muur – het verlaten gebouw, de uitgebrande ramen, wat voor dieren werden daarachter gehouden? Ze had nog veel te vragen en wilde haar in vertrouwen nemen, met iemand praten die haar niet als een kind of als een waanzinnige behandelde.

Van verre was opeens gezang te horen. De oude man hield op met bezemen, steunde met zijn kin en zijn handen op de steel en luisterde.

'Ik heb hun toestemming gegeven om in de garage te oefenen.' Marion Kosigk wees in de richting van het gezang, het vulde het hele park. 'Zondag over twee weken geven ze hun eerste concert na de oorlog.'

Ze liet Inga staan, liep verder, wisselde een paar woorden

met haar employé en ging de garage in. Zware, duistere muziek, het waren uitsluitend vrouwenstemmen, die maar door bleven zingen. Inga had het koud, de top van een spar splitste het licht in miljoenen stralen.

Het gevoel dat ze onophoudelijk werd geroepen liet haar die volgende vrijdag niet meer los. Als ze overdag papieren van de ene barak naar de andere bracht, maakte ze zichzelf wijs dat ze wel wat beters te doen had. Ze serveerde de sergeant thee, maakte de officier blij met foutloze afschriften en reed met een monteur op de stang mee terug naar de stad. Ze at twee porties van Eriks koolraapsaus en speelde drie rondjes canasta. Pas toen het donker werd, brak haar weerstand; ze beloog haar ouders, pakte heimelijk de tas uit de kast en verliet het huis door de tuin. Ze droeg een gestreken jurk en haar moeders rode sandalen, haar haren liet ze los hangen.

Toen ze het kroegje bereikte, had ze blaren op haar voeten. Er zaten Engelsen en Duitsers door elkaar heen. Inga negeerde de wantrouwige uitdrukking van de waard en liep langs de lawaaierige klanten naar een kamer die achter de gelagkamer verborgen lag. Verrast nam de dikke majoor zijn bril af; Inga begroette hem ongedwongen, zag het glas in zijn hand en de flessen op het bijzettafeltje. Zonder te aarzelen schonk ze zichzelf in. Even later ging de deur naar het toilet open, de generaalsvrouw, in mantel en met een sjaaltje om haar hoofd, was via de binnenplaats achterom gekomen, samen met de luitenant. Hij zag er verwilderd uit, alsof hij er elk moment vandoor kon gaan, Inga en hij begroetten elkaar als vreemden. De nauwe ruimte bood geen gelegenheid elkaar te ontwijken, baldadig zette Inga haar tas op tafel.

Gabor arriveerde als laatste. 'Inga!' Hij was werkelijk verheugd. 'Eindelijk iemand met het nodige kapitaal,' zei hij met een zijdelingse blik op de luitenant, schonk zichzelf in en nam tegenover haar plaats.

Inga probeerde zich hem in uniform voor te stellen, op campagne, als vertrouwenspersoon van de generaal. Een groter verschil dan tussen Gabor en Alec was nauwelijks mogelijk. De een gladgeschoren, in topvorm, klaar om elke gelegenheid aan te grijpen. De ander ontgoocheld, door uitzichtloosheid naar de speeltafel gedreven. Zijn haar was onverzorgd, het viel in zijn gezicht, de punten hingen bijna op zijn kin. Zelfs de fiches uit zijn kistje leken Inga versleten, de kleuren verbleekt.

De majoor stelde 'Deer' voor en Inga wisselde geld. Op een onzinnige manier genoot ze ervan niet welkom te zijn. De vijandige bejegening schonk haar moed. Meteen bij het begin speelde ze op scherp, zette strijdlustig in, maar al snel viel haar op hoe moeizaam de eerste partijen verliepen. De luitenant speelde als een automaat, keek niemand aan, wilde met een slechte kaart scoren en verloor. Hij wierp een blik op zijn foedraal en Inga begreep dat hij zonder kapitaal zijn kansen waagde. Na een uur lag er geen enkele fiche meer voor hem. Hij schoof de stapel kaarten naar de majoor en knoopte zijn uniform dicht. Op het moment dat Alec opstond, vroeg de generaalsvrouw hem om een onderhoud. Hij wilde het verzoek afwijzen, maar ze stond erop en samen gingen ze naar buiten. Er werd verder gespeeld, maar ze wachtten allemaal op hun terugkeer. Inga liet zich nog eens door Gabor inschenken.

De generaalsvrouw kwam als eerste terug en ging stijfjes zitten. Inga had de luitenant nog nooit zo krachteloos gezien, toch perste hij er een glimlach uit, had het over vroege dienst en dat de kaarten hem vandaag niet gunstig gezind waren. Hij pakte het lege foedraal, sloot de klep en greep zijn kruk. De anderen wensten hem goedenacht, deden alsof dit een heel gewoon afscheid was en geen capitulatie. De generaalsvrouw keek op, haar sjaaltje was naar beneden gegleden – Inga stopte even met schudden. De bleke man, de dame die hem liefdevol aankeek – harten of schoppen? –, ze wendde haar hoofd af en sorteerde haar fiches. Hij zette zijn muts op en ging niet weg door de achterdeur, maar verdween in de kroeg.

Terwijl Inga de kaarten uitdeelde, ontdekte ze een boosaardige nieuwsgierigheid in Gabors blik die haar al eerder was opgevallen. Als hij haar niet op straat tegengekomen zou zijn, dan zat ze nu bij haar ouders canasta te spelen, waar het om niets anders ging dan de avond door te komen. Mei begon prachtig, je zag overal paartjes met zijn tweeën op één fiets, de auto's reden op houtgas, omdat er op de zwarte markt niets anders te krijgen was. De Engelsen controleerden niet meer zo streng; het leek erop alsof de bezetters naar de gunst van het bezette land dongen. Dat de Russen uit de Raad van Vier waren gestapt, vereenvoudigde de zaak, Duitsland lag gunstig en kon de nieuwe grens met het oosten worden. Inga had iemand horen zeggen: als de Amerikanen Berlijn opgeven, geven ze Europa op. De vrees dat alles tot aan de Noordzee rood kon worden, kwam de mensen hier goed van pas. Ze waren niet meer het addergebroed dat onderdrukt moest worden, maar men zon op middelen om de verliezers in bondgenoten te veranderen. Hier aan tafel zaten er vier, de weduwe van een opgehangen oorlogsmisdadiger, een zwarthandelaar uit het oosten, een majoor van de Britse bezettingsmacht en de dochter van de strijkende nazi. Zo zag de toekomst eruit.

Wie was er aan de beurt, wie had de overhand, wat had ze ingezet? Lieve hemel, waar zat ze met haar gedachten? Met haar voet voelde Inga naar haar tas en schrok, omdat er nog maar zo weinig in zat. Ze had een paar negens in haar hand. Er lagen heren bij de majoor, drie boeren liet Marion Kosigk zien en voor Gabor lag een hele berg fiches, die daarnet nog van Inga waren geweest. De man met de bril noteerde, niet ontevreden, kolommen op een kladblaadje. Inga vermande zich – de serie was nog ten goede te keren – en probeerde de kaarten van de anderen te combineren. Spoedig leerde ze wat het is om met toenemende wanhoop te spelen, bluffen lukte haar niet en de kaarten werden haar vijanden, boosaardige dames en grimmige boeren, zoals de luitenant had voorspeld. Ondanks de uitzichtloosheid kon Inga niet ophouden en speelde tot het laatste bankbiljet op tafel lag. Ze zette in op een laag paar en na twee ronden was alles verloren. Terwijl Gabor de winst opstreek, bukte ze zich en liet de anderen haar lege tas zien. Misnoegen bij de majoor, die vreesde dat er die avond eerder opgebroken zou worden dan hem lief was. Ook Gabor wilde niet dat Inga af zou vallen en bood haar een stapel fiches te leen aan.

Wat Inga het meest verraste, was haar opluchting. De madonna, het geld, alles was ze kwijt – zonder angst kon ze vanavond langs haar ouders lopen met haar reistas, die bevatte geen enkel geheim meer. Ze zou haar raam openzetten en de warme nachtlucht binnen laten, met haar armen achter haar hoofd zou ze daar liggen en genieten van het plotselinge einde.

Gejoel en gelach achter de deur, het spitsroeden lopen door het overvolle café schrikte haar af, maar de achterdeur nam ze niet. Inga bedankte, zei gedag in het weggaan en verliet de kamer.

'*I will never go home anymore*' werd er in een hoek gezongen, meest militairen, slechts een paar vrouwen. Terwijl Inga door het gewoel glipte, ontdekte ze de luitenant aan de bar. Hij dronk niet, had niet eens wat besteld, maar staarde naar de wand tegenover hem: een kast stutte de gebarsten balk die het plafond droeg. Naast hem een soldaat met hoekig stekelhaar die Inga aansprak. 'Vanwaar die haast?'

Hayden draaide zich om en bekeek haar als een hond die je niet kwijt kunt raken. Een glanzend filmpje lag over zijn voorhoofd en wangen en hij had paarse kringen onder zijn ogen.

'Sorry, ik wist niet...' zei de man met het stekelhaar.

Inga drong zich naast de luitenant, hield hem de lege tas voor en schudde die als was het allemaal een grap.

'Ga naar huis,' zei hij zachtjes. Op een dergelijke medeplichtige zat hij niet te wachten.

'Ik kan altijd nog iets verkopen,' probeerde ze de zaak te bagatelliseren.

Hij leunde op de toog. 'Biecht het op aan je ouders en vergeet het verder. Je hebt je lesje geleerd.' Hij greep in de binnenzak van zijn uniform, haalde wat munten te voorschijn en bestelde zonder Inga te vragen wat ze wilde hebben. Ze dacht aan het gewonde lam met zijn bloedende bek dat nu in een groentezak onder het heuveltje lag. Limonade werd neergezet, de luitenant schoof het naar haar toe en Inga goot de honinggele vloeistof naar binnen, uitdrukkingsloos volgden zijn ogen het volle glas.

'Hoe wil je je schulden betalen?' vroeg ze luid en duidelijk.

Hij pakte haar pols en sleurde haar zo abrupt mee, dat Inga

nauwelijks de tijd had om het glas neer te zetten. In een onontkoombare greep sleurde hij haar door het café, ze botste tegen uniformen en schouders – vanuit de ingang kwam hun een neger tegemoet. Hayden trok Inga verder, stootte de deur open en duwde haar naar buiten.

'Wat heb ik dan gedaan?' vroeg ze, om zijn woede te verergeren. Ze wilde dat zijn vermoeidheid eens een keer van hem af viel, dat hij overeind kwam, haar sloeg of uitschold, dat die vaalbleke man buiten zichzelf raakte, dat er maar eens iets gebeurde! Hij liet haar los en Inga legde haar armen op haar rug. Zijn rust was angstaanjagend, gebogen leunde hij tegen de deurpost en nu pas viel het haar op dat hij zijn kruk was vergeten. Ze zette een hand in haar zij en stak haar boezem vooruit, maar hij wierp er geen blik op. Langzaam, als in gedachten, draaide hij zich om naar de lawaaierige mensen, wankelde toen hij zijn gewicht verplaatste, liet de deur los en hinkte de rokerige ruimte weer in. Iemand liep hem van de sokken en hij zocht houvast, steeds kleiner werd het fragment dat vanuit de deur van hem te zien was. Een blik van de neger, een affiche met een fles, de luitenant had de bar bereikt, de deur ging dicht. Inga stond in het donker met haar hand nog steeds in haar zij.

De fabriek lag in het oosten van de stad, niet ver weg, alleen moest je eerst dat hele eind langs de rivier, naar de volgende brug. Inga trok haar schoenen uit, legde een knoop in haar rok en trok hem omhoog tot aan haar heupen. Het koude water trof haar als een slag en ze was bang voor scherven en scherpe stenen, maar kwam onbeschadigd halverwege. Bij de volgende stap zakte ze in een gat, zonk weg tot aan haar middel en maakte zwembewegingen om niet te vallen, waarbij ze haar schoenen onder moest dompelen. Druipend bereikte ze de andere oever, probeerde haar rok uit te wringen en wreef rillend over haar dijen en kuiten. Het leer van haar schoenen was vochtig, maar ze wrong haar voeten erin en hoopte warm te worden van het lopen.

Toen Henning haar de fabriek had laten zien, waren ze met de auto gegaan – Inga had de afstand onderschat, liep al gauw te rillen van de kou, met klapperende tanden en een zurige ginsmaak in haar mond. De maan kwam te voorschijn, er waren alleen een paar huizen te zien, verder weilanden. Ze schrok van een beweging – koeien hadden tegelijk hun kop opgetild.

Ze kwam bij de inrit van de fabriek, maar het was onmogelijk om door de poort naar binnen te wandelen, waarschijnlijk was Trude bij hem. Inga liep over het veld om de hal heen naar de berg houtafval en zakte weg in het van de regen doorweekte zaagsel. Het kantoor was ondergebracht in een lage vleugel waar licht brandde, maar ze hoopte in haar donkere jurk niet gezien te worden. Desalniettemin sloop ze er gebukt op af, hurkte onder het raam en keek met haar neus tegen de vensterbank omhoog.

Openliggende ordners, twee kopjes, een stuk brood, maar één hanglamp brandde. Henning kwam het kantoor in, bleef onder de lichtkegel zijn handen staan afdrogen, legde de handdoek over de leuning en trok een ordner naar zich toe terwijl hij ging zitten. Hij telde op met de hand, het potlood sprong van de ene naar de andere post, terwijl zijn lippen meebewogen; hij noteerde de uitkomst, vertrouwde het niet en rekende het na. Inga kwam overeind en keek naar hem en zijn kolommen. De rekenende man daar binnen en zij hier buiten, als het niet ijskoud was geweest, was ze daar de hele nacht blijven staan. Opeens ontdekte hij haar, zo verbaasd als een kind bij een toneelstuk. Ze gebaarde of er geen gevaar was, maar hij wierp zich naar voren, stootte met zijn heupen tegen de tafel en opende het raam.

'Wat moet dat!' Hij keek naar links en rechts alsof hij bang was dat er iemand met haar mee was gekomen.

'Trude?' vroeg Inga.

'Je jurk?' gaf hij als antwoord. Ze vertelde over de rivier.

'Volkomen getikt.' Hij pakte haar onder haar oksels en ze klom op de vensterbank.

'Dat zullen we even drogen.' Hij liep naar de kachel, waar alles klaarlag om hem aan te steken. 'Hij trekt goed. Het is zo warm.' Henning hield een brandende lucifer in de kachel en toen hij zich omdraaide stond Inga in haar ondergoed voor hem. Hij nam de jurk aan en wrong hem uit, de druppels vielen in het stof op de vloer.

'Ik heb alleen niks...' Hij draaide zoekend rond, pakte zijn colbertje van de haak en hing het om haar schouders. Inga drong zich tegen hem aan, hij trok het jasje recht, haar vertrouwelijkheid verschrikte hem. 'Wat had je gedaan als Trude hier was geweest?'

Naar huis gelopen, loog Inga. Hij maakte zich los, opende de klep van de kachel, zag de heldere vlam en pookte er wat in. Toen ze opnieuw dichterbij kwam, deed hij het deurtje dicht en ging na waar haar jurk het natst was. In plaats van de jurk over de stoel te hangen, wierp hij hem over zijn schouder, liep naar het raam en maakte een opmerking over de maan. Op blote voeten kwam Inga op hem af, ging op haar tenen staan en kuste hem; hij voelde zich verward, eindelijk opende hij zijn lippen. Aan zijn mond trok ze hem terug tot ze tegen de schrijftafel stond en Henning kwam tussen haar dijen staan; hij ging heel voorzichtig om met haar ondergoed. Ze kusten elkaar, Inga sloeg een been om hem heen en streelde zijn haar. Hij droeg haar door de kamer, zonk bij de haard in een stoel en zij ging op hem zitten. Henning, half aangekleed, ademde blazend tegen haar buik. Zijn handen gleden over haar heen, als konden ze niet geloven dat Inga helemaal naar hem toegekomen was. Nu was hij niet voorzichtig meer, pakte haar achterste, bracht de stoel in beweging, schokte naar achteren met zijn bovenlichaam, terwijl hij een kreet slaakte en haar aankeek. Lachend kuste ze hem, hij liet zijn armen zakken; in de kachel knapte het hout. Meteen daarna stond Hennings gezicht bezorgd, hulpeloos probeerde hij op te staan en Inga schoof weg; hij kwam overeind, bekeek de schade en schoof zijn broek eroverheen. Bij dat al had hij haar jurk vergeten, die nog steeds over zijn schouder hing en hij spreidde hem nu over de stoel om te drogen. Ze gingen op de rand van de tafel zitten, Inga strekte haar benen en spreidde haar tenen uit in de richting van de kachel. Het schijnsel achter de klep, de harde tafel, Hennings schouder; ondertussen praatte hij over de stand van zaken op de fabriek, de moeilijke leeftijd van de jongens en Trudes gezondheid. Langzamerhand begreep ze hem – het was onmogelijk en onuitvoerbaar, het waren wensen die hij niet wist te vervullen. Inga was graag gewoon zo blijven zitten, zo gedachteloos in haar vreugde, had het liefste niets geweten of gehoord, maar Henning dwong haar terug, al pratend wierp hij hindernissen op en wees op moeilijkheden.

Het groen geschilderde deurtje stond op een kier, zonderlinge afmetingen, dacht Inga, het was breder dan het hoog was en had massieve vooruitstekende conische scharnieren.

Wat telt is of je er iets aan hebt, had Henning eens een uitspraak van Trude aangehaald – maar in de stalen kast viel niets belangrijks op te bergen, geen brood of een zij spek, geen winterjas – en toch maakte hij zo'n onneembare indruk, dat je er begerig van werd. Hennings sleutel hing in het slot, wat voor spullen beheerde hij daar, en waarom 's nachts? Inga zei ja, toen hij aanbood likeur te halen.

'Vlierbes,' riep hij terwijl hij de kamer uit liep met zijn hemd uit zijn broek.

Ze duwde haar handen tegen de tafelrand, sprong, en hurkte voor de schatkist. De sleutelbos rinkelde een beetje, maar ze bracht hem tot zwijgen. Log zwaaide het deurtje open, in het zwakke licht viel er niets te onderscheiden. Inga deed een greep en voelde papier tussen haar vingers, teleurgesteld trok ze een bundel bruine biljetten te voorschijn. 'Gold und Silber', Eriks oude operettemelodie, schoot door haar heen – terwijl haar ene hand langs de ijzeren wanden gleed, schoof de andere het bruine geld in Hennings binnenzak.

Zijn schaduw viel de kamer in, Inga kwam moeiteloos overeind, schoof met haar knie de open deur dicht en was met twee passen bij het raam.

'Heb je buiten wat gehoord?' Fles en glazen hield hij omhoog, alweer die bezorgde gezichtsuitdrukking.

Inga trok het colbertje dichter om zich heen en duwde het pak met haar elleboog tegen zich aan. Henning schonk in en ze dronken, maar de vlierbessenlikeur smaakte haar niet.

'Ik kan je het beste meteen maar naar huis rijden.' Hij zag haar blik naar haar jurk en voelde aan de randen. 'Bijna droog.'

Ze deed het jasje uit, kleedde zich aan en bracht het geld over in de zak van haar jurk, terwijl Henning de lampen uitdeed. Hij draaide de geldkast en de laden op slot, keek om zich heen en deed ten slotte de plafondlamp uit. Inga stopte haar hand in haar zak, zodat de bult minder opviel. Ze was opgelucht dat Henning zijn arm niet om haar heen sloeg toen ze naar buiten gingen. Voor het eerst vergat ze de chromen letters te strelen voor ze in zijn auto stapte.

14

Net toen ze het glas hieven werd ze ziek. Het was vroeg in de middag. Op tafel lag de grijze envelop, de bevestiging van Eriks pensioen – het zou minder worden dan ze hadden verwacht, maar het was wel voor zijn hele leven. Inga was verrast door haar moeders buitensporige opluchting. Pas na een opmerking van Erik begreep ze dat Marianne nog nooit had hoeven werken en dat het spookbeeld ook deze keer aan haar voorbij leek te gaan. Haar vader had zijn uniform van stationschef al lang weggehangen, maar nu haalden ze het nog een keer te voorschijn en brachten er een toast op uit.

Het jeuken begon op haar voorhoofd. Toen Inga eraan voelde, kon ze de huid heen en weer bewegen, terwijl haar hoofd aanvoelde alsof het opzwol. Een kreet van Marianne, Erik verstarde met het glas in zijn hand, Inga rende naar de spiegel. Haar gezicht, haar hals en haar armen waren opgezet, de rode puistjes zaten zelfs onder haar haren, terwijl haar lippen zo erg begonnen op te zwellen dat ze nauwelijks nog kon praten.

'Ze heeft wat verkeerds gegeten!' riep Marianne.

'De dokter,' mompelde Erik en stond al bij de deur.

Inga ging op de divan liggen, al voelde ze zich, behalve dat gejeuk overal, niet erg ziek. Het was meer een gedreun, meegevoerd door haar bloed. Ze dacht aan de gin van de vorige avond, soms gooiden ze van alles door elkaar om het gewenste effect te krijgen. Ze herinnerde zich een gerucht op de zwarte markt – van de ene dag op de andere waren er enorme hoeveelheden drank te koop geweest en de zaken liepen uitstekend, tot iemand erachter kwam dat de assistent-artsen van het Pathologisch Instituut de preparaten uit de flessen hadden gehaald, de alcohol hadden gefilterd en die hadden verpatst. Misschien is het helemaal niet de gin, dacht Inga, misschien ben ik het zelf. Marianne bracht haar naar bed.

'Vergiftiging,' bevestigde de huisarts, al stond de onzekerheid op zijn gezicht te lezen. Hij schreef kompressen voor tegen de zwelling en beloofde medicijnen. Erik wilde naar het kamp om te melden dat zijn dochter ziek was. Daarna lieten haar ouders haar alleen, Inga hoorde hen voor haar deur fluisteren. Ze lag met open ogen op bed met de koele celstof op haar voorhoofd, die ze vaster aandrukte, totdat de werkelijkheid alleen nog maar via kleine mazen tot haar doordrong. Wat een opluchting om geen beslissingen meer te hoeven nemen.

's Nachts werd de jeuk ondraaglijk, ze krabde de puistjes open en er vormden zich waterige blaasjes. Rustig als altijd verwisselde Marianne de kompressen, alleen al uit de tederheid waarmee Erik haar de waterkom uit handen nam, maakte Inga op hoeveel zorgen haar ouders zich maakten. De tijd verbrokkelde, maar als ze wakker werd, of het nu licht of donker was, boog haar vader zijn reusachtige gestalte over haar heen en goot limonade door een rietje naar binnen, omdat ze niet kon eten. Haar ouders hadden tabletten gekregen, maar of ze van de Engelsen afkomstig waren, zeiden ze niet. Inga nam het geneesmiddel in, dat fijngewreven was en in melk opgelost. Sindsdien wist ze niet meer hoe lang ze sliep.

's Nachts ontdekte ze Hennings vrouw in haar kamer. De lieve Trude tilde de stalen kist boven haar hoofd, er buitelden allemaal kleine jongetjes uit, volkomen gelijk aan elkaar. Met een treurig gezicht kwam Henning erbij staan en zei dat hij al die hongerige monden moest vullen. Zijn geld lag in haar klerenkast, Inga had niet de moed gehad het te tellen. Trude sloot haar echtgenoot in haar armen, allemaal gestolen, zei ze, en probeerde hem tot tederheid te bewegen. Inga voelde zich superieur en schaamde zich tegelijkertijd als nooit tevoren.

'Wat voor geld?' vroeg Erik.

Ze was wakker, had ze iets gezegd?

'De berg schulden,' fluisterde ze, maar waarom zag haar vader de luitenant niet, die nonchalant tegen de vensterbank hing? Met schulden kan hij niet leven, dacht ze, maar hij is krachtig genoeg om de zaak op zijn eigen manier op te lossen.

'Een erezaak!' Ze wilde overeind komen, maar haar vader legde een hand op haar voorhoofd, pakte het dienblad en vertrok. Toen Inga wakker werd, stond Marianne in haar kamer en vertelde dat Erik de zaak in het kamp had besproken, dat de officier haar beterschap wenste en dat Inga zich over haar betrekking geen zorgen hoefde te maken. Om haar dochter op te vrolijken vertelde Marianne dat de sergeant tijdens Inga's afwezigheid de hele papierwinkel moest uittikken. Terwijl haar moeders stappen op de trap wegstierven, keek Inga door haar raam naar vriendelijke wolken. Ze vond het leuk te bedenken dat ze naar het noordwesten dreven, naar de kust en dan steeds verder, en na een poos een ander land met grijsgroene klippen zouden bereiken. Inga stelde zich de Schotse bergen voor, waar de luitenant haar verwachtte. *Gember en bier*, zei hij, overhandigde haar fruitcake, en ze proefde marsepein en citrusvruchten. Zelfgemaakt! Om hem heen stonden mensen, net zo bleek als hijzelf, een man in bakkerskleding, zijn bleke zus, Engels tot in haar haarpunten, en Inga accepteerde een kop thee. Zijn ouderlijk huis leek klein en toch maakte het de indruk van een slot, versierd als het was met erkers en houtsnijwerk in de puntgevels. Ze hoorde iets bij de voordeur, er kwam iemand op bezoek. Maar de stemmen waren niet die van Alecs familie, ze spraken Duits. De omtrekken in de kamer vervaagden, buiten werd het blauw en Inga werd wakker.

Beneden werd nog steeds gepraat, niet op de gewone melodie van familiebezoek, met zijn heen-en-weergeloop, het gelach en het door elkaar praten – er was slechts één vrouw aan het woord. Inga liet haar tantes en nichtjes en de vriendinnen van haar moeder de revue passeren, maar die stem paste bij geen van hen. Marianne zei iets, de vrouw antwoordde verrassend luid en haar ouders spraken haar niet tegen. Inga wilde naar het trappenhuis, maar stelde het opstaan van minuut tot minuut uit. Het bezoek vertrok, het was nog niet donker, ze hoorde de voetstappen op de plankenvloer bij de deur. Inga gleed haar bed uit, en minder wankel dan ze verwachtte sloop ze naar het raam. Onder haar moesten haar ouders staan, de onbekende verliet het huis, gaf geen hand, en liep de tuin door, haar hoofd verborgen onder een sjaaltje. Bij het openen van het poortje draaide ze zich even om en ze verdween ten slotte aan het eind van de straat. Haar ouders gingen weer naar binnen. Inga was ervan overtuigd deze vrouw nog nooit te hebben gezien. Langzaam draaide ze zich om naar de kast, haalde het geld te voorschijn, kroop ermee in bed en hield het vast tot de bundel net zo warm was als haar handen. Zou Henning de diefstal niet al lang hebben gemerkt, waarom liet hij niets van zich horen en wat had hij tegen Trude gezegd, of vervalste hij vanwege Inga de boeken? Na een tijdje merkte ze hoe stil het in huis was geworden, uit de keuken was geen geplas te horen van het spoelen van het vaatwerk en ook het radiotoestel bleef stom. Terwijl de moeheid bezit van haar nam, schoof Inga de biljetten behoedzaam onder haar nachthemd.

De volgende ochtend keerde haar helderheid en daarmee ook haar bezorgdheid terug. Ze dacht aan de luitenant, zoals hij werkelijk was, uitdrukkingsloos en afstandelijk. Een stralend blauwe hemel, zei Inga, tijd om op te staan.

Eerst nam ze aan dat haar ouders op de bovenverdieping waren, tot ze begreep dat de voetstappen van de vliering kwamen. Onregelmatig heen-en-weergeloop, er werd iets verschoven, neergezet, aan kant gemaakt. Een seconde later was ze haar bed uit, gooide de bankbiljetten, nog vochtig van haar zweet, in de tas, trok het nachthemd over haar hoofd uit en rende naar de badkamer, waar ze schrok van haar eigen aanblik. Haar huid was verwelkt, de wegtrekkende puistjes veroorzaakten grijze vlekken en dat patroon zette zich voort in haar hals en op haar schouders, en daaronder zag ze haar slappe borsten.

Erik kwam zo snel van de trap af, dat Inga de deur niet meer dicht kon doen. Ze hield een handdoek voor haar borst, omdat haar vader wat wilde zeggen, maar wachtte tot Marianne naast hem stond. Ze bleven allebei buiten de badkamer staan.

'We hebben ons afgevraagd...' Marianne wrong haar handen zodat haar trouwring omhoog kwam, 'waar de barokmadonna is gebleven.' Ze beschreef de blauwe mantel, de afneembare scepter en de glimlach van het Christuskind, alsof haar dochter het beeld niet kende.

'Staat die dan niet in de kast?' Koppig boog Inga zich voor de spiegel. *Biecht het op aan je ouders*, hoorde ze de luitenant weer zeggen, de verliezer, een spook in een uniform.

'Denk alsjeblieft na,' zei Erik.

'Er was niemand in huis behalve wij. Laat staan op de vliering.' Mariannes hand verdween in haar zak en kwam terug met het pakje sigaretten. 'Ik zou het August kunnen vragen.' De vrouwen namen elkaar op in de spiegel. Inga zag een paar baardharen.

'Je kunt het rustig vragen.' Haar glimlach mislukte.

Het vlammetje siste en schroeide de tabak.

'Inga!' De toon deed een laatste beroep op haar redelijkheid – toen Horst de wip in de tuin had gebouwd, de lange balk omhoog zwaaide en hij aan de andere kant zou moeten afremmen om te voorkomen dat zijn zus haar evenwicht verloor. Maar hij vond het juist leuk de plank zo hard neer te laten komen dat ze stuiterde en viel. Op dezelfde redelijke toon had Marianne hem destijds berispt.

'Zeg ons de waarheid.' Er hing een blauwe wolk om haar hoofd.

Inga bekeek de haren op haar moeders kin. 'Jarenlang vraagt er niemand naar en nu opeens wel?' Ze gebaarde dat ze de deur dicht wilde doen. 'Geen idee waar de madonna is.'

De leugen stond tussen hen in, opbiechten was onmogelijk geworden.

‘Heb je nog van die make-up?’ vroeg ze. ‘Zo kan ik de straat niet op.’

‘Je moet nog rustig aan doen,’ zei haar vader teleurgesteld. ‘We praten later wel verder.’

‘Erik!’ Marianne zette geschrokken een stap achteruit, hij draaide zich met een ruk om en nu zag ook Inga dat er een brede streep bloed achter haar vaders oor opwelde en op zijn schouder drupte.

‘Je hebt je gestoten op de vliering.’

Hij voelde aan de plek en keek naar zijn bebloede vinger. ‘Ik heb het niet gemerkt,’ antwoordde hij met een verlegen glimlach.

‘Trek je overhemd uit.’ Voor ze wegliep, pakte Marianne de deurklink en sloot de deur. Inga liet de handdoek zakken en stond naakt voor de spiegel.

15

Er moet een teil water over die vuile ruit, dacht Inga op de maat van haar voetstappen. Weg uit de wirwar van onwaarheden, verlokkingen en angsten, helder en duidelijk moest alles zijn. Haar ouders dachten niet aan diefstal, gingen uit van een onbezonnen daad, een domme streek. Ook Henning beschouwde Inga niet als bedriegster, het was gewoon een ogenblik van begerigheid, waarin ze had toegegeven aan een opwelling. De paardendokter kende ze sinds ze op de ruin had gereden in haar witte rokje en was gaan huilen omdat haar jurk vies was geworden. Hij zou betaling eisen, maar de madonna kon hij haar niet onthouden.

Inga haastte zich door de vertrouwde straten, het geld in een envelop, een teken dat het niet van haar was en dat ze het alleen maar in beheer had. Het was minder dan wat ze voor het beeld had gekregen, maar August accepteerde het beslist als aanbetaling. Misschien mocht ze bij de paarden werken en dan gaf ze hem bovendien maandelijks wat van haar salaris. Nu Erik eenmaal pensioen kreeg, hoefde ze thuis niet meer alles af te geven. Geen geheimen meer – Inga's plan tot herstelbetalingen vervulde haar met verwachtingsvolle tevredenheid.

Ze haastte zich langs de ruiten van het oude café, die er nog maar een paar dagen in zaten. Vanaf het einde van de oorlog hadden de mensen bij het open raam koffie gedronken, in de lente en de herfst met hun jas aan en hun hoed op, in de winter waren de openingen dichtgetimmerd. Lopend bekeek Inga zich in het hoge glas. Marianne, die zelf geen make-up gebruikte, had haar een oude tube gegeven met verdroogde zalf die verkruimelde bij het opbrengen, maar toch was Inga ingenomen met zichzelf, nu het spook uit de badkamerspiegel was verdwenen. Haar lippen rood, een streepje bij haar wenkbrauwen, al haar voordelen moest ze uitbuiten, als ze August wilde overtuigen.

Op de inrit naar de paarden stond een vrachtwagen waar mannen meubelstukken op laadden: een gefineerde dekenkist, twee met kolommen en parelmoer versierde kasten, een tafel op een slangachtig gedraaide voet.

Haalde August zijn magazijn leeg, schoot het door haar heen, zat de uit hout gesneden madonna erbij of was ze al eerder opgehaald? Verhuizers met een latafel drongen langs Inga heen, een van hen sprong op de wagen en trok, terwijl de ander het zware meubelstuk naar binnen schoof, een middelgrote kerel met koele ogen, borstelige wenkbrauwen, die lichter waren dan het kroeshaar, en een platte onregelmatige neus, als van talloze knokpartijen. Ze hield haar adem in, zonder zijn jas had ze hem niet meteen herkend – Alecs schuldeiser, de kwelgeest van de luitenant hier bij de paardendokter. Ze wendde haar hoofd af en liep onopvallend naar de stal.

August behandelde een open wond in de nek van de merrie.

Toen Inga naast hem ging staan, draaide hij met een ruk zijn hoofd om, aan zijn blinde kant had hij haar niet aan zien komen.

'Aan het sluipen?' Zijn oog glimlachte.

'Ik moet met je praten.'

'Pestbeesten.' Met een lapje veegde hij het bloed uit de wond. 'De paardenvliegen hebben haar helemaal kapot gebeten.' Uit zijn broekzak haalde hij een tube te voorschijn, voorzichtig smeerde hij de open wond in.

'Heb je het beeld...?' Haar blik ging naar de vrachtwagen.

'Als ik beloof dat ik het voor je bewaar, dan bewaar ik het ook.' Hij draaide de tube dicht, duwde zijn vuist tegen het voorhoofd van de merrie, die achteruit liep en zich in de box liet opsluiten. Ze liepen over de paddock, Inga vlak naast August – maar opeens bleef ze staan. Een paar meter van de vrachtwagen af kwam Gabor de hoek om zetten in een licht kostuum en met de autosleutel, en stapte op de man met de neus af.

Inga had er al eens eerder over nagedacht dat een blik vanachter glas de kijker een bepaald zicht bood, maar als het glas tegelijk iets weerspiegelde, iets vóór het glas, welk zicht was dan het juiste, dat ervoor of erachter – of was de vermenging het juiste beeld? Gabor, de kaartspeler, de zwarthandelaar die leverde wat geen ander kon krijgen – en de man die anders een opbollende jas aan had – de twee beelden legden zich over elkaar heen en boden een dieper inzicht.

Inga had niet in de gaten dat August door was gelopen, en haastig liep ze naar de beschutting van de deur.

'Waar gaat dat vrachtje heen?' Ze wees op de auto.

'Naar het westen.' En op haar vragende blik: 'Er zijn weer

mensen die verzot zijn op Duitse prullen.' Zijn oog dwaalde af naar de mannen bij de wagen. 'Ze hadden de madonna graag meegenomen.'

Voor Gabor zich omdraaide, stapte Inga over de drempel. August bracht haar naar het kantoor, maar in het schemerige licht was het beeld nergens te bekennen.

Ze trok het couvert uit haar zak. 'Dat is om te beginnen.' Ze schoof het over tafel.

'Inga, ik ben geen bank.' Het oog zag er opeens treurig uit.

'Ik breng je elke maand...' Ze had het nog niet uitgerekend en noemde lukraak een bedrag.

'En mijn onderpand?' Hij maakte de envelop niet open.

'Ik ben je onderpand. Je kent me al eeuwen, August, kun je me niet vertrouwen?'

Voetstappen in de gang, verrast volgde zijn oog Inga, toen ze in de doorgang naar de andere kamer verdween.

'Niemand mag weten dat ik hier ben.' Ze deed schuw en opgewonden en verdween uit zijn blikveld. Er kwam iemand binnen, Inga hoorde hoe een voorwerp werd verplaatst, met zijn tweeën tilden ze iets op en droegen het de kamer uit.

'Hou op met dat kinderachtige gedoe.'

Terwijl Inga weer te voorschijn kwam, scheurde August de envelop open en telde het geld. 'Kom terug als je de rest hebt.' In zijn hand maakte de geldbundel een bijzonder nietige indruk.

'En het beeld?'

Duister nam het oog haar van beneden naar boven op.

'Ter wille van Marianne.' Hij opende een deur in zijn bureau en tilde er behoedzaam de madonna uit. 'Maar denk erom, als ik achter mijn geld aan moet...' Hoofdschuddend over zijn eigen goedhartigheid schoof hij de madonna naar haar toe.

'Moeten we niets op papier zetten?'

'Ga nou maar.'

Inga had de reistas in haar hand en liet het beeld erin verdwijnen, ten slotte was alleen het hoofd van het Christuskind nog te zien. Ze hoorde het starten en het brommen van de dieselmotor, de vrachtwagen keerde op de paddock.

'Mag ik er hier uit?'

August trok zijn sleutelbos te voorschijn. 'Toen je klein was, hadden we nooit gedonder met jou.' Hij tikte tegen haar wang en draaide het slot open.

16

Lekker, dat windje in de middaghitte, naast haar en tegenover haar zaten ze tegen Inga aan te praten en overstemden het lawaai van de motor. Wat ze voor ziekte had gehad, dat ze haar gemist hadden en wat ze dit weekend deed. Het transport rolde door het landschap en liet een stoffige sluier achter. Braamranken overwoekerden de kapotte rupsband, bloeiende dotterbloemen volgden de loop van de beek en de pluisjes van paardenbloemen hingen in de lucht. Peinzend hield Inga haar gezicht in de wind en vroeg zich af waarom ze niet blij was met haar eigen handigheid.

Jullie hadden gewoon beter moeten zoeken! Met deze woorden was ze van de vliering af gekomen en hield de madonna als een trofee omhoog. Ze stond in de kist waar papa vroeger de wijn verstopte. Terwijl Inga verder loog, vroeg ze zich af waarom haar ouders geen enkele tegenwerping maakten, geen vraag stelden of iets in twijfel trokken; ondanks alle opluchting bleven hun ogen ernstig. Marianne nam het beeld in ontvangst, controleerde het op beschadigingen, bijna was de scepter op de grond gevallen. En wat gaan jullie er nou mee doen? vroeg Inga onschuldig. Zonder antwoord te geven waren haar ouders de kamer in gelopen, waar voor het raam de wind aan de kruin van de kastanje rukte.

De slagboom ging omhoog, ruim voor de vrachtwagen de wachtpost passeerde, en ze reden het kamp binnen. Vanuit haar ooghoek zag Inga de gevangenisbarak – zou de jonge piloot er nog zitten, hoeveel dagen had hij nog te gaan? Het gebouw lag wat afzijdig, van de ochtend tot de avond stond de zon op het dak te branden. Tegelijk met de soldaten sprong Inga eraf waarbij ze de helpende hand van een korporaal negeerde.

Het kamp was al half en half opgeheven. Veel manschappen hadden hun marsbevel al binnen, gingen terug naar huis, de sfeer was onverschillig en tegelijk gespannen. Er zou maar één basis overblijven, onder leiding van de afdeling bevoorrading, waardoor Inga's officier de commandant werd van het hele kamp en nog langer van huis weg zou blijven. De bevoorrading werd overgebracht naar de vroegere barak van de commandant, terwijl Jasper, de spaniël, blaffend vasthield aan zijn oude behuizing tot de verhuizing van zijn etensbak de zaak voor hem begrijpelijk maakte. De officier kreeg een groter kantoor, maar werd met de dag knorriger. Dat Inga weer kon beginnen, nam hij voor kennisgeving aan met de opmerking dat het met die berg werk het beste zou zijn als ze tijdelijk in het kamp kwam wonen. Opgelucht haar problemen voor korte tijd te kunnen ontlopen, stempelde en tekende ze de formulieren, wees zichzelf een kamer toe in barak D, en haalde beddengoed en dergelijke op uit de legervoorraad. Het was al donker toen ze de dossiers dichtsloeg en zich met haar deken, kussensloop en handdoek op weg begaf naar haar onderkomen. Tussen de dennen voelde je dat de zomer in aantocht was, er stond een warme landwind, onder haar zolen knerpten de droge naalden. Inga maakte het bed op, trok haar kleren uit, stak haar haren met twee klemmetjes vast en waste zich. In het onbekende bed, op Brits territorium en midden in het bos, voelde ze zich voor het eerst in lange tijd niet bezwaard; zonder negatieve gedachten sliep ze in en ze ontwaakte 's ochtends met een tevreden zucht.

De inkrimping van het kamp had meer gevolgen. In de ochtend kwam de secretaresse van de vroegere commandant haar persoonlijke dingen ophalen. Inga was niet verantwoordelijk voor de verandering, maar het verwijt van haar voorgangster hing loodzwaar in het kantoor dat ze voor altijd verliet. De papieren zwaan, een cadeautje van haar zoontje, ontdekte Inga pas, toen de secretaresse al in de wachtende auto was gestapt.

De kleinere hoeveelheid manschappen had ook minder eten nodig, dus twee van de zes braadpannen, de kieppan en een soepketel werden buiten gebruik gesteld; één enkele keukenhulp kon nu het ontbijt klaarmaken voor de eenheid van honderd man. Ze verwarmde tien kannen melk, kookte surrogaatkoffie en vijgenkoffie in een kiepketel, zeefde het geheel, goot het bij de melk en voegde er naar eigen goeddunken suiker aan toe. Twintig grote ronde broden, vet in dobbelsteentjes en jamgelei stonden precies om zes uur voor de keuken klaar en werden op het transportvoertuig geladen; de kokkin zelf hees de afsluitbare emmers vol koffie met melk op de laadvloer. Tot nu toe was het werk door vier vrouwen gedaan, maar drie kregen er ontslag. Dat van hun baan het bestaan van hele gezinnen afhing, wisten de Engelsen, maar het parool luidde dat de Duitsers langzamerhand weer voor zichzelf moesten gaan zorgen.

Tijdens de maaltijden was de situatie wel bijzonder duidelijk: de mess maakte een onzinnig grote indruk, want in de trieste eetzaal was maar een op de drie tafels bezet. Ook de verpleegsters viel het afscheid zwaar. Een van hen viel de Britse arts huilend om de hals; hij en de afdelingszuster waren nu de enigen die zich om barak H bekommerden. Het was er praktisch leeg, ook zieke soldaten wilden hun terugkeer niet nodeloos uitstellen.

Op de taxibaan landden de eerste transporttoestellen sinds weken en laadden apparatuur en materieel in; soldaten stapelden honderden archiefmappen op de vorkheftruck, snoerden ze vast en het papierwerk van een hele bezetting verdween in het laadluik. Op een avond, toen een van de toestellen opsteeg, stond Inga aan de rand van de landingsbaan, hield haar handen tegen haar oren vanwege het gedreun en volgde de lichten boven de dennen. De piloot cirkelde, zwenkte naar het westen, al snel kon ze de navigatielichten in de door sterren verlichte hemel niet meer waarnemen. Langzaam liep ze verder over de startbaan achter het vliegtuig aan. Haar ongewone wandeling motiveerde ze voor zichzelf met de reden dat ze haar ooms tafellaken ging ophalen; in werkelijkheid was het een tocht door de tijd. Toen Inga hier de eerste keer langs was gekomen, was het maart en liep ze te rillen in de ijskoude nacht. Ze dacht aan de luitenant in de rolstoel en slenterde naar de barak, het buiten gebruik gestelde weerstation dat hij in iets anders had veranderd. Het verraste haar niet dat de hut op slot zat, ze rammelde aan de deur, het was een oud slot, één goede ruk en het zou meegeven. Inga ging voor het ene raam staan, het zwarte kleed was opzij gegleden. Op haar tenen staarde ze de schimmige ruimte in, de stoelen waren sinds die keer niet meer verschoven. Daar had de man met de bril gezeten, die dikke wantrouwige vent, tegenover hem de man met de fluisterstem, rechts de generaalsvrouw. Als de duisternis Inga niet bedroog, lag waar Alec had gezeten een vergeten fiche, een licht schijfje op het donkere tafelkleed van haar overleden oom.

17

Moe kwam Inga aan bij de tuin en opende het poortje. Als je niet wist dat er naast het hekwerk iets lag begraven, dan zou je de verhoging nauwelijks zien; er bloeide ridderspoor bovenop. Vanuit het huis kwam Henning haar tegemoet en hij keek pas op toen ze vlak voor elkaar stonden. Hij zag er goed uit, bruin, pas geknipt en met een licht pak aan. Sinds de nacht in de fabriek was hij niet meer op bezoek geweest.

'Je ouders zeggen dat je tegenwoordig in het kamp woont.'

'Niet elke nacht.'

'Ik heb ze op de hoogte gebracht in verband met morgen.' Het klonk als een verontschuldiging. 'Trude kan niet mee, vanwege die middenoortoestand van de jongste, ze wil hem niet alleen laten.'

Pas toen drong het tot Henning door dat Inga er geen woord van begreep. Hij barstte in kakelend gelach uit, zodat er een kloddertje spuug wegvloog en op haar jurk belandde. Hij wilde het wegvegen, raakte haar borst aan en trok zijn hand meteen terug. Het gaat niet om het geld, dacht ze, ik ben zijn vertrouwen kwijt. Ze pakte zijn hand en kuste hem op zijn wang.

'Wat is er morgen?'

Met afgewend hoofd deed hij een stap naar achteren. 'Heb je de aankondigingen niet gezien? De hele stad hangt vol.' Een blik naar de straathoek waar zijn auto stond.

Het speeksel liep naar beneden en veroorzaakte een spoor, Inga pakte haar zakdoek.

'Het koorconcert,' legde hij uit. 'Trude zit in het comité. Ze had een mooie stem, maar sinds de jongens is ze ermee gestopt.'

Nog nooit had Henning zoveel over Trude gepraat. Inga veegde over de donkere plek op haar boezem.

Hij glimlachte. 'In het koor voelde ze zich altijd gelukkig.'

Ze dacht aan de muziek, aan de oude man met de bezem en al die vrouwenstemmen. 'Dus mijn ouders gaan mee?'

'Marianne verheugt zich er zo op,' knikte hij.

'Waarom nodig je mij niet uit?' Ze kwam geen tweede keer in zijn buurt.

'Ik dacht... je plichten op het bureau van de commandant...' zijn toon was gekunsteld. 'Het is onmogelijk,' erkende hij. 'Trude zit in het comité.' Zonder verder iets te zeggen opende hij het hekwerk en vertrok.

Met de zakdoek in haar hand vond Inga dat ze op een verlaten geliefde leek. Het speet haar allemaal vreselijk, ze werd overmand door haar gevoelens voor Henning, deed een sprong naar het hek en zou hem achterna zijn gelopen. De mintgroene auto ging de hoek al om, Henning hield zijn ogen op de straat gericht. Ontnuchterd ging Inga het huis binnen.

Boven was geratel te horen. Marianne zat in haar kleedkamer. Inga schoof haar schoenen uit en sloop op kousenvoeten naar boven. Haar hand gleed langs de stoffen, de gesteven bloezen, een wollen mantelpakje met een patroontje, de zwarte zijden mantel die Marianne voor de oorlog bij feestelijke gelegenheden had gedragen. Een voor een schoof Inga ze opzij over de stang, alsof ze in het verleden van haar moeder bladerde. Tafzijden rokken, het grijze mousselinen mantelpakje, de fluwelen jurk die uit een oud tafelkleed was geknipt. Ze duwde het vilten gordijn opzij, liep de drie treden af en ging naar binnen. Haar moeder zat over de stof gebogen, die ze met haar vingers door de machine liet glijden terwijl ze met haar zieke been het pedaal bediende.

'Wat ben je aan het maken?'

De op en neer gaande naald stokte en Marianne draaide zich om met haar hand op de stoelleuning. 'O, ben je er al?' Ze gaf het wiel een zetje, de naald zette zich weer in beweging en een stuk stof verdween tussen haar handen, het was van doorschijnend materiaal. 'Een stolasjaal,' antwoordde ze en bekeek het gestikte stuk kritisch. 'Ik weet niet hoe lang het geleden is dat ik bij een concert ben geweest.'

'Dus jullie gaan.' Langs de naaitafel liep Inga naar het raam.

Marianne trok de stof omhoog en beet de draad af. 'Je staat in mijn licht.' Terwijl het snorren opnieuw begon, bekeek Inga haar nagels, die ze kort hield voor het tikken, maar die ze vandaag opeens wilde lakken.

'De entree is vrij. Iedereen kan erin, zolang er plaatsen zijn.' Marianne trok de draad onder het voetje door en legde de volgende baan stof klaar.

'Hoe gaan jullie ernaartoe?' vroeg Inga boven het lawaai van de machine uit.

'Henning haalt ons op met de wagen. Heeft hij jou niet uitgenodigd?'

'Ik weet nog niet of ik weg kan van mijn werk,' zei Inga, de vraag negerend.

Marianne maakte de laatste naad af, trok de veiligheidshendel naar beneden en de naald zakte het plateau in. Toen ze opstond merkte Inga hoe treurig haar moeder eruitzag, ze had plooien om haar mond en vermoeide schouders – er was niets meisjesachtigs meer in haar kleine gezicht.

'Is er wat?'

'Helemaal niet. Het is alleen zo heet onder het dak.' Ze glimlachte met ernstige ogen. 'Papa heeft de eerste groente uit de tuin gehaald, hij is net bezig met de saus.' Ze wierp de stola over haar schouders en zette de houten kap over de machine heen. 'Dat zal smaken.' Voorzichtig liep ze de treden op en verdween in haar kleedkamer. Inga wilde haar iets naroepen over de blauwe jurk, maar in plaats daarvan keek ze naar haar nagels en bedacht een kleur.

18

Het was een hele afstand tussen de treeplank en de grond, Erik reikte Marianne de hand, terwijl ze met haar andere hand op zijn schouder steunde. Hij tilde haar van de kar, haar haren slierden over de rand van zijn bril. Nonchalant sloeg hij de leren riem om het hek, zonder dwang zou de ezel toch geen poot verzetten; het was een schurftig dier met afhangende oren, dat Erik met wagen en al van de buurman had geleend. Met piepende assen waren ze door de stad gehobbeld en toch had Marianne genoten van het ritje, alsof ze rondreed in een koets. Aan Eriks arm stak ze de paddock over en ontweek de paardenvijgen, waarbij haar dunne been net iets langzamer was dan het andere. Gehinnik uit de boxen, de paarden moesten niets hebben van die sjofele ezelrijders.

Erik en Marianne werden begroet door de paardendokter. 'Dat is een tijd geleden.' Onwillekeurig richtte hij zijn oog op de jutezak in Eriks hand. Glimlachend accepteerde Marianne dat de mannen haar voor lieten gaan.

'We moesten steeds naar de boer,' legde ze uit.

August bracht hen naar zijn kantoor, goot iets bruins in

drie glazen en ze klonken. Ze hadden het erover dat de Britse controles weliswaar nonchalanter werden, maar dat de markt steeds minder opleverde.

'In welke put verdwijnt dat allemaal?' vroeg Inga's vader.

'Ze zeggen dat het met het geld te maken heeft.' Marianne ging zitten.

'Als ik terugdenk aan de tijd...' August dronk zijn glas in één teug leeg. 'Je hoefde maar door de Rautjeswijk te lopen en alleen je oren open te houden. "Veulenbont," zei de een, "groene koffiebonen," zei een ander, "prima briketten, twintig stuks," gewoon zo binnensmonds mompelend. Iedereen leek in zichzelf te praten.' August ging in zijn draaistoel zitten. 'In die tijd heb ik een lading biggetjes in een kinderwagen door de stad gesluisd, we slachtten ze in de badkuip. De Engelsen hielden wel razzia's, maar ze zochten alleen naar wapens.'

'Ze hebben alles achter de stuw in de molenbeek laten zakken,' zei Erik.

'Die Tommies toch!' lachte August met zijn oog dicht. 'Een sabel uit 1870-1871 dolven ze op, een roestige voorlader, grootvaders Kozakkenzwaard!' Hij boog zich over tafel. 'En onder hun neus gaat er iemand met vijf kilo prima varkensvlees in een rugzak vandoor... en ze hebben er niets van gemerkt!'

'Dat van dat geld begrijp ik niet,' kwam Marianne terug op het vorige onderwerp. 'Weet jij daar iets van?'

'Geruchten.' Zijn oog zweefde naar het plafond. 'Politiek gedoe in Frankfurt. Gewichtigdoenerij als je het mij vraagt.' Hij liet zijn blik rusten op de jutezak, het werd tijd dat Erik de houten madonna te voorschijn haalde.

'Maar dat is...' de paardendokter hief verwonderd zijn handen.

'Het mooiste wat we hebben,' zei Marianne. 'Veertiende eeuw,' ging ze verder, toen de ander zweeg. 'De Maria is van taxushout, het kindeke Jezus is waarschijnlijk cederhout.' Hoewel ze het beeld naar hem toe schoof, pakte de paardendokter het niet aan.

'Ik heb het gevoel dat ik het al eerder heb gezien.' Zijn oog werd een spleetje.

'Een unicum,' sprak Marianne tegen. 'De boer heeft daar geen oog voor. Maar jij weet een stuk als dit te waarderen.' Hulpzoekend probeerde ze Erik erbij te betrekken, maar hij had zijn armen over elkaar geslagen en liet de onderhandelingen aan haar over.

'Wat wil je ervoor hebben?' August likte langs zijn tanden.

'Tot nu toe heb jij ons steeds een voorstel gedaan.'

'Moeilijk in dit geval.' Hij trok het beeld aan de sokkel naar zich toe, draaide het rond en gleed met zijn vinger over een beschadigde plek, bewoog het Christuskind en noemde een bedrag.

Marianne keek naar Erik, die sprakeloos van teleurstelling zijn handen in zijn zakken begroef.

'Antiek loopt niet meer zo goed als net na de oorlog,' zei August sussend. 'Alleen barok en empire, de mensen vinden gotiek te Duits.' Hij nam een sigaar uit het kistje en rolde die tussen zijn vingers.

Marianne legde vastbesloten een hand op tafel. 'Nee.' Ze trok haar gebreide vestje over haar borst dicht.

'Ik zou het in commissie kunnen nemen'. Zijn oog fixeerde de sigaar van opzij, hij hield er een vlammetje bij en een rookwolk steeg op naar het plafond. 'Als iemand er meer voor biedt...'

'We hebben het nu nodig,' zei Marianne nuchter, de lust tot handelen was haar vergaan.

August deed de la open en pakte een bundel bankbiljetten, dezelfde die Inga hem een paar dagen geleden had gegeven. Met de sigaar in zijn mond legde hij het geld midden op tafel. 'Als ik verkoop, krijgen jullie meer.'

Het geld lag voor Marianne, naast het beeld, maar Inga's vader bleef zitten in de nis bij het raam. Ze pakte de biljetten en gaf ze door aan Erik, die ze in zijn borstzak stopte. Een korte groet, August maakte aanstalten om op te staan en het echtpaar vertrok. Terug naar de geleende kar, Marianne klom erop, maar haar linkerbeen liet haar in de steek en Erik ving haar op voor ze viel. Vermoeid ging hij naast haar zitten, trok de riem los, waarop de ezel begon te balken en pas na een klap met de zweep de eerste stap deed.

19

Ze hoorde de mintgroene auto aan komen rijden, maar bleef met uitgespreide vingers liggen, want haar nagels waren nog niet droog. Inga vroeg zich af of ze tijdens de rit in de auto hun best zouden doen niet over haar te praten. Ze gaf toe aan haar slaperigheid, dommelde in, sprong op toen ze wakker werd en liep naar de kleedkamer.

Vandaag ging ze natuurlijk uit in de nachtblauwe jurk, ze hield de rok omhoog en met een windjack om haar schouders en haar moeders handtas onder haar arm slenterde ze de straat uit. Vanuit het westen kwamen zware wolken opzetten.

Lang voor de aanvang van het concert begon de opkomst eigenlijk al. Bij het eerste en bij alle volgende kruispunten drong het steeds duidelijker tot Inga door dat de hele stad uitging. Geen afgedankte legerjassen meer op straat, geen glimmende zitvlakken of afgetrapte schoenen – de pakken en jurken die ze tegenkwam, hadden jarenlang in de kast gehangen en mochten nu weer gezien worden. Wat te ruim was geworden, was ingenomen; er waren zomen en boorden aangezet en waar schoenpoets ontbrak, was spekzwoerd gebruikt. Niet alle knopen pasten bij elkaar, er hingen rafels aan boorden en op sommige revers ontdekte Inga het vlekje, waar het ontbrekende partijinsigne een spoor had nagelaten. Wie zijn zilveren horloge niet had beleend, hing het op zijn buik, oorringen en broches paradeerden over straat, de goede stukken die door het brengen van zware offers niet op de zwarte markt waren gebracht. Al een paar honderd meter van huis werd Inga door mensen omringd die eindelijk weer eens een feestganger wilden zijn, erop belust een rol te spelen die lange tijd niet kies was geweest. Hechtpleister hield sommige brillen bij elkaar, oude scheermesjes hadden sneetjes in mannengezichten veroorzaakt, maar zowel dames als heren hadden zorg besteed aan hun haar – mannenhaar werd in bedwang gehouden door haarvet en viel niet over het voorhoofd, dames hadden geblondeerde golven, een smetteloze hals, geëpileerde snorretjes en wenkbrauwen.

Er kwam hun een militaire patrouille tegemoet rijden, de Tommies schoven hun helm naar achteren en keken met grote ogen naar de opmars der burgers. Waar kwamen al die keurig nette Duitsers vandaan, gekleed als leidinggevenden met hun echtgenote, als ambachtsmeesters, als professoren – er was geen spoor meer over van de verliezers van de oorlog, die een ellendige strijd moesten leveren om te overleven, de hele stad leek schoongespoeld. Het was het indrukwekkendste defilé dat Inga ooit had meegemaakt. Zelfs het opkomende slechte weer bedierf de stemming niet en omringd door een verwachtingsvolle groep, die aangroeide naarmate ze dichter bij het doel kwam, marcheerde Inga naar het Kosigk-paleis.

Beide smeedijzeren deuren waren opengezet en hoewel het nog niet donker was, stond er een erehaag van brandende fakkels. De groep waarin Inga binnenkwam was aan de late kant, want het park was al vol mensen, tegen de duizend schatte Inga, ze glimlachte om de spaarzame Britse uniformen die her en der tussen de inwoners stonden. De bezetter was nu eens in zijn ware sterkte aanwezig – wij zijn de stad, dacht Inga, zij zijn maar op doorreis.

Naar de generaalsvrouw hoefde ze niet te zoeken, die stond op de trap naar de gaanderij, schudde handen, praatte ongedwongen met de mensen. Achter haar stond een oude bekende, de dikke majoor in gala-uniform, of wat er bij de Engelsen voor door moest gaan. Marion Kosigk was in het wit; haar gebleekte haar, haar sieraden en de maagdelijke kleur vormden geen eenheid. Inga haalde het windjack van haar schouders, trok de jurk onder haar boezem recht, liet de sleep vallen en begon te paraderen. Op weg naar de trap bekeek ze haar oorlogskleuren – het rood was opvallend, als ze haar vingers spreidde veranderden ze in de bloederige klauwen van een roofdier. Ze had geen zin om deel uit te maken van de erehaag van mensen die op Marions begroeting wachtten, schoof haar tas onder haar arm, liep om de rij heen en stapte op de generaalsvrouw af. Een echtpaar met schoonmoeder was in gesprek met haar en Marion Kosigk merkte Inga niet meteen op. Terwijl ze stond te wachten, ontdekte ze haar ouders die naar de trap keken, Erik in zijn naaldstreep met een schitterende blauwe stropdas, haar moeder in de halflange zwarte jurk die haar been zo handig bedekte, terwijl de stola haar iets van een fee gaf. Inga wilde voor haar ouders zo goed mogelijk voor de dag komen, ze moesten maar eens zien met wie hun dochter omging, en dus drong ze zich tussen de generaalsvrouw en haar gasten.

'Goedenavond.'

Marion Kosigk draaide haar hoofd om, gaf een nauwelijks merkbare handdruk.

'Ah... Inga.' Een korte blik op haar rode nagels en ze praatte alweer verder.

Inga voelde de ogen van haar ouders en de blik van al die mensen die omhoog keken naar de trap, ze deed alsof ze druk in gesprek was. Maar die schijn kon ze niet lang ophouden, ze week uit naar de gaanderij en verstopte zonder het te willen haar handen op haar rug. Het echtpaar inclusief schoonmoeder was doorgelopen, een dame alleen begaf zich naar de generaalsvrouw, ze droeg een bruin mantelpakje van stijve stof, een soort vilt, terwijl haar gezicht de sporen van een lange ziekte leek te dragen, onder het dunne haar dat in een eenvoudige scheiding was gekamd. Ook al had Inga de vrouw maar één keer gezien, vanuit het raam van haar kamer, ze wist toch dat deze vrouw haar ouders een bezoek had gebracht. Ze was misschien niet ouder dan Marion Kosigk, maar ze maakte een uitgebluste en vermoeide indruk. Ze begroetten elkaar met respect, maar zonder vriendelijkheid. Marion Kosigk zei iets, de ander gaf antwoord en liep verder, niet naar de toeschouwers in het park maar via de gaanderij naar de garage. Toen ze de deur opende, zag Inga een groep vrouwen – het koor. Ze voelde de avondwind op haar naakte schouders, trok het jack aan, schouderde de tas en rende naar haar ouders, die deden alsof ze hun dochter nu pas opmerkten.

'Dat wist ik wel,' glimlachte Erik. 'Zo'n avond laat je je niet ontgaan.'

'Hebben jullie die vrouw gezien?' Ze wees naar de garage.

'Weet Henning dat je er bent?' Marianne draaide zich zoekend om.

'Die net met de generaalsvrouw praatte... jullie kennen haar, hè?'

'Wie bedoel je?' Haar vader stak zijn handen in zijn zakken.

'Wat moest die bij ons?' Uitdagend keek Inga hen aan.

'Marianne volgde haar wijzende vinger. 'Ah, mevrouw Seidler.' Meteen nam ze Erik bij de arm en begon het grindpad te volgen.

'Om wat voor reden kwam ze bij jullie langs?'

'Ze had een paar vragen.'

'Waarover?' Inga bleef naast haar ouders lopen tot ze bij de haag van stoelen en banken kwamen, die over het gazon liep en vlak voor het paleis eindigde. De bordestrap en het terras dienden als bühne, rechts stond een vleugel, nog onder een hoes.

'Dingen van vroeger,' antwoordde Marianne. De meeste plaatsen waren bezet, ze was bang te laat te komen.

'Wanneer vroeger?' Inga bleef staan. 'Wat was er met mevrouw Seidler?'

Haar moeder wees op twee lege stoelen in het midden, Erik stevende eropaf met zijn grote lichaam als wapen, hij hoefde maar bij de laatste stoel te gaan staan en er ging een beweging door de rij, er werd plaats gemaakt. Toen hij ging zitten probeerde hij zich zo klein mogelijk te maken om de mensen achter hem het zicht niet te benemen.

Nu maakte er vanaf de straat een bijzonder gezelschap zijn opwachting, een groep mannen met wit haar of kale hoofden, met brillen of stokken, kwam op het podium af, minstens dertig in getal, geen van hen was onder de zestig. Wijd hingen de pakken om de broze lichamen, de krasseren onder hen bestegen de verhoging eerst en hielpen de wat oudere heren. Tegelijkertijd kwam er beweging uit de tegengestelde richting op gang, de dubbele deur van de garage ging open en de vrouwen kwamen naar buiten: meisjes, moeders en matrones, elke leeftijd was vertegenwoordigd; de groepen troffen elkaar in het midden.

Van de rijen stoelen, van het staande publiek, van hen die op uitsteeksels en muurtjes waren geklommen of op de onderste takken van bomen, van overal in het park klonk applaus op, overal rekten de mensen hun halzen en klapten. Inga voelde een bijzondere vreugde, de saamhorigheid greep haar net als iedereen om haar heen, terwijl er toch niet meer gebeurde dan dat vrouwen en oude mannen op elkaar af liepen. Sommigen van hen gingen op de achtergrond staan, anderen verspreidden zich over de trap en Inga begreep het nu – beide groepen bij elkaar vormden pas het koor. Het applaus hield aan, ook toen de zangers hun plaats hadden gevonden, het was nu de trotse uitdrukking van de wetenschap een wedergeboorte bij te wonen: het normale leven had in Föhrden weer ingang gevonden, de uitzonderingstoestand die de mensen innerlijk hadden gevoeld, was beëindigd. Bijeengedreven tegen de huismuur zagen de Engelse officieren eruit als wat ze waren: een randverschijnsel.

Het applaus stierf weg, Marion Kosigk kwam voor het koor staan en na een bewogen pauze bedankte ze de inwoners voor hun talrijke opkomst en ze werd onderbroken door een nieuwe ovatie. Daarna volgde een dankbetuiging aan de medewerkers, de generaalsvrouw somde de namen op van de zangverenigingen die zich voor het concert aaneen hadden gesloten en die zelfs afkomstig waren uit afgelegen plaatsen. Onder nieuw applaus begroette Marion Kosigk twee heren in rokkostuum, een van hen ging achter de vleugel zitten, waar de hoes inmiddels vanaf was gehaald en terwijl hij de muziek neerzette wierp hij een blik op de hemel. In de schemering was niet meer te zien of zich daar iets samenpakte. De ander ging voor het verzamelde koor staan, de generaalsvrouw verliet de bühne en nam haar plaats op de eerste rij in. Zonder maatstok hief de dirigent zijn armen, keek naar de pianist, een laatste onrustig moment toen de zangers hun muziekpapier ophieven, toen werd het stil onder de duizend mensen.

De man in het midden gaf het teken in te zetten, de eerste toon klonk op uit zo veel kelen, ze zongen lange, onverstaanbare lettergrepen, alle ogen waren gericht op de dirigent. Een muur van klank overviel Inga. De heren van het koor ondergingen een merkwaardige verandering – hun ouderdom leek weggevaagd. Kruk of stok was niet meer nodig, ze waren klinkende wezens geworden, hoog opgericht, niet langer de oudjes van de stad, die paar oudjes die door de oorlog waren gespaard, vergeten waren hun kale plekken en valse gebitten – hun stemmen maakten hen tot mannen. Daar stonden glorieuze tenoren, krachtige baritons, statige bassen – Inga kon zich krijgers en hogepriesters voorstellen, kluizenaars en volkstribunen. Daarnaast de vrouwen, krachtig en lieflijk, ze zongen in veelvoudige herhaling, het was religieuze muziek, maar niet zoals Inga die kende. De man aan het klavier leek een groot orkest te imiteren – een blik op het programma van de man naast haar – Bruckner, las Inga, meer was er in het donker niet te onderscheiden. Het zingen hield op, wel honderd bladzijden werden omgeslagen, de dirigent wachtte even en toen volgde er een verrassend wild stuk, als werden er trommen geslagen en dansten er mensen om het vuur. *Dies irae* zongen de heren van het koor, hun buiken zwollen ritmisch, de vrouwen namen het thema over, weken ervan af en leken in een toestand van volkomen overgave te raken. Het was om te huilen zo mooi. Nu begon de piano alleen, smartelijk en zacht – *Benedictus Domine* – en Inga had het gevoel dat ze werd weggespoeld, zoiets had ze nog nooit meegemaakt.

Toen ze omkeek, stond Alec bij het rechterportaal. Hij kon niet door het park zijn gekomen, want de mensen stonden daar te dicht opeengepakt, hij liep het huis uit in zijn beste uniform, zijn blik niet gericht op het koor, maar op de plek waar de majoor zat. Die had de luitenant eveneens ontdekt, bleef nog een paar seconden zitten, kwam toen onopvallend overeind en mengde zich onder de mensen die aan de zijkant van het podium stonden. Inga volgde met haar ogen de beweging die de majoor naar de luitenant voerde. Ze verlieten het gedruis en trokken zich terug naar een plek waar nauwelijks licht doordrong. Inga gaf de man naast haar te kennen dat ze weg wilde, ook de mensen daarnaast lieten haar door. Terwijl de officieren langs het huis liepen, volgde ze hen, slechts van hen gescheiden door de barrière van de rijen stoelen. De ingezakte trap, de scheur in het metselwerk – het was ook nacht toen Inga daar voor het eerst kwam – en daar bleven de mannen staan. De man met de bril praatte gejaagd op de luitenant in, die nauwelijks antwoordde. De mensen waar Inga zich langs haastte, waren betoverd door de muziek, het lukte haar om de twee mannen onopvallend te naderen. Het laatste deel van de compositie klonk alsof het verwaaide, de mannen zongen steeds zachter, alleen de vrouwenstemmen bleven over, als het afscheid van een grote droefenis. In de stilte was er geen gekuch of gehoest te horen, alleen de wind in de sparren. Inga overzag de helft van het podium: de vrouw in het stijve mantelpakje kwam uit de groep zangers naar voren, haar scheiding was door de wind in de war geraakt, haar ogen hield ze op het muziekblad. De dirigent gaf haar even de tijd, de piano zette in en mevrouw Seidler begon met een meisjesstem te zingen.

Net op dat moment had de luitenant iets gezegd, kennelijk te hard, want de majoor gebaarde sussend, maar de ander liet hem staan en liep weg. De man met de bril dacht even na, maar liep niet achter hem aan en ging uiteindelijk terug naar zijn plaats. Toen Inga bij de ingezakte trap kwam, waren ze allebei verdwenen. Achter de vooruitspringende gevel verborgen hoorde ze de vrouwensolo wegsterven.

Een zuchtje wind in haar rug, ze stond bij de scheur in de wand, het van het dak tot de begane grond opengespleten metselwerk. Inga keek om, niemand had oog voor de gebombardeerde gevel.

Waren de blazende dieren er nog en werden ze nog steeds in de duisternis gevangen gehouden? Net als weken geleden nam Inga haar jurk op en betrad de onveilige treden. Kruislings vastgespijkerde planken, een teken dat de toegang was versperd. Ze schoof haar tas onder haar arm, aarzelde nog even, voelde de koude tocht en verdween naar binnen. Met voor zich uitgestrekte armen tastte ze door de ruimte, waar niets anders te horen was dan haar holle voetstappen. Aan alle kanten slechts leegte. Het is te lang geleden, dacht ze, waarschijnlijk zijn de dieren al lang weggebracht.

Een scherpe geur van verse uitwerpselen, daar begon ook het gesis en de gejaagde, heen en weer flitsende beweging: ze had de bewoners van de kooi gewekt. Net als de eerste keer joegen ze door de duisternis, bleven stilstaan, schoten de andere kant uit, ze hoorde ook het lichte metalige geluid als ze tegen het gaas botsten. Inga opende haar tas, een vol luciferdoosje, opgewonden maakte ze licht.

Eerst zag ze alleen de reflectie van de vlam op de ijzeren tralies. Vier kooien, twee aan twee opgestapeld, met stevige frames en fijnmazig gaas. De lucifer doofde op de grond, ze kwam dichterbij en stak de volgende aan. Ooit waren Erik en zij in het bos op een bunzingburcht gestuit, het vrouwtje zat in het hol en had haar jongen sissend en snuivend verdedigd; uiteindelijk was het naar buiten gekomen en had geprobeerd de indringers te verdrijven door zich dreigend op te richten. Haar vader had jonge sparrentakken over de ingang gelegd en gezegd dat bunzingen welkome rattenverdelgers zijn.

Het dier in het hok was minstens een halve meter lang en lag plat, alsof het wilde springen, het was over zijn hele lijf bruin, alleen het haar op zijn buik maakte een lichtere indruk. Als de duisternis haar niet bedroog had de bunzing witte lippen met spitse tanden en liep er een donkere balk over zijn ogen, terwijl de staart zo lang was als het dier zelf. Het sprong op, racete naar de hoek van zijn hok en ook al botste het tegen het gaas, het rende gewoon door en bleef maar fluiten. Het kabaal stopte op het moment dat Inga de lucifer uitschudde. Met de twee volgende lucifers ontdekte ze de ingezetenen van de andere kooien, allemaal van hetzelfde ras, met opvallend witte lippen. Behalve excrementen ontdekte ze resten van muizen en kikkers in de verblijven; wie voederde deze dieren en waarom werden ze hier gehouden? Inga bevond zich in het huis van Marion Kosigk, die de stad dit fantastische concert bezorgde, maar die ook geheime speelrondes organiseerde, en die omging met Britse officieren en een in de hele stad bekende zwarthandelaar. Deze dieren zouden wel niet uit liefhebberij worden gehouden, daar was beslist handel aan verbonden. Inga wist niets over de waarde van marters, wezels of bunzings – wat viel er aan te verkopen, behalve hun pels? En dan, het waren er maar vier, net genoeg om een mouw van te naaien – Inga's argwaan liep op niets uit.

Ze bukte zich voor de laatste kooi, waarin een groter dier zat, een mannetje kennelijk, dat een volkomen bruine huid en waakzame ogen had. Ze kwam met ingehouden adem dichterbij. Voor de grendel hing een slot dat niet was dichtgedrukt, misschien vergeten na het voederen. Inga's hand speelde met het hangslot, tilde het uit de bouten en ze tikte met haar vingertop tegen het draad. De pupillen van het dier volgden al haar bewegingen. Inga streek een aantal lucifers tegelijk af. Ze wilde alleen maar even zijn huid aanraken en zijn hart voelen kloppen, ze gaf een speels tikje tegen het deurtje en er kwam beweging in.

'Niet bang zijn,' fluisterde Inga en sprak zichzelf daarmee moed in. 'Kom maar, kom, ik doe je niets.' Centimeter voor centimeter schoof ze haar hand naar voren, naar zijn kelige gemurmel en ze strekte haar vingers. Toen glipte het dier van haar weg, kon niet verder vanwege de tralies en een ogenblik lang kon ze het vasthouden – het wriggelde met zijn romp en glipte weg. Inga liet de lucifer vallen en greep met beide handen, voelde zijn pels, kreeg de punt van zijn staart te pakken, maar vanaf de verhoging sprong het de diepte in. Even was het getrippel van zijn nagels te horen, daarna niets meer.

Geschrokken richtte Inga zich op, meteen begonnen de andere dieren weer te sissen en te rumoeren. Ze maakte licht en draaide in een cirkel rond, maar het was zinloos om met zo'n klein vlammetje door te willen dringen in het donker. Er was geen haastig of tastend geritsel te horen, het grijs was ondoordringbaar; het dier vluchtte zonder een enkel geluid te maken.

Hulp halen, schoot er door haar hoofd. Ze kon voor de spleet in de muur gaan staan en met de deuren dicht konden ze licht maken en de bunzing vangen. Maar wie moest ze roepen? De generaalsvrouw dwingen om tijdens het concert op bunzings te gaan jagen, het publiek mededelen dat ze het paleis was binnengedrongen en zonder reden schade had aangericht? Terwijl ze als verlamd naast de kooien stond en haar naakte schouders voelde verkillen, begon haar kijk op wat er voorgevallen was te veranderen. Was zij inderdaad schuldig omdat het knaagdier haar was ontkomen, mochten deze dieren wel voortdurend in het duister worden gelaten – in die kleine kooien werden ze helemaal dol – was het juist geen goede daad om er een de vrijheid te geven? Inga deed de kooi van de vluchteling dicht, alsof de orde daarmee was hersteld, draaide zich om, ontdekte de opengebarsten plek in de muur, bukte zich en stond buiten.

Er viel een geruisloos regentje en de mensen in het park zaten of stonden onder talloze paraplu's. Er leek één enkel donker dak over hen te zijn uitgespreid. Inga liep door de regen langs de zijkant van het auditorium en keek verbaasd omhoog naar het podium. Daar stonden de zangers in paren bij elkaar, de ene hield een paraplu omhoog, de ander sloeg de muziekbladen om. *Sanctus* zongen alle hoge en lage stemmen, terwijl een groep toehoorders zich om de vleugel had geschaard en die overdekte. Alleen de dirigent stond in de regen, zijn haar en schouders glansden van het water, terwijl zijn rok doornat om zijn benen hing. Alsof hij daar niets van merkte, dirigeerde hij met grote gebaren, nu eens naar rechts, dan weer naar links, vormde met zijn lippen *Sanctus* en hield het gebouw van klank bij elkaar. Inga ging bij de eerste de beste onder de paraplu staan en voelde zich onbegrijpelijk gelukkig.

Het water liep in stralen over de ruit, terwijl Henning langzaam tussen de mensen door reed, die met paraplu's hun weg naar huis zochten. Ondanks het hondenweer hadden ze geen haast, ze bleven zo lang mogelijk bij elkaar. Hoewel haar vader haar zijn jasje had geleend, had Inga het ijskoud, ze trok haar benen op en nestelde zich naast hem op de achterbank. Henning maakte er geen woord aan vuil dat ze zijn verbod had genegeerd, chauffeerde zwijgend, terwijl de ruitenwissers piepten, en stopte voor het huis.

'Kunnen we je nog iets aanbieden?' vroeg haar moeder.

'Trude was de hele avond alleen.' Henning zette de motor niet uit. 'Ik moet naar huis.'

'Een slaapmutsje.' Marianne legde haar hand op zijn arm.

'Het is al laat,' wierp hij glimlachend tegen.

'We zouden graag... ' Erik boog zich naar voren, 'iets met je bespreken.'

Henning keek Inga aan en in die seconde kreeg ze het bloedheet – had hij haar ouders in vertrouwen genomen? Ze schoof het colbertje van haar schouders. 'Het is wel spannend zo,' glimlachte ze tegen niemand in het bijzonder.

'Spannend?' In Mariannes ogen lag geen verwijt.

Henning keek op zijn horloge. 'Een kwartiertje maakt voor

Trude niet veel uit.' Hij hielp Marianne bij het uitstappen, Erik deed het tuinpoortje open. Inga volgde als laatste, in de zekerheid dat haar zonden nu ter sprake zouden komen. En had ze dat ook niet gewild, herstelbetalingen, *er moet een teil water over die vuile ruit* – maar op dit moment moest ze toegeven dat ze zich in het web van geheim, verlokking en twijfel angstwekkend goed had gevoeld. Het was goed dat alle betrokkenen bij het onderhoud aanwezig waren – Inga stapte over de drempel, des te sneller was het voorbij.

'Moet Inga erbij zijn?' Henning veegde de waterdruppels van zijn schouder.

Haar moeder deed haar stola af. 'Inga?' vroeg ze verrast. 'Hoezo?'

Verbluft door het antwoord en door het middernachtelijk samenzijn kwam Inga tussenbeide. 'Ik heb er niets op tegen.'

'Het zou je niet interesseren,' wimpelde ook Erik af.

'We komen wel naar je toe voor we naar bed gaan,' besliste Marianne.

Het huis was een stuk koeler, wilde Inga niet weer ziek worden, dan moest ze haar dunne jurk uittrekken. Ze liep naar de trap, een laatste blik over haar schouder, ze verdwenen in de kamer aan de straat. Ze ging tree voor tree naar boven, haar sleep ritselde zacht en van beneden was alleen nog maar gemompel te horen.

Ze waste zich zo'n beetje en hield elke keer de tandenborstel stil als flarden van het gesprek tot haar doordrongen. Dat haar ouders met Henning spraken, kon niets anders betekenen dan dat ze een gemeenschappelijke straf bedachten: geld stelen was niet iets wat door de vingers kon worden gezien en met de minuut groeide Inga's angst. Ze liet de blauwe jurk op de grond vallen, raapte hem weer op en legde hem zorgvuldig over de stoel, trok haar nachthemd aan en een vestje eroverheen en luisterde. Na een halfuur hoorde ze de geluiden van het afscheid, de stem van haar vader en driemaal 'goedenacht'. Inga rende naar het raam, zag Henning door de tuin verdwijnen en zonder een blik naar boven instappen. De wagen verdween om de hoek en het werd volkomen stil.

20

Inga had de dringende aanvraag van het hoofdkwartier lange tijd over haar bureau heen en weer geschoven, maar schreef nu toch een verzoek om informatie aan alle afdelingen en liet het door de sergeant paraferen. De volgende dag kwamen de antwoorden binnen, wel honderd lichtbruine blaadjes, genummerd en vol stenoafkortingen, terwijl de formulieren in kriebelschrift waren ingevuld, sommige onleesbaar door de smeerolie van de vingerafdrukken. Inga draaide dubbel blauw carbonpapier in de machine, sorteerde de blaadjes op serienummers en begon achter de torenhoge stapel papier de lijst samen te stellen.

In de kamer naast haar hoorde ze de commandant neuriën, zijn schaduw bewoog van de tafel naar de wand bij het raam, waar de foto van zijn boot hing. Al maanden droomde hij ervan terug te keren naar de Zuid-Engelse riviermonding waar zijn jol lag. *Oh fairy Bride of Sussex* – met dit lied bezwoer hij zijn innerlijke desinteresse voor het kamp en alles wat hem omringde: zijn eentonige dienst en dat vreemde land. Neuriend wendde hij zich van het raam naar de brandkast, draaide zich om – getallen kon hij niet onthouden – en trok de onderlegger uit zijn bureaublad, waar de combinatie op stond genoteerd. De sleutelbos rinkelde, Inga hoorde de zware bouten terugspringen. De commandant had niets officieels nodig uit de safe, de volgende uitbetaling was pas over een paar dagen en geheime stukken waren allang naar het koninkrijk overgebracht. Maar hij had een verzameling ansichtkaarten en foto's in de kluis liggen – de sergeant had Inga er alles over verteld. Voor de oorlog had de officier een reis door de Engelse Midlands gemaakt met een vrouw die niet zijn echtgenote was. Hij koesterde dit reisverslag, bladerde graag in de kleine map en bewaarde hem in de dienstkluis.

Bruine blaadjes verhuisden van Inga's rechter- naar haar linkerkant. Ze was de commandant al bijna vergeten, toen ze de ijzeren deur hoorde dichtvallen, de sleutel hoorde rinkelen en hem naar zijn bureau hoorde terugkeren. Nu hij zich door zijn herinneringen had laten meevoeren, zou hij het binnen niet lang meer uithouden. Hij noemde zijn dagelijkse rondgang tussen de dennen een inspectietocht, maar met de hond aan de lijn was het eerder een treurmars door het kamp waarvan hij de liquidatie voltrok.

Bij de aanblik van de berg onverwerkt papier, die Inga na uren van lijsten opstellen nog voor zich had, besloot ze het werk de volgende dag af te maken, legde de perforator als presse-papier op de losse blaadjes, schikte haar haren en liep de barak uit. Toen ze de mintgroene auto herkende, bleef ze geschrokken staan.

Henning leunde tegen de slagboom, zijn ogen stonden ernstig. Hij opende het portier en ze stapte in als was ze een delinquente. Henning reed niet naar de stad, maar koerste tussen de weiden door het platteland op, alhoewel de kap openstond, was hun uitstapje allerminst een pleziertochtje. Hij stopte, ze herkende de hoge stoel, waar het gras nu was gemaaid. Inga liep al naar de houten toren, maar hij pakte haar bij haar schouder.

'Heb je het geld voor je ouders gepakt?' Zijn gezicht was open, zijn ogen waren vol begrip en het liefst had ze ja gezegd.

'Mijn ouders?' Inga schudde haar hoofd.

'Van mij horen ze niets. Maar omwille van Trude moet ik weten wat er is gebeurd.' Ze stonden op het gras, dat in de schemering grijs en wazig werd. 'Heb je het geld voor je ouders gepakt?'

Inga antwoordde in alle eerlijkheid dat ze schulden moest vereffenen, ook hem zou ze alles terugbetalen. Ze merkte dat hij daar niet op zat te wachten.

'Je ouders moeten het er met je over hebben gehad.' Hij hurkte, voelde of het gras droog was en ging zitten. 'Die vrouw vindt dat ze in haar recht staat. Ze staat erop die oude rekening te vereffenen.'

'Welke vrouw?' Vlak voor hem zakte Inga op haar knieën.

Hij keek haar onderzoekend aan om te zien of ze hem wat wijsmaakte. 'Stel je voor... als balling verlaat ze de stad en komt jaren later terug, met de Engelsen.'

'Mijn ouders hebben het er met geen woord over gehad,' bekende Inga. 'Welke vrouw?'

'Elfriede Seidler.'

Inga liet haar blik langs de horizon glijden. 'Ze kwam op bezoek toen ik ziek was.' In het laatste daglicht was te zien dat het vlakke land zich welfde aan de randen, dat ze op een kolossale bal zat en het gevaar bestond dat ze eraf zou vallen. 'Wat hebben wij met mevrouw Seidler te maken?'

'Het is niet bewezen dat het zo is gegaan.' Henning wees op een sprinkhaan die op Inga's schouder was gesprongen. 'Maar mevrouw Seidler weet zeker dat Erik er bij was.' Inga bleef roerloos zitten, het insect wreef zijn pootjes tegen elkaar.

'Weet je nog hoe het was toen ze begonnen met die optochten?'

Ze keek naar haar koele schoot. 'Toen was ik op zijn hoogst zes of zeven. Maar ik herinner me de rode kleur, het lawaai waarmee die vlaggen werden rondgedragen, altijd dat lawaai, ook op de radio.' Ze werd duizelig. 'Mama zorgde ervoor dat ze er bij ons thuis niet in kwamen.' Inga steunde op haar armen in het gras. 'Wat heeft papa gedaan?'

'Mevrouw Seidler loopt iedereen af die eraan mee heeft gedaan.' Henning sloeg zijn armen over elkaar. 'Erik heeft geld nodig, maar ik kan het hem met de beste wil van de wereld niet geven.'

'Vanwege mij?' vroeg Inga, er zeker van dat het zo was.

Hennings vingers omknelden zijn armen. 'Trude heeft er niets op tegen een vriend in nood te helpen. Maar geen... niet jouw familie.' Hij sprak zo zachtjes dat ze zich voorover moest buigen. 'Dat heeft niets met jou te maken,' beantwoordde hij haar ontstelde blik. 'Trude is er altijd tegen geweest, ze haatte die lui.' Zijn gezicht kreeg een bewonderende uitdrukking. 'Toen de Engelsen ons de fabriek wilden afnemen, ging ze in haar eentje naar het hoofdkwartier en overtuigde de Britten ervan...'

'Ik weet het,' onderbrak Inga hem, het verhaal over de onverschrokken Trude die Hennings bestaan had gered, kende ze. De vochtigheid drong uit het gras door haar rok heen, het werd te fris om te blijven zitten.

'Als stationschef had je vader het bruine uniform niet aan hoeven trekken.' Henning keek haar aan. 'Ze marcheerden hier met vliegende vaandels door de stad. En als kroon op het werk moest er dan iemand in elkaar geslagen worden... die nacht stopten ze bij het huis van de Seidlers. Er werd gescholden, geslagen en geplunderd. Kort daarna verlieten de Seidlers de stad.'

Inga kwam met een sprong overeind. 'Papa heeft niemand geslagen,' riep ze. 'Hij is veel te bang voor zijn bril!'

Henning lachte, maar het klonk gemaakt. 'Ja, dat pleit Erik natuurlijk van alle verdenking vrij.' Hij stond op en naast elkaar liepen ze terug naar de auto. Inga struikelde in het tractorspoor, hij greep haar vast. In het halfdonker leek de auto lichtgrijs. Op de terugweg zwegen ze, voor het tuinpoortje verzekerde Inga hem dat hij zijn geld terug zou krijgen. Haastig liet hij haar uitstappen en reed verder voor er iemand opdook voor de ramen. Bedrukt betrad Inga het huis.

21

Het was vandaag geen Duitse feestdag, er was geen juichend nieuws op de radio en een familiefeest was het ook niet – de luitenant ging naast het raam staan – misschien een feest van het hotelpersoneel, maar daarvoor waren er te veel mensen, jong en oud. Het leek een toevallige bijeenkomst, alsof de mensen elkaar nauwelijks kenden. Ze toastten, zo te zien zonder enige aanleiding, terwijl een Duitse zender Amerikaanse muziek speelde, het radiotoestel schalde in de kloof tussen de huizen. Gedanst werd er niet, alleen twee jonge vrouwen die elkaar bij hun middel vasthielden en wiegden met hun heupen – de luitenant liet het gordijn terugvallen. De laatste tijd maakte geluid, met name muziek, hem woest. Hij deed zijn uniformjasje dicht; voor hij het licht uitdeed viel zijn blik op de haarspeld, waarvan het parelmoer glansde.

De loper op de gang dempte zijn schreden, wat hij prettig vond, en onhoorbaar als een herinnering liep hij de trap af. Bij de receptie zat niemand en ongezien verliet hij het hotel.

De dicht op elkaar staande, in elkaar gedoken huizen kende hij van de steden thuis, maar de regelmaat van deze huizen, de manier waarop de zandstenen blokken waren opgestapeld, de kleuren, zelfs de afgesleten treden – nergens was zo duidelijk te herkennen wat typisch Duits was als hier. Geen enkele krul had iets lichtzinnigs, het waren de ornamenten van de duurzaamheid, gemaakt voor de eeuwigheid. Hij was ervan uitgegaan dat deze vestingen na de oorlog aan het wankelen waren gebracht, maar dat was een vergissing, niets was er veranderd, zelfs de straatstenen behielden hun onmiskenbare klank. De luitenant vreesde dat hij zich thuis begon te voelen in deze vreemde stad.

Een paar huizenblokken achter het slot lag de Rautjeswijk en hoewel er geen winkel of marktkraam te bekennen was, vormde de wijk de handelsader van de stad. Met zijn armen op zijn rug wachtte hij op de mannen en vrouwen die liepen te mompelen, als toneelspelers vlak voor ze opmoeten. Hoewel hij niets wilde kopen, spitste hij zijn oren. Naaigaren, luidde het aanbod van een vrouw in een mouwschort en met een sjaaltje over een wond aan haar slaap, torpedo-olie, zei een man met een strohoed, koffieblikken, eierpoeder – de luitenant was halverwege de straat – leer, RIF-zeep. De waren en woorden voerden een dans uit, maar de verscheidenheid van vroeger was verdwenen.

Zoals hij al verwachtte, stond de man op zijn vaste plek, zijn lichte jas was voor hem een soort uniform. Alsof het een dringende kwestie was, versnelde de luitenant zijn pas en sprak de man aan.

Verrast, maar meteen bereid de kans aan te grijpen, draaide hij zich om. 'Heb je het?' vroeg hij in slecht Engels.

De luitenant ontkende.

'Wat moet je dan hier?' De man sloeg zijn jas open.

De luitenant stond tegenover hem met zijn ene voet voor de andere en zijn muts in de epaulet, en wachtte zijn reactie af.

Erik had de kaarten in een gecompliceerd systeem neergelegd, liet de rijen aangroeien, koesterde en sorteerde ze. Marianne had haar strategie in haar hoofd, ze hield de kaarten in haar hand om ze later overrompelend uit te spelen.

'Wilde Henning niet binnenkomen?' Haar ouders hadden de lamp uitgedraaid, drie kaarsen verlichtten de tafel.

'Hij heeft me van het kamp naar huis gebracht.' Inga ging zitten.

Erik gooide hartenvrouw weg, haar moeder aarzelde.

'Je hebt toch wel vrouwen nodig?' zei hij om haar aan te moedigen de stock te pakken. Ze nam een kaart en blokkeerde de stapel met een drie, het ontbreken van jokers op tafel gaf Inga het vermoeden dat ze de troeven oppotte. Marianne stak twee kaarten van links naar rechts.

'Waarom laten jullie je chanteren?' vroeg Inga toen er een stilte viel. Tot op dit moment was ze niet zeker geweest over haar gevoel, maar nu wist ze dat het verontwaardiging was.

In een rechte lijn sloot Erik de zesde boer aan bij de andere op tafel, nog één en hij zou een canasta hebben – als Marianne tenminste niet eerder uitkwam. 'We hadden Henning er niet bij moeten betrekken,' zei hij alsof zijn dochter helemaal niet in de kamer was.

'Geen chantage,' antwoordde haar moeder, opgelucht dat Inga het onderwerp aanroerde. 'Mevrouw Seidler beschouwt het als herstelbetaling.'

'Hoeveel wil ze?'

Marianne sorteerde haar kaarten, het offensief was ophanden. 'Ik begrijp niet waarom August niet meer wil geven voor de madonna.'

'Hebben jullie haar dan teruggebracht?' Inga greep in haar blouse, opeens leek haar beha te krap.

'Veertiende eeuw,' zei haar moeder hoofdschuddend. 'Hij kan me niet wijsmaken dat hij daar geen prijs voor kan maken.'

Marianne had haar aandacht bij haar kaarten, Erik bij de te verwachten ramp en geen van beiden merkte dat Inga zich net had versproken. Haar moeder legde een jokercanasta uit, een zuivere canasta van achten en wat klein grut.

'Alweer!' zei haar vader verontwaardigd.

'Als je het aan ziet komen, waarom doe je er dan niets tegen?' Ze legde de afdekkaart op de stapel.

'Met mijn hand?' Met hangende schouders begon hij de strafpunten te tellen.

'Zijn de Seidlers joods?' vroeg Inga.

'Natuurlijk niet.' Haar ouders keken elkaar aan. 'Die oude Seidler stond bekend als rooie rakker,' antwoordde Erik.

'Ze eist schadevergoeding.' Nuchter sorteerde Marianne haar kaarten. 'Wat ze werkelijk wil is geen geld maar dat er schuld bekend wordt.' Haar moeder keek Erik niet aan.

'Schuld...? Is dat zo, papa?'

Hij legde een stapeltje kaarten links neer, wilde het totaal noteren, was het vergeten en begon opnieuw. 'Ik weet het niet meer.' Hij streek over zijn voorhoofd alsof hij een insect verjoeg. Ten slotte schudde hij zijn hoofd, zijn door de brillenglazen vergrote ogen schoten heen en weer. 'Geen idee.'

Op dat moment wist ze dat het de waarheid was. De bestofte schrikbeelden op de vliering, de foto's, de Führer in olieverf – haar lange vader had maar al te goed in hun rijen gepast. Met zijn haviksneus en krachtige kin had hij zich trots en plechtig in zijn uniform vertoond als goudfazant, een sterke vent, zoals men ze graag had. Had hij niet gezien dat hij met zijn feilloos gestreken uniform en zijn keurige tressen de perfecte reclame was? In het schelle licht van de fakkels en losgekomen door het bier had hij meegedaan, voor hem rechtvaardigde zijn feilloos gestrikte das zijn optreden als dienaar der wet. Inga stelde zich voor hoe hij en die horde geestverwanten voor het huis van de Seidlers waren verschenen, toegang eisten en vervolgens woest tekeergingen. Voor het eerst in al die jaren zag ze haar vader als vandaal.

Het was al zo lang stil dat Inga omhoog schoot toen Marianne naar haar sigaretten greep. 'En als jullie weigeren?' Ze stelde de vraag aan haar moeder.

Zonder haar winst te noteren propte Marianne de speelkaarten in het doosje. 'Papa's pensioen staat op het spel. Er is maar één klacht, één brief aan het opperbevel...'

'Ik denk niet dat ze zover gaat,' wierp hij met bezorgde stem tegen. 'Mevrouw Seidler wil er graag weer bijhoren, vaste voet krijgen in de gemeente.'

'Doe niet zo naïef,' onderbrak ze hem. 'Een beetje druk op de spoorwegen en ze schrappen je pensioen van de ene dag op de andere.'

De lucifers in haar vingers, haar vaders gebogen hoofd, de kaarten in zijn handen leken miniaturen.

'Wanneer hebben jullie het geld nodig?'

'Dat gaat jou niets aan!' Marianne benadrukte elk woord.

'Ze geeft ons tot 20 juni de tijd,' antwoordde Erik.

Inga stond op, in haar kamer zette ze op de kalender een kringetje om de twintigste. Het was 3 juni.

22

Inga zat achter haar machine; haar vingers deden het werk mechanisch terwijl haar blik op het stenoblok was gericht – in werkelijkheid zag ze Erik tegen Mariannes schouder, zijn bril in zijn ene hand, terwijl hij met zijn andere de tranen uit zijn ogen wreef. Haar moeder legde het boek neer waaruit ze aan het voorlezen was en nam zijn grote hoofd in haar handen, geen van beiden merkte dat het achtjarige meisje hen gadesloeg. Later had Inga het boek dat haar vader aan het huilen had gebracht, mee naar haar kamer genomen. Het waren verhalen, de meeste speelden aan zee, ze las ze een voor een, maar huilen hoefde ze niet.

Soms had Inga toegekeken als haar vader aan het fornuis stond en in de zon staarde, die 's avonds de keuken gloeiend heet stoofde, terwijl de tranen over zijn wangen biggelden. Hij is snel ontroerd, had haar overleden oom gezegd.

Inga keek op – ze kon zich niet herinneren dat haar vader haar ooit geslagen had. Een draai om hun oren hadden Horst en zij van hun moeder gekregen. Hun vader was niet tegen hardheid, maar hij vermeed het gewoon; mildheid lag hem meer, hij hield van indrukken die zijn hart verwarmden, van zwelgen. Dat moet iets romantisch zijn, dacht Inga, trok het papier half uit de rol, las de laatste zinnen terug en tikte met op elkaar geknepen lippen verder, want de regel was een stukje versprongen. Hij werd gegrepen door mannenmagie en oude liederen, hij hield van sprookjes over bovennatuurlijke krachten, heldenmoed en opofferingsgezindheid. Ondanks zijn bril, zo dik als een flesbodem, was Erik een held in hart en nieren, in vroeger tijden zou je hem in het bos of door de duinen zien rondtrekken om onmogelijke opdrachten te volbrengen. Overdag heerste hij over de sporen die onder zijn raam langs liepen, hield toezicht op laadperrons en vertrekkende reizigers, controleerde de wasgelegenheid op reinheid en berispte zijn beambten wanneer ze ondanks de lange rij het tweede loket niet opendeden. Inga zag Erik voor zich in zijn spoorweguniform, vriendelijk en beslist, hij had niet alleen de regionale dienstregeling in zijn hoofd – Föhrden lag buiten de hoofdspoorlijnen – ook het hele vlechtwerk van verbindingen tussen het oosten en de Noordzeekust kende hij van buiten. In de ondergaande zon veranderde Eriks werkterrein in een kluwen glinsterende ijzeren lijnen die naar de verte voerden; dan stond de man in zijn uniform aan het eind van het perron met Horst aan zijn hand en het meisje op zijn arm, en wees naar de horizon. 'Büsum, zeven uur zeventien,' mompelde hij, het eindstation van de avondtrein naar zee.

Inga herinnerde zich een scène toen ze vijf was. Op een ochtend was ze in een opwelling van aanhankelijkheid aan haar vader gaan hangen. Hij was nog niet aangekleed, had alleen zijn pyjamabroek aan, het elastiek had het niet gehouden en Inga was met broek en al naar beneden gegleden. Het gezin liep nooit ongekleed rond, zelfs niet bij het baden, daarom herinnerde Inga zich haar vaders eenmalige naaktheid zo goed. Op de grond gehurkt staarde het kleine meisje omhoog naar het ontblote lichaam en bekeek de getrainde benen en het buidelvormige geslacht, zo werden helden geschilderd en gebeeldhouwd, dacht Inga achter haar bureau, zo ziet mijn eigen vader eruit.

Langzaam, omdat het blauwe carbonpapier gemakkelijk vlekte, trok ze het papier uit de machine, scheidde het origineel van de doorslag, sloot de map en vroeg of ze haar middagpauze mocht beginnen.

'Gaat uw gang.' Zonder zich om te draaien bleef de commandant op zijn hurken de piepende Jasper op zijn buik krauwen.

Ze ging naar buiten, zelfs dun katoen was te warm vandaag. De zomer verraste het land, de soldaten pakten hun uniformshorts uit en langs Inga marcheerden witte kuiten en knieën.

De aardappelpuree die de kok aanbood, sloeg ze af, maar hij kletste toch een pollepel vol op haar bord. Ze nam niets van de bruinglanzende jus, pakte in plaats daarvan een appel en wat brood uit de mand. Naast haar kiepte het dienblad om van de hospitaalverpleegster, die probeerde de limonadefles nog te redden, maar hij brak. Lusteloos keken de mensen in de mess om, het gelach van een soldaat weerklonk in de zaal. Inga hurkte naast de zuster, die voor de scherven waarschuwde, maar Inga had zich al gesneden. Met de sauslepel in zijn hand keek de kok over het buffet heen.

Op de weg tussen de dennen hield ze haar hand omhoog en probeerde vergeefs haar jurk voor vlekken te behoeden: het bloed liep langs haar arm. Toen ze de open plek met de rozenbottels bereikten, zei de zuster dat ze zich zo op de zomer verheugde.

'Hij is er trouwens weer.' Ze wees naar de zwart geschilderde H op de barak.

Inga liet haar arm zakken, naast haar vielen druppels in het zand. Ze vroeg niet om wie het ging en volgde de zuster door de hoofdingang. Die verbond de snee in de medicamentenkamer, rondom het gaasje verkleurde de huid door de jodium.

'Wat is er gebeurd? Weer zijn been?'

De zuster schudde haar hoofd. 'Een knokpartij, mogelijk een val. Wil je hem zien?'

'Gevallen?' Inga hield haar vinger omhoog.

'Van grote hoogte volgens de dokter.' De zuster zette het verband met hechtpleister vast.

Inga zag de luitenant voor zich, hoe hij zijn uniform recht trok en op pad ging om het geval op zijn manier af te handelen. Hier, waar alles vlak was, koos hij een plaats waar hij dat van grote hoogte kon doen. In de omgeving kwamen daarvoor alleen de kerkruïne, de graansilo en het slot in aanmerking. Ze zag hem omhoog klimmen, zijn das recht trekken en een gebed, nee, geen gebed.

'Heeft hij dan niets verteld?'

'Hij kan nauwelijks praten.' De zuster keek naar de ziekenzaal. 'Zijn kaak is gebroken.'

Samen liepen ze erheen, behalve het vijfde bed was de barak leeg. De luitenant lag er net als de eerste dag, toegedekt tot aan zijn borst, met gevouwen handen, van zijn schedel tot onder zijn hals in het verband. Hij zag er niet uit alsof hij was geslagen, zijn gezicht was gewoon vervormd. Door de zwellingen en bloeduitstortingen leek het Inga of ze zijn gezicht in een lachspiegel zag, zijn jukbeen moest gebroken zijn, want de rechterkant van zijn gezicht leek aan een ander toe te behoren. Ze bekeek zijn lange vingers.

'Als je valt, vang je je op met je handen.'

De zuster zag dat ze naar zijn ongedeerde handen keek. 'Niet als hij bewusteloos was.'

'Ik zou wel even willen blijven.'

Zwijgend liep de zuster de zon in, het was te horen dat ze op het houten terras ging zitten. Inga schoof een stoel bij en raakte het laken aan waaronder zijn lichaam lag. Hij ademde gelijkmatig en had een schoon ziekenhemd aan, de vouwen van de strijkbout waren nog te zien. Ze dacht aan het brood in haar tas, ging zitten en nam een hap. Er trok een licht zuchtje door het vertrek, insecten gonsden voor het raam. Na enige tijd bewoog hij zijn hand millimeter voor millimeter.

'Wat hebben ze met je uitgespookt?' Inga veegde broodkruimels van het dek. De luitenant bewoog zich niet en ze leunde weer achterover.

Langzamerhand leek het witte laken blauw te worden, voor de deur danste het verdwijnende daglicht. Normaal gesproken werd om deze tijd het licht aangedaan, maar de zuster had het zeker vergeten. De treden naar het terras kraakten en Inga keek over haar schouder. Toen ze weer naar de luitenant keek, had hij zijn hoofd opgetild en nam haar van onder tot boven op. Haar haar was sliertig, haar blouse niet schoon, in het kamp kwam ze er niet toe die te wassen. Haar rok had ze al een week aan. Ten slotte liet hij zich weer op het kussen zakken, legde zijn armen naast zijn lichaam en ontspande zich tot in zijn vingertoppen. Buiten verwijderden de voetstappen zich. De contouren vervaagden, een zacht grijs verspreidde zich en ze bleef zitten tot het licht van de buitenlantaarn de duisternis in de barak verjoeg. Toen Inga opstond, bewoog de luitenant zich niet.

23

Al dagen waren hemdsmouwen toegestaan, de jasjes van gekeperde stof bleven in de kastjes, in korte mouwen hingen de mannen rond voor het bureau van de commandant. De onderofficieren hadden het recht vóór de lagere rangen in de rij te staan, maar de rangorde was nauwelijks nog van belang. Met het verglijden van de dagen vormde de betaaldag het hoogtepunt van de maand, dat ze zo lang mogelijk rekten. Soms vormde zich een rij, meestal stonden ze in groepjes, met als gespreksonderwerp het weer – en Engeland. Opeens ontdekte Inga de jonge piloot, hij stond alleen, tegen een boom geleund; de 'dief' knikte bij wijze van groet. Ze herinnerde zich dat ze iets over zijn vrijlating had gehoord, dat men zijn misstap niet wilde opblazen, en hij niet was gedegradeerd, alleen overgeplaatst. Nu had hij het vliegtuigtankstation onder zijn hoede, waardoor hij min of meer werkloos was. Zonder enige zin onderhield hij de apparatuur, voor het geval er op een dag toch weer vliegtuigen zouden starten en landen, met het laatste opstijgende toestel hoopte hij zelf terug te keren naar zijn eiland.

Een slome korporaal kwam naar voren – Inga dacht na over de afrekening, overhandigde haar sergeant de volgende enveloppe, die de inhoud controleerde en aan de korporaal doorgaf. Terwijl die met gekrulde lippen de biljetten telde, ontdekte ze een tatoeage op zijn onderarm – een zwaard dat een krans doorstak, omkaderd met de woorden 'Scotland forever'. Inga vinkte zijn naam af op de lijst. Voor het eerst sinds ze bij de Britten in dienst was, maakte de vreemde taal haar opstandig: dit was een Duits bos en daar wilde ze zulke klanken niet meer horen.

Ook in de stad was de stemming opeens tastbaar, men had er genoeg van steeds betutteld te worden. Openlijk werd erover gespeculeerd wanneer de Engelsen eindelijk af zouden marcheren. De beraadslagingen in Frankfurt, het afhaken van de Sovjets, de aaneensluiting van de drie andere machten, elke kans op verandering versterkte dit gevoel van tegenzin. Inga dacht aan mevrouw Seidler, die onder dekking van de overwinnaars was teruggekeerd en gebruikmaakte van het oorlogsrecht om Inga's ouders te bedreigen. Erik had nooit strijd geleverd, had gedood noch geplunderd, zijn vergrijp was dat hij in iets had geloofd dat hij als de nieuwe orde had omarmd. Op dit moment veroordeelde Inga niet de kinderlijke hang naar uiterlijke pracht en praal van haar vader, maar de chantage van die vrouw, die het einde van de oorlog voor eigen profijt wilde aanwenden.

De zon klom tussen de dennen omhoog, zo meteen zou ze op het geteerde dak staan te branden dat de hitte niet tegenhield, maar juist naar binnen doorsluisde. Een Duitse timmerman, verantwoordelijk voor reparaties aan de barakken, kreeg een propvolle envelop – geld, even waardeloos als het papier dat hij mee naar huis nam. Couvert na couvert gaf Inga door aan de sergeant, haar blik zwierf van de blauwgroene pondbiljetten naar de bruine rijksmarken, rechthoekige stapeltjes papier die slonken, terwijl het in de barak met de minuut heter werd. Het zweet liep langs haar wervelkolom, haar haren hingen op haar voorhoofd, ze probeerde niet te luisteren naar de gesprekken, hun domme toespelingen op haar vochtige blouse, het gelach en het lawaai – het was weer eens betaaldag, net als altijd. Een maand lang zou het geld nu in de stalen safe blijven liggen, Duitse en Engelse biljetten, met daartussen het fotodagboek van de commandant, de kleine map met herinneringen.

In de middagpauze vluchtte ze naar de zwijgzame luitenant. De zuster had het verband verschoond, zijn wit ingepakte hoofd lag op het kussen, alleen zijn ogen bewogen. Inga leegde de ondersteek, schudde het kussen op en gedroeg zich in de verlaten ziekenafdeling alsof ze daar allebei woonden. De zuster had de keuken op de hoogte gebracht, Inga rende naar de mess en kwam terug met de maaltijd van de luitenant. Met veel pijn opende hij zijn lippen en voorzichtig goot ze rijstebrij naar binnen, hij slikte met moeite en draaide zijn hoofd al snel af. Inga bracht hem thee in een tuitkopje, hij dronk maar een paar slokken.

'Toen ik de madonna bij de paardendokter bracht,' zei ze en zette de thee weg, 'werden er bij hem achter het huis meubels ingeladen.'

Alec ademde hoorbaar, het eten was inspannend geweest.

'Daar heb ik Gabor gezien... en een andere man.' Ze sloeg de liggende man gade. 'Je kent hem wel, die man met de lichte jas.'

Geen beweging wees erop dat dit nieuwtje een verrassing voor hem was. Zwarte Gabor, dacht ze, de man die scheen te kunnen leveren waar verder niemand aan kon komen, de adjudant van de dode generaal, *zowel hier als elders* wisten ze dat te waarderen. Wie waren *ze*? Inga keek naar buiten, de zon moest boven de dennen staan, maar in afdeling H was het schaduwrijk en koel. Hoe was dat te rijmen, dat Gabor met Alec aan de speeltafel zat en tegelijk de man in dienst had die de schulden van de luitenant inde? Als Gabor Alecs schuldeiser was, waarom eiste hij het geld dan niet direct van Alec in plaats van die vechtersbaas te sturen? Bij geen enkele gelegenheid had ze iets van afhankelijkheid tussen de twee mannen gemerkt, alleen maar rivaliteit aan de speeltafel, het vrolijke driespan met de generaalsvrouw. Inga zag de kamer voor zich met de groene stoelen en tapijten, de rode jurk van Marion Kosigk en het scherp afgegrensde licht op de spelers.

Ze stond op, liep weg, maar keerde terug naar zijn bed. Een punt van het gaas was uit het verband gegleden, zijn kaak hing los. Ze keek naar zijn kin, er was wat vlees weg, de huid was direct over het bot aan elkaar genaaid – een vreemde aanblik – en toch, hoe lief was dit gezicht haar geworden. Inga wilde hem even aanraken, maar ze schoof alleen het gaas in het verband en vertrok.

Nergens was het zinloze uitzitten van de tijd sterker merkbaar dan in de mess. Het was gebruikelijk geworden dat de lagere officieren die 's middags niet in het kamp hoefden te zijn, in de stad aten. Toch liet de ijverige onderofficier elke dag alle tafels dekken. Uit gewoonte gingen de eters niet bij elkaar zitten, ieder bleef op zijn vertrouwde plekje, daartussenin lagen eilanden van witte lakens. In gepeins wachtte de kok achter het buffet op klanten, zijn opscheplepel als een golfclub over zijn arm. Tegen haar gewoonte in at Inga stew, veegde de saus met brood van haar bord en luisterde naar de holle klank van de voetstappen in de lege zaal. Ze zag af van de mierzoete compote, nam een appel en keerde naar haar werk terug.

Toen ze het kantoor binnenkwam, was het sluiten van de stalen deur te horen, hij werd tweemaal op slot gedraaid, de sergeant overhandigde de commandant de sleutel. Op Inga's tafel lagen openlijk de lijsten, over de vloer lagen verfrommelde couverts en uitgetrapte peuken verspreid: de betaaldag was voorbij. Zoals verwacht sloot de commandant de deur om een andere broek aan te trekken. Hij had drie uniformbroeken, een voor doordeweeks – en als hij die liet reinigen, droeg hij de broek van zijn uitgaansuniform, met schoenen in plaats van kistjes. De derde broek trok hij aan als hij de spaniël wilde borstelen. Jasper hief elke keer een gehuil aan alsof zijn leven op het spel stond. Deze broek was wijd en zat vol vlekken, omdat de commandant daarin ook aan zijn auto sleutelde. In de zakken zaten gaten, daarom legde hij de inhoud ervan in de lade, sloot die af en bewaarde de sleutel boven de lamp. Voordat de commandant en zijn hond weggingen, werd de wachtdienst op de hoogte gebracht: ooit had een opmerkzame soldaat, die iemand bij het munitiedepot tussen de dennen zag lopen, een waarschuwingsschot gelost. Jasper was zich dood geschrokken en de commandant prees de soldaat voor zijn optreden.

Inga hoorde de hond in de andere kamer janken, schoenen vielen op de grond, het gerinkel van de ceintuurgesp, daar stond de commandant al omgekleed in de deuropening, in zijn hand bungelde de lijn.

'Geeft u het even door aan de wachtdienst.'

Jasper sprong naar buiten, Inga greep de telefoon, door het raam zag ze hen in de richting van het bos verdwijnen.

Met haar boek en een glas limonade zat Marianne alleen in de kamer aan de straat. Voor Inga waren haar ouders net twee duiven, alleen van elkaar gescheiden als Erik eropuit ging om een van Mariannes wensen te vervullen.

'Hij is gaan liggen,' zei ze, zonder Inga's vraag af te wachten.

Het sloeg net zeven, om deze tijd stond haar vader anders in de keuken.

'Hebben jullie gegeten?'

'Ja.' Marianne streek door haar haren. 'Nee. Erik heeft de roux aan laten branden.'

'De roux?'

'Hij wilde koolraap indikken.' Ze liet haar stem dalen alsof het unieke voorval niet buiten de vier muren mocht komen.

'De witte saus?'

'Met peterselie,' knikte haar moeder.

'Papa heeft nog nooit iets aan laten branden.'

Sinds Inga op de wereld was, had ze haar vader zien koken, het was een beeld dat zich uitstrekte over jaren – Erik met een schort voor, zijn hemdsmouwen keurig opgestroopt, zijn bril met damp beslagen. Zijn lange armen grepen links en rechts, zonder een voet te verzetten kon hij overal bij, op planken en in kasten. Hij scheidde de dooier van het eiwit, bestoof de plank met bloem, sneed groente en hakte kruiden in een tempo dat Inga als kind begon te huilen, zo snel bewogen zijn handen het wiegemes. Begon het haar te lang te duren, dan stopte hij een schijfje wortel in haar mond. Inga's vader was een bedeesd man, alleen in de keuken werd hij een heerser.

'De roux aan laten branden?' herhaalde Inga, alsof het aan het ongelooflijke grensde.

'Vraag het niet aan mij.' Marianne tastte over de zak van haar jurk, maar haar sigaretten waren op. 'Maar hij is als de dood.'

De bladeren van de kastanje, anders altijd in beweging, hingen stil in de lucht, de hemel daarachter was onwerkelijk blauw, hoewel het al avond moest zijn.

'Het spoor hebben ze hem al afgenomen.' Marianne stopte haar vinger als boekenlegger tussen de bladzijden. 'Die stomme pet opzetten vond hij het allermooiste. Soms stond hij minutenlang voor de spiegel voordat de klep ten opzichte van zijn wenkbrauwen de juiste hoek had. Glimmende knopen hadden voor hem...' Ze nam een slok en zette het glas weer neer. 'Blinkende, glimmende knopen.'

Inga vroeg geen toestemming en liep naar de kamer van haar vader, hij lag aangekleed op de sprei, zijn voeten staken over de rand van het bed heen, zijn blauwe ogen, ongewoon zo zonder bril, keken naar het plafond.

'Je bent vroeg,' zei hij. Ze merkte dat hij geen zin had om te praten.

De schemering trok langs de hemel, in de stilte hoorden ze het water uit de lekke pijp van de put in de trog klateren.

'Wat betekent dat eigenlijk, goudfazant?'

'Heb je er nooit een gezien?' Hij vouwde zijn handen achter zijn hoofd. 'Oorspronkelijk afkomstig uit China, lichtbruin, de staart en de vleugels helder donkerrood... alleen bij de mannetjes.'

'Papa, je weet wel wat ik...' onderbrak ze hem.

'Goudfazanten leidden economische ondernemingen en hielden toezicht op de landbouw.' Hij wilde naar zijn bril grijpen, maar kon zich niet zo ver uitrekken.

'Maar jij...?'

'Ik was de stationschef,' antwoordde hij serieus. 'Ze zeiden dat ik de gouden koorden moest dragen, de epauletten en zelfs het gouden insigne. Ik was daar trots op. Er waren hogere partijleden die vrijwillig achter mij marcheerden.' Hij ging zitten. 'Ik kon dat... in de pas lopen,' voegde hij er zachtjes aan toe.

'Het zal wel goed komen.' Ze dacht aan de roux die hij had laten aanbranden. 'Misschien dat mevrouw Seidler... '

Hij pakte zijn bril, plotseling waren zijn ogen weer ijsblauw. 'Er is meer aan de hand dan alleen mevrouw Seidler.'

Zijn haar was zo witblond dat de grijze plekken nauwelijks te zien waren, zijn neus en kin leken door wilskracht te zijn gevormd, zijn schouders waren breed en zijn armen pezig. Inga liep naar haar kamer. De twintigste juni was drie dagen dichterbij gekomen.

24

Op Inga's verzoek had de kok een deksel over de schaal gelegd, Alecs eten moest warm blijven, want warm voedsel hielp het lichaam te genezen. Over de zandweg, langs de rozenbottels, keerde ze terug naar de luitenant, alsof daar haar ware plicht lag. Inga leegde de ondersteek en stopte het laken in, inmiddels had ze het ook op zich genomen zijn verband te vernieuwen.

De arts en de verpleegster bespraken de vraag waarom de luitenant niet vooruit ging. Op twee ribben en de middenhandsbeentjes na was er niets gebroken, de kneuzingen heelden, en de littekens en bloeduitstortingen waren slechts oppervlakkig. Maar Inga begreep dat hij zich rust gunde. Ook toen hij alweer kon praten, gaf hij er de voorkeur aan op zijn rug te liggen en haar werkzaamheden vanuit zijn ooghoeken te volgen. Ze vroeg hem niet meer naar het voorval, of hij gevallen of gesprongen was – het spel, zijn schulden, de uitzichtloosheid, Inga kende de redenen. Zo zwijgend bij elkaar te zijn vond zij nog het prettigst, als hun blikken elkaar troffen of als hij afwezig naar de balken van de dakstoel lag te staren. Zelden vertelde ze iets over haar dag – hoe de commandant zijn hond met corned beef verwende, dat de sergeant een liefje in de stad moest hebben – de luitenant schonk nauwelijks aandacht aan haar gebabbel. Eén keer merkte Inga een plotselinge spanning in hem en een ongewone nieuwsgierigheid in zijn ogen. Ze had de lege borden al gepakt om terug te gaan naar haar werk, toen hij met een ruk overeind kwam en voorzichtig mompelend, alsof hij een steek in zijn kaak verwachtte, zei dat ze nog even moest blijven. Zijn stem klonk rasperig en onwennig na het lange zwijgen. Inga voelde een soort vreugde door zich heen gaan, hij wilde langer samen met haar zijn. Ze liep terug naar haar stoel en vertelde over haar vader, die erg moest oppassen zich niet te verwonden, omdat hij geen pijn voelde.

De luitenant was op zijn zij gaan liggen met zijn hoofd op zijn hand. 'Geen pijn,' zei hij, rolde op zijn rug en sloot zijn ogen. Als er geen verband was geweest, had je kunnen denken dat hij een zomergast in een kuuroord was.

Er zaten fouten in de lijst van het zwaar materieel, beweerde de commandant. Dat kwam door de verkeerde opgaven van de verschillende bureaus, antwoordde Inga. Deze keer kon ze hem niet overtuigen, hij hield vol vermoeidheid en tegenzin een boetepreek, floot de hond en verdween tussen de grove dennen. Inga sorteerde de bruine aantekenblaadjes nog eens, deze keer niet volgens de beginletters van de afdelingen, maar ze gebruikte de cijfercodes van het materieel zelf. Urenlang warrelden cijfers door haar hoofd en op de lijsten, haar rug deed pijn, haar ogen brandden, toen de lamp al was aangestoken zat ze nog steeds te sorteren. In de overtuiging het laatste transport toch al gemist te hebben pakte ze haar tas, sloot de commandobarak af en slenterde naar het D-blok. Zonderling vermoeide gedachten kwamen in haar op, ze vroeg zich af waarom ze bij iedereen in haar omgeving iets goed te maken had. Tussen de grove dennen dook Henning op, scherp afgetekend tegen de nachthemel – ze haalde zijn huwelijk overhoop, ze had hem misleid en bestolen, en hij had overal begrip voor. Ze zag Marianne en Erik, die het geld voor mevrouw Seidler niet bij elkaar konden krijgen, zag de paardendokter, die haar ouders niet betaalde, omdat Inga bij hem in het krijt stond. *Als mijn talisman. Je hebt er talent voor*, de woorden van de luitenant, midden in het bos schoot Inga in de lach, een goede fee was ze allerminst!

De opdringerige korporaal had nachtdienst, ze ontliep zijn attenties door het blok via de zijdeur in te gaan. Blij dat ze de deur achter zich dicht kon doen, knoopte ze haar blouse los, liet koud water over haar handen stromen en besloot niet meer te lezen of het licht aan te doen. Ze sliep in terwijl er zachte radiomuziek uit de mess klonk.

Ze schrok overeind, dacht dat de korporaal dronken haar kamer binnen was gestommeld, maar het was geen ongecontroleerd binnendringen, geen aanval op de slapende jonkvrouw, eerder een behoedzaam uitgevoerde beweging, een zacht sluiten van de deur. Het enige geluid werd veroorzaakt door haar schrikreactie.

‘Niet bang zijn.’ De omtrek van de gebogen gestalte bleef staan bij de wastafel en in de grijze duisternis schemerde de lichte vlek van het verband om zijn hoofd. ‘Je bent vandaag niet langs geweest.’

‘Veel werk,’ stootte Inga fluisterend uit.

'Wat de pijn betreft, vergis je je,' zei hij na een pauze. 'Het is een geseling, maar de razende pijn van zo'n onverwachte pijnscheut zet ook sluizen open.' Hoewel het nauwelijks meer dan gemurmel was, hoorde ze iets in zijn stem trekken wat elk moment kon uitschieten. Geruisloos bevrijdde ze haar benen uit de knoedel dekens.

'Pijn zwelt op als een ballon die niet kan klappen.' De lange vingers van de luitenant werden zichtbaar, hij sprak ermee, alsof hij poppenkast speelde. 'Angst wordt vreugde, pijn verlichting, kwelling leidt tot nieuw leven.'

Geruisloos zette ze haar voeten op de grond en keek naar de donkere rechthoek van de deur; hij was er net zo ver vanaf, maar zij zou sneller zijn. De luitenant duwde zich van de wand af, zijn leren zool knerpte toen hij zich verplaatste. Inga sprong op, nog een sprong, ze rukte aan de deurklink.

'Zonder pijn is het of ik door absolute stilte waad.' Hij deed niet de geringste poging haar vast te pakken. 'Alsof ik niet meer tot de levenden behoor.' Zijn stem klonk nu hoger, alsof er een verstikt huilen in doorklonk. Het tochtte, haar schouders en de stof van haar onderhemd voelden ijskoud aan. Gebogen liep ook hij naar de deur en keek haar aan, ze stonden daar als op een feestje, waar de een de ander voor laat gaan. Inga wist niet meer waarom ze naar buiten wilde, draaide zich om en liet het aan hem over om de deur te sluiten. Voorzichtig verzette hij zijn voeten tot hij het bed bereikte, wachtte tot ze haar benen optrok en ging zitten.

'Pijn is een elixir,' zei hij, 'een gids die me mee op reis neemt.' Zijn armen lagen naast elkaar op zijn dijen. Inga pakte hem bij zijn schouders, maar hij bewoog nauwelijks. Omdat ze hem niet naar zich toe kon trekken, kroop ze op haar knieën naar hem toe en duwde haar gezicht tegen zijn achterhoofd. Zijn witte hand streek door haar haren en trok haar schuin naar beneden, tot Inga's hoofd achterover in zijn schoot lag. De mannenhand die haar steeds krachteloos had geleken, hield haar zonder moeite in bedwang; met zijn andere hand streelde hij haar dijen. Langzaam, als het ware in gedachten, begonnen zijn vingers te dwalen, drongen bij haar binnen en bleven daar, in haar warmte. Ze rukte met haar hoofd, raakte wat haren kwijt, maar verbrak de stilte niet. Ze wilde hem aankijken, omarmen, maar hij wilde dat ze zo hulpeloos bleef, open en overgeleverd aan zijn greep. Geleidelijk gaven haar dijen toe, de hitte nam bezit van haar. Haar lichaam kronkelde, maar ze onderging zijn wildheid en geduld; hij verhinderde haar niet te schreeuwen en, onbekommerd of anderen in de barak het hoorden, gaf hij haar over aan haar lust. De kristalheldere nacht drong door het raam naar binnen, met de gelijkmatige passen van de wachtpost ergens buiten. Boven haar hoofd zag ze de lichte wasbak. De lijst van het zwaar materieel moest worden afgemaakt, de bruine aantekenblaadjes dwarrelden van links naar rechts, haar lusteloze commandant, die zijn vreugde in de brandkast bewaarde, de reis met de geheimzinnige vrouw, Engeland, Inga trok haar benen op en omklemde sidderend de hand in haar. Op het ritme van de lucht die uit haar wegstroomde, strekte ze zich uit. Alsof hij niet kon bedenken wat er verder nog te doen was, omarmde Alec haar in zijn schoot.

'Ik was een van de officieren die Marion Kosigk de persoonlijke spullen van haar man kwamen brengen,' zei hij tussen zijn tanden. 'De terechtstelling vond om vier uur 's morgens plaats, bij het aanbreken van de dag stonden we voor de weduwe. Ze leidde ons naar de salon en liet thee serveren. Aan haar zijde bevond zich een man met glad, zwart haar.'

Inga's armen schoven omhoog, ze streelde de zachte zwachtel om zijn schedel.

'We dachten dat de Duitsers niets hadden,' ging de luitenant verder, 'dat ze volkomen op onze hulp zouden zijn aangewezen. Maar Gabor kon alles versieren, hij zwendelde op grote schaal – fabriekscomplexen waren voor de ontmanteling afgebroken en ergens verborgen – Gabor verkocht ze stuk voor stuk.' De luitenant hoestte, maar wilde niet laten merken hoeveel inspanning het praten hem kostte. 'Ik heb de majoor op de hoogte gesteld. Kort voordat we de strop om Gabors hals dichttrokken, deed de zwendelaar onze ouwe een voorstel.' In de laatste zin klonk een grimmige lach door. 'De majoor heeft in zijn privéleven weinig bereikt. Dus besloot hij gebruik te maken van de goede jaren, de bezetting kan toch niet eeuwig duren. Hij dekt Gabors transporten en vergemakkelijkt zijn contacten in het westen.'

'En jij?' fluisterde Inga.

'Vijf procent voor de ingewijde.' Zonder geweld te gebruiken maakte hij zich los uit haar armen.

'Heb je meegedaan?'

Hij steunde met zijn handen op de rand van het bed, spande zijn dijbeenspieren. 'Gabor stelde ook *circles* samen – in sommige werden Duitse vrouwen met bezettingsofficieren in contact gebracht, in andere kringen werd gespeeld.'

Deze keer was Inga sterker, ze trok hem terug. 'En hoe zit het met de generaalsvrouw?'

'We hebben haar man opgehangen, dat kan ze ons nooit vergeven. Maar ze begrijpt wat het moment vereist en maakt gebruik van ons slechte geweten.' Het ijzeren onderstel kraakte toen hij op de matras neerzonk, als vanzelf zakte zijn hoofd op het kussen. 'Marion is de spin in het web, alle verbindingen, zakelijk of niet, lopen via haar huis.'

'Hou je van haar?'

Zachte muziek uit de mess, iemand speelde piano.

'We hebben lang om elkaar heen gedraaid. Spelers ruiken elkaar.'

Ze zwegen tot het stuk was afgelopen.

'Wat heb je tijdens dat concert gedaan?' vroeg Inga, toen ze er zeker van was, dat hij niet verder zou praten.

Hij keek haar aan. 'Was jij daar ook?'

'Met mijn ouders.' Voorzichtig gleed ze naar hem toe.

'Vond je het mooi?' Hij liet toe dat ze zijn arm om haar heen legde.

'Heel mooi.'

'Die grootheidswaanzin van jullie klinkt overal in door.'

'De mensen waren zo blij.'

'In gedachten marcheren jullie nog steeds.'

Langzaam streek ze heen en weer over zijn rug. 'Wat willen ze van je?'

Lange tijd gaf hij geen antwoord, zijn schouders rezen op zijn adem.

'Ze verdenken me ervan dat ik voor mezelf ben begonnen. Ze denken dat ik mijn percentage wil verhogen.'

'Dus het gaat niet om speelschulden?'

'Het spelen...' Hij wilde zich wegdraaien, lag te dicht tegen de wand. 'Dat zijn maar koekkruimels. Handel – echte handel. We zitten er allemaal tot onze nek in.'

'Kan ik je helpen?'

'Ach, Inga...' De oude neerbuigende toon. 'Je denkt nog steeds dat je je druk moet maken om mij.' Hij kromp ineen vanwege zijn glimlach en voelde voorzichtig aan zijn kaak. 'Gabor heeft de lading de Sovjetsector uit gesluisd, de majoor leverde het transportvoertuig, de vracht werd bij Marion opgeslagen.'

'Welke vracht?'

Hij aarzelde. 'Ik heb dat rotbeest niet gestolen.'

Inga balde haar vuist in haar maagholte.

'Wat voor beest?'

'Foknerts voor de Amerikanen. Russisch monopolie, door Gabor naar buiten gesmokkeld.' Hijgend lachen. 'Maar hoe wil je gaan fokken, met drie vrouwtjes?'

Ze zag de kooi weer voor zich, de waakzame ogen, de spitse tanden, de staart net zo lang als het hele dier. Ze had het vastgepakt, het was heel zacht, maar het had zich losgerukt.

'Foknerts,' herhaalde Inga.

'Het mannetje is verdwenen.'

Stilte.

'Misschien – duikt het wel weer op.'

Hij kwam overeind, steunde met zijn armen op het bed. 'Hoe weet jij nou dat ik die nerts niet echt heb gestolen?'

'Dat heb je... tegen me gezegd.'

Nu was ze er zeker van dat hij glimlachte achter de zwachtel. 'Mijn goede fee.'

'Jij bent niet eens geïnteresseerd in geluk,' antwoordde Inga zo koel mogelijk.

'Ongeluk is een betrouwbaarder partner.'

Deze keer liet ze hem gaan, hij trok het verband recht en liep naar de deur, alsof hij een vriendschappelijk bezoek afbrak. 'Kom morgen bij me langs.'

Hij liep de gang op en naar buiten, ze hoorde zijn voetstappen in het grind en vroeg zich af of hij naar H terugging of naar zijn oude kamer in het C-blok, waar zijn kast stond met het foedraal en de lamp met de versierde bronzen voet.

25

De hand op de sprei was koud. Marianne vroeg zich af waar dat heen ging, het was een warme ochtend in juni, zijzelf lag onder de dekens, maar haar hand voelde koud aan. Ze schudde het kussen op en trok dat van Erik naar zich toe, nog uit de tijd dat hij bij haar sliep. Net als elke ochtend wilde Marianne wachten tot hij met het ontbijtblad kwam, maar een vreemde onrust dreef haar uit bed. Haar koude hand, terwijl haar zieke been bijna gevoelloos was, alsof het sliep. Deze dagen waren te veel voor haar en tegelijk schaamde ze zich voor haar luiheid: andere mensen konden heel wat meer aan. In haar nachthemd zat ze in de gele stoel en overwoog of ze zich bij wijze van uitzondering een sigaret kon permitteren, maar het schoot haar te binnen dat ze het laatste pakje opgerookt had en dat ook de tinnen koker, waar normaal het noodrantsoen in zat, leeg was. Ze liep naar het raam, de kastanje had regen nodig, de bladeren verschrompelden aan de randen.

Toen Marianne haar dochter aan de voet van de boom zag zitten, speelde haar slechte geweten op, omdat ze te vroeg te veel van Inga had verlangd. Goed bekeken onderhield zij het gezin. Marianne rekende uit dat Inga over twee maanden jarig was. Na de dood van Horst was zij van de ene dag op de andere de oudste geworden en was dat gebleven. Wat deed haar dochter daar zo vroeg in de tuin, ze was vannacht niet thuisgekomen of sliepen ze toen al? Marianne deed het raam open.

'Moet je niet naar je werk?' riep ze gedempt, om de buren niet te wekken.

'Ik wilde me omkleden,' antwoordde Inga, ook fluisterend.

'Hoe laat was je hier?'

'Laat.' Ze stond op, haar kuiten waren nat van de dauw. 'Ik wilde jullie spreken.'

'Zullen we even ontbijten?' Marianne maakte een uitnodigend gebaar en duwde het gevoel van zich af nooit vriendelijk genoeg te zijn tegen haar dochter.

'Het transport wacht niet.' Inga wees op het tuinpoortje en hing haar tas om haar schouder.

'Wou je je niet omkleden?'

'Te laat.' Ze liep langs het schuurtje, streek met haar hand over de tomatenstruiken en bleef even staan voor het heuveltje waar het schaap begraven lag. 'Ik heb trouwens wat van je celstof gepakt,' zei ze en liep de tuin uit.

'Waarvoor?' riep Marianne. 'Waar wilde je over praten?' Een steek in haar been, ze pakte het kozijn vast en wachtte tot de pijn verminderde voor ze zich terugtrok in bed. Ze kon maar beter niets meer doen voor Erik het ontbijt bracht en ze samen de komende dag bespraken. Het beeld van haar dochter onder aan die boom, verward of treurig, die in haar kleren van gisteren op haar werk verscheen. Marianne trok de deken omhoog, sloeg daaronder haar armen over elkaar, maar warmer kreeg ze het niet.

Drie dagen lang was Jasper uit eigen beweging de barak uit gelopen om zijn behoefte te doen, had hij staan wroeten bij de vijf dennen, zich vies gemaakt en was in stofwolken achter vrachtwagens aangerend. Vanochtend – Inga was te laat, ze had het afgescheurde kalenderblaadje nog in haar hand, toen de commandant binnenkwam – ging Jasper niet zoals gewoonlijk onder het bureau liggen, maar snuffelde, sprong met zijn voorpoten op het archief, de mand kantelde, enthousiast keek de spaniël naar het papier dat door het kantoor vloog.

'Niet zo wild, ouwe jongen,' zei de commandant, keek even toe terwijl Inga alles opraapte, floot de hond, liep zijn kamer in en sloot de deur. Schoenen vielen hoorbaar op de vloer, de gesp van de riem rinkelde. Ze had de orde al hersteld, toen baas en hond voor haar stonden, klaar voor vertrek. Jasper sprong naar de deur, de commandant kwam achter hem aan met de lijn in de ene en de borstel in de andere hand. 'Geeft u het even door aan de wachtdienst.'

Met de hoorn aan haar oor zag Inga ze over de zandweg verdwijnen. Ze telefoneerde, ging daarna voor de barak staan – de sergeant was ergens buiten, wat haar zorgen baarde. Ze beantwoordde de groet van de soldaat van het tankstation en keerde terug.

Om deze tijd van de dag was het rustig in het kamp, er kwamen alleen wat vrachtwagens aanrijden die de slagboom passeerden, ergens klonk gelach, de vogels maakten herrie, zoals gewoonlijk. Inga luisterde of er bijzondere geluiden waren, maar er kwam niemand aan, ze hing haar tas over haar schouder en liep met de groene map opengeslagen op haar arm het kantoor van de commandant in. Ze haalde er een blad papier uit dat ze hem later moest voorleggen, keek op en zag haar verwarde gezicht in de spiegel. Haar haren stonden recht overeind, ze liep naar de wasbak en maakte licht. Haar hand bleef op het lampje liggen, dat al lang niet meer was afgestoft en ze voelde het gladde voorwerp, pakte het op en verborg het in de palm van haar hand. Met de andere ordende ze haar haren.

Inga's angst maakte haar soepel; nieuwsgierig bekeek ze die vreemde jonge vrouw die geen scrupules kende. Ze keerde terug naar de tafel en probeerde gebogen over de groene map de sleutel in de bovenste lade te steken. Hij pakte niet meteen, pas bij haar derde poging gleed de lade open. Ze legde Engelse sigaren en een zeilboek aan de kant en vond de sleutelbos van de commandant. Met snelle vingers liep ze de tien sleutels na en vond de sleutel die zich van alle andere onderscheidde. Hij had een baard aan weerskanten en een rond oog waarin een gat was geboord. Terwijl Inga de lade dichtschoof trok ze de onderlegger naar voren en bukte zich om het briefje dat aan de onderkant geplakt was te lezen: vier cijfers in het schuine handschrift van de commandant, ze richtte zich op en liep naar het raam. Niemand te zien, een blik op de foto, de boot leek een stuk kleiner dan in de verhalen van haar baas.

De brandkast was zwart, onder de dubbele deur stond in zwierige letters 'Simon & Hadges, Norfolk'. Als door een wichelroede geleid liep Inga met de sleutel voor zich uit naar de safe, schoof de baard in de holte, die er makkelijk in gleed, maar zoals verwacht niet wilde draaien. Voor het eerst raakte ze de rondom gekartelde schijf van gepolijst staal aan, met daarop in reliëf de vergulde cijfers. Ze bekeek de nummers een paar seconden, draaide het wiel tweemaal tegen de klok in, eenmaal naar rechts naar de drie en ten slotte stond de pijl boven de gouden zeven. Ze luisterde en bewoog de sleutel, die zachtjes rinkelde, maar voor haar idee toch luid genoeg om het hele kamp te alarmeren. Na een halve draai bleef hij steken, ze trok hem een beetje terug, probeerde het nog eens en draaide hem opgelucht tweemaal om. Een ruk aan de loodrechte hendels en bijna vanzelf gleden de deuren open, ze zwaaiden ondanks de zware bepantsering moeiteloos een kwartslag en boden vrij zicht op ordners, metalen dozen en daartussen, in wasdoek gehuld, het album van de commandant. Ook al was Inga nieuwsgierig naar de foto's van zijn reis, ze raakte de herinneringen van de officier niet aan. Ze pakte het eerste geldkistje, opende het en nam het Duitse geld eruit.

Haar tas had Inga volgestouwd met op maat gesneden stroken celstof, die ze in het geldkistje legde, bijna tot aan de rand, en op elke stapel spreidde ze twee bankbiljetten uit. Het kistje leek tot bovenaan met geld gevuld, op het eerste gezicht was er geen verschil te zien. Met de Engelse biljetten wilde ze hetzelfde doen, ze klapte het deksel open – de kist was voor de helft leeg. Ook al was dit een streep door de rekening, ze deed de celstof in het geldkistje, bedekte het en de overgebleven ponden verdwenen in haar tas, evenals de rijksmarken.

Ze veegde haar zwetende handen droog, schoof de metalen kisten op hun plaats, vergewiste zich ervan dat alles ér onveranderd uitzag, deed de deuren dicht, trok de sleutel eruit en draaide de schijf in een willekeurige positie. De sleutelbos werd in het bureau opgeborgen, de lade afgesloten en de sleutel boven de wastafel gelegd. Ze merkte hoe oppervlakkig ze ademde, kwam overeind en slaakte een geweldige zucht. Haar blik viel op de spiegel – niet in je eigen ogen kijken – ze wendde zich af, bedekte de inhoud van haar tas met haar sjaaltje en ging terug naar haar kantoor.

Bijna tegelijkertijd betrad de sergeant de barak en vroeg goedgeluimd of de post al weg was. Inga wankelde alsof de grond onder haar voeten wegzonk – ze had de map in de kamer van de commandant laten liggen. Ze liep nog een keer terug, bracht de map mee, de sergeant voegde er twee brieven aan toe en legde de map persoonlijk op het bureau van de commandant terug. Terwijl hij daarbinnen aan het rommelen was, kromp Inga's maag samen, ze maakte een order af, pakte haar tas en ging naar buiten.

Op het toilet knielde ze hijgend boven de pot – vierentwintig dagen, fluisterde ze zo nu en dan, als het geluk haar niet in de steek liet zouden de blikken dozen pas over vierentwintig dagen weer geopend worden. Ze bekeek de draad speeksel, die langer werd maar niet brak. Op de terugweg kwam de commandant haar tegemoet, met zijn handen in zijn zakken zag hij er gemoedelijk uit, Jasper liep met zijn tong uit zijn bek achteraan, de lange wandeling had hem vermoeid. Haar baas wilde zijn tweede ontbijt, kleedde zich niet eens om, maar verdween over de met naalden bezaaide weg die naar de mess leidde.

In een soort wakkere bewusteloosheid bracht Inga de uren door tot aan de lunch, liep toen met haar tas onopvallend naar het D-blok en sloot zich op. Door tellen en nuchter rekenen kon ze het conflict in zichzelf bestrijden. Op de achterkant van haar stenoblok noteerde Inga het bedrag dat nog uitstond voor de madonna, zette de hoeveelheid van het van Henning gestolen geld eronder en het bedrag dat haar ouders mevrouw Seidler schuldig waren. Daarna schudde ze de inhoud van haar tas op bed, viste de ponden eruit en telde de Duitse biljetten, legde de benodigde bedragen apart en schrok ervan dat er zo weinig overbleef.

Haar plan om het resterende geld naar H te brengen, op de deken van de luitenant te gooien – Speel, betaal je schulden van de winst en geef het me terug, dan leg ik het weer in de brandkast – werd bij de aanblik van dit hoopje geld nogal miezerig. Haar gewetenswroeging van de afgelopen nacht, haar schuldgevoel ten opzichte van de luitenant, het rijpende plan, de scrupules in de ochtendschemering, haar vlucht naar haar slapende ouders, en ten slotte de misdaad, verloren door deze balans alle romantiek en realiteit. Ze suste haar angst met de gedachte het geld te allen tijde terug te kunnen brengen, maar dat ze het eerst op een andere manier moest proberen. Inga calculeerde – als ze de paardendokter betaalde, dan vloeide die som vervolgens terug naar haar ouders; Henning zou een aanbetaling zeker als een gebaar van goede wil opvatten – Inga verdeelde het pak geld opnieuw en verhoogde de stapel voor de luitenant. Ten slotte telde ze het Engelse geld erbij op en vond dat het resultaat er wezen mocht. Ze stelde zich voor dat ze haar schat meteen door het bos en linea recta naar Alecs bed bracht – dwepend met zijn verbluftheid en vreugde liet ze zich op de matras vallen, waar ze samen hadden gelegen, ze voelde het geld in haar rug en stapelde het op haar borst. Voetstappen buiten, de middagpauze was voorbij. Ze stouwde haar buit in het kastje en rende naar haar werk. De hemel tussen de grove dennen was helder, vandaag zou ze lang op de schemering moeten wachten.

26

Hij schrok op, hij had met open ogen liggen slapen, zijn donkere haarlokken op het kussen. Inga stopte het laken in en zette een tas op het bed. De luitenant geeuwde met voorzichtig geopende mond.

'Heb je over Schotland gedroomd?' Zonder zijn toestemming af te wachten ging ze op de rand van het bed zitten.

'Ik droom niet.'

'Verheug je je op thuis – in de trein te stappen, in een schip op zee de kust op te zien doemen?'

'Officieren gaan per vliegtuig,' antwoordde hij en hij wist dat ze iets anders wilde horen.

'Kennen jullie dat wel in Schotland, zo'n begin van de zomer?' Trots wees ze naar buiten, de dakspanten in H kraakten door de hitte.

'Wij hebben soms alle seizoenen op een en dezelfde dag.' Hij streek over zijn wang, het verband was eraf gehaald, zijn baard groeide onregelmatig en kriebelde.

'Ga je thuis weer koekjes bakken?'

Verrast liet hij toe dat ze zijn hand greep. '*Fruitcake*.' Hij keek naar het spel van het licht op de grijze wand. 'Op dit moment houd ik alles voor mogelijk.'

'En je schulden?'

Nu zweeg hij en bedacht hoe zinloos het was haar ingewijd te hebben. In het heldere middaglicht ervoer hij zijn nachtelijke bezoek als een aanval van verstikking, waar hij haar in had betrokken, met zijn domme nachtelijke waandenkbeelden – de pijn als gids – hij had spijt van zijn levensmoede gewauwel, dat iemand als Inga niet afschrikte, maar haar juist het vermoeden gaf dat er een avontuur achter zat.

'Wanneer word je ontslagen?'

Hij bekeek haar vingernagels, er kwamen barsten in het rood.

'Misschien kom ik wel langs in Schotland.' Ze stond op en ging op een van de opgemaakte bedden zitten. 'Soms gaat een meisje mee,' zei ze en bevestigde zijn bange vermoedens. 'Maar misschien zien we elkaar nooit meer.'

'Zo gaat dat meestal,' zei hij zonder haar aan te kijken.

'Ik weet ook nog niet wat ik ga doen.' Ze leunde op haar ellebogen.

'Jij?' Zijn verrassing was niet gespeeld. 'Ze zullen de leiding aan de Duitse autoriteiten overdragen. Die nemen je beslist over.'

'Met stenoblok en schrijfmachine,' glimlachte ze.

'Het heden is soms onwezenlijker dan de toekomst.' Hij bekeek de vrouw die zich ongegeneerd op het gesteven laken uitstrekte.

'Ik heb wat voor je.' Ze boog zich voorover en behendig als een goochelaar trok ze het sjaaltje van haar tas af, waarin bruine en blauwe biljetten lagen.

'Wat is dat?'

'Voor jou.'

Hij stak zijn hand in de tas en voelde op de tast dat hij tot op de bodem gevuld was met geld.

'Gebruik het om te spelen,' zei Inga met ingehouden vreugde. 'Betaal je schulden met de winst.'

'Waar heb je het...?' Onwillekeurig keek hij naar de verpleegstersruimte.

'Doet er niet toe.'

Hij pakte sigaretten uit zijn nachtkastje en stak er een op. 'Eerst dacht ik dat je getikt was.' Hij plukte wat tabak van zijn lip. 'Toen dacht ik dat het pure waaghalzerij was. Maar dit...,' hij hield de propvolle tas omhoog, 'betekent de krijgsraad en de gevangenis.'

'Als ik het binnen drie weken terugleg, merkt niemand er iets van.'

'Dat was in de oorlog zonder meer standrecht!' Hij pakte haar onderarmen, as viel op haar jurk. 'Ze sluiten je op! Dat achtervolgt je je hele leven lang!'

'Ik heb het voor jou gedaan.' Zijn ogen waren zo dichtbij dat ze zijn pupillen kleiner zag worden. 'Niet uit liefde,' voegde ze er rustig aan toe. 'Het is mijn schuld dat ze je zo toegetakeld hebben.'

Hij liet haar los, ze genoot van zijn verbazing.

'In het zuiden, waar de molensloot door de stuw de stad uit stroomt en de watermassa's in stralen door het ijzeren vanghek heen breken, daar hebben ze me aan de sluis gehangen – tot het touw brak.' Hij nam een trekje. 'En dat zou jij gedaan hebben?'

In de verpleegstersruimte ging het licht aan.

'Ik heb de Russische nerts losgelaten,' zei Inga en spreidde haar sjaaltje over het geld uit. Zijn mond viel open, tot hij pijnlijk aan het ijzerdraad in zijn kaak werd herinnerd. Voor het eerst maakte ze mee dat de luitenant geen woord kon uitbrengen.

'Ze zijn waanzinnig snel.' Inga haalde haar schouders op. 'Hij is me ontglipt.'

Terwijl ze zijn ongelovige vragen beantwoordde en vertelde over de gaten in de broek van de commandant en de sleutel boven de wastafel, overwoog Inga wat de nerts nu met zijn vrijheid deed. Maakte hij jacht op kikkers en vogeltjes, voedde hij zich met insecten, miste hij zijn vrouwtjes? Buiten de zaal hoorde ze de deur van de linnenkast, zometeen zou de verpleegster binnenkomen.

'Voor jou.' Inga drong hem de tas op.

'Ben je wel goed bij je hoofd?' Hij schoof hem terug.

'Neem het!'

Als toneelspelers in een klucht schoven ze het geld heen en weer. Van zijn strenge blik was Inga niet onder de indruk, ze stootten en streden tot de verpleegster binnenkwam en aan de luitenant vroeg of hij iets tegen de pijn wilde.

'Pijn?' Hij had zijn handen gevouwen op zijn borst. 'Wie heeft er hier pijn?'

Inga stond op.

'Vergeet je tas niet,' glimlachte hij. 'Jij zit goed, jij kunt van een fijne avond genieten.'

Ze merkte de afwachtende blik van de verpleegster, pakte het verborgen geld en vertrok, terwijl zij het bed begon te verschonen.

Na een stoffige rit kwam Inga thuis, liet het hek openstaan, rende naar het gereedschapsschuurtje en liet zich op het stro vallen, dat haar vader in een hoek had geveegd. Door de deur was het heuveltje met de lila bloeiende ridderspoor te zien – ze benijdde het lam, omdat het onder de grond mocht uitrusten. Met een hoge boog wierp Inga de tas de tuin in, die als een vormeloze voetbal bij de tomaten landde.

Standrecht en gevangenis, het wentelde door haar hoofd – standrecht, weg van iedereen, ze had genoeg geld om ervandoor te gaan naar een andere zone. Niet de luitenant verliet haar, in noordwestelijke richting en onder Britse vlag, zij was het, Inga, die vertrok. Ze leunde tegen de wand. Hoe lang was dat geleden, het spel 's nachts in die barak, en hoe zorgeloos was het begonnen, zonder geld – nu had ze geld, maar het onbezorgde was eraf. Zoals ze daar zat, op het stro in het gereedschapsschuurtje, leek het onberekenbare spel haar opeens het verstandigste – spelen – wat maalde zij om vuile zaakjes, zwendelaars en intriges; ze wilde wat riskeren – zo niet voor Alec, dan toch voor zichzelf – spelen, winnen, zich van niemand wat aantrekken. Inga stond op, veegde wat stro van haar jurk en liep naar buiten. Met een blik op de ramen van haar ouders, pakte ze de tas tussen de struiken vandaan, plukte een tomaat, nam een hap en liet het sap in het gras druipen.

Alle verbindingen voerden naar het huis van de gravin. Zij was de spin en in haar netten zaten de nertsen, Gabor en zelfs de Britten. 'De hemel of de hel,' fluisterde Inga en besloot het geld te laten groeien. Spelers ruiken elkaar. Lachend verborg ze de tas onder haar oksel en ging het huis in. Het rook naar gebakken daslook.

27

Ze trof August aan in het midden van de lemen rechthoek waar de paarden elke grashalm hadden opgevreten of vertrapt. Hij leidde de ruin aan de lijn rond in een cirkel, stond verscheidene malen stil, testte zijn gehoorzaamheid, gaf hem wat lijn en begon te rennen toen het grijze paard in draf overging. Ze werden door het licht in tweeën gesneden – half in de schaduw, half gevat in de roze aankondiging van de dageraad. August moest Inga wel hebben opgemerkt, maar al zijn aandacht gold het dier. Ze klom op het hek en woonde het lesuur bij. Behoedzaam, gehoorzamend, zette het paard zijn hoeven neer en met rustiger tred ging het in de rondte, tot man en paard voor Inga stilhielden.

'Op het moment bokt hij.' August keek omhoog. 'Alsof hij zich zijn dagen als hengst herinnert.'

'Misschien de hitte.' Ze klemde haar rok tussen haar benen.

'Het wordt nog warmer.' Samen keken ze naar de zon, die als een bedreiging boven de stad verscheen. Inga sprong op de grond, de ruin deinsde geschrokken achteruit.

'En de zaken?'

'Slappe tijd.' Zweet liep in zijn oog, hij kneep het dicht. 'Alles wacht af.'

Naast het hek zette ze de tas op de grond en stak hem het in krantenpapier gewikkelde geld toe. 'Tel maar na. Met rente.'

Hij keek naar de bankbiljetten alsof het een treurige aangelegenheid betrof. 'Hoe weet jij dat nou?' vroeg hij, gaf Inga de teugel en telde. 'Hebben ze er in het kamp over gepraat?'

Wantrouwig nam zijn ene oog haar op, maar Inga's vragende blik bracht hem op andere gedachten en hij vouwde de krant om de rijksmarken heen.

'Goed dan. Laten we je madonna gaan halen.'

'Houd haar maar.' Ze liep achter hem aan. 'Geef het geld aan Marianne. Zeg dat je het beeld hebt verkocht.'

Hij maakte de leren riem los van de paal en liet haar eruit voor de ruin in de buurt kwam. Zwijgend nam hij het grijze paard het hoofdstel af, deed het een frontriem om, gaf het een klapje en sloot het hek. Ze liepen over het erf. Inga voelde dat er nog wat kwam.

'Je madonna is meer waard,' zei de paardendokter.

'Geef Marianne dan gewoon meer.' Samen traden ze in de schaduw van de luifel.

'Wanneer hebben jullie het nodig?'

'Op de twintigste.'

De datum amuseerde hem. 'Uitgerekend op de twintigste?'

Hij lachte zodat het litteken van zijn dichtgenaaide oog vertrok, stak de bundel geld onder zijn arm en gaf Inga een hand. 'Doe Marianne de groeten, ze krijgt haar geld.' Hij verdween in het kantoor.

Ze slenterde naar de uitgang en bedacht wat de kortste weg naar het Kosigk-paleis was.

Inga liep over de oprit en liet zich aandienen. Men twijfelde, maar vroeg haar uiteindelijk toch verder te komen en te gaan zitten. Inga drentelde door een zaal met deuren rondom. Ze genoot van de hoge ruimte en de koele wanden, maar met de minuut slonk haar vertrouwen. Marion Kosigk liet haar lang wachten.

'Heeft Alec je gestuurd?' Zonder begroeting en zonder verrassing te tonen kwam ze in een badmantel binnen met een halfvol glas in haar hand. 'Wanneer wordt hij ontslagen?' De generaalsvrouw zocht een plekje om haar glas neer te zetten.

'Hij weet niet dat ik hier ben,' zei Inga zo aarzelend, dat de ander de tuindeur al openduwde. Inga zag een mannenpyjama onder de mantel en versleten pantoffels.

'Het gaat wat beter met hem.' Aarzelend volgde ze de vrouw des huizes het terras op. Die leunde op de balustrade, haar pink trommelde op het gepolijste marmer.

'Een afschuwelijk ongeluk. Hij wordt door pech achtervolgd.'

Inga vroeg zich af waarom Marion Kosigk ervan uitging dat ze niets wist over de ware toedracht. Hoe kon de generaalsvrouw met de luitenant bevriend zijn en dan toch toelaten dat hij werd mishandeld? Had zij zelf het bevel gegeven hem vanaf de stuw in de sluis te hangen, waar het water brullend door het vanghek spoot? Inga voelde zich een ingewijde, ze hoefde toch alleen maar over het park heen naar die scheur in de muur te wijzen?

'Heb je eindelijk met hem geslapen?' vroeg de generaalsvrouw en zette het glas zo hard neer dat het pootje brak en de onderste helft in de tuin viel. 'Natuurlijk niet, Alec verafschuwt aanrakingen, hij verafschuwt geluiden en schel licht.

Het is een uiterst interessant exemplaar.' Ze liet de rest van het glas op de grond vallen.

'Ik wilde met u niet over Alec praten.'

Marion Kosigk draaide zich om, de badmantel stond wijd open en liet een groot deel van haar onbedekte borst zien. 'Wat heb jij te willen?'

Inga gaarde al haar moed bijeen. 'Ik zou graag spelen,' zei ze.

'Dan doe je dat toch?'

Arrogantie zou Inga niet gestoord hebben, maar deze absolute desinteresse wel. 'Wanneer speelt u weer?' vroeg ze met een botheid die haar zelf verraste. 'Ik heb het nodige kapitaal.'

Marion Kosigk keek omhoog, als kwam Inga's stem van een andere planeet. 'Dit is je laatste bezoek,' zei ze vlak en zonder nadruk. 'Je hebt hier niets meer te zoeken.' Met haar pantoffel veegde ze een dode slak van de tegels af.

'Een zware treffer.' Inga wees naar de gaanderij. 'Hoe ziet het er van binnen uit?'

'Bouwvallig.' De generaalsvrouw nam haar op met een uitdrukking van verveeld medelijden. 'Instortingsgevaar. Je kunt er maar beter niet naar binnen gaan.'

Even was er alleen het geluid van de vogels.

'Neem me niet kwalijk dat ik stoorde.' Inga ontweek de scherven op de grond. 'Moet ik Alec iets overbrengen?'

De generaalsvrouw trok de mantel over haar boezem. 'Beterschap.'

Zonder afscheid te nemen, zonder nog een woord, verdween ze in het schemerige huis, waar haar zachte schreden wegstierven.

28

In plaats van zoals elke maandag de luiken te openen, de hoes van haar schrijfmachine te halen en theewater op te zetten, bleef Inga op behoorlijke afstand van haar kantoor staan en bekeek het houten huis dat zich alleen door de vlag op het dak onderscheidde van de andere. Haar baas had haar de afgelopen jaren rechtvaardig en voorkomend behandeld, hij berispte zelfs de sergeant, wanneer diens verachting voor alles wat Duits was met hem op de loop ging. Een chef als de commandant wilde iedereen wel hebben, en zij had hem bedrogen.

Als een leerling, die niet met een slecht rapport naar huis durft, drentelde Inga rond de commandobarak, gebouwd op een aantal korte bakstenen muurtjes in plaats van op een fundament, eronder lag afval en groeide onkruid, aan de voorkant bevond zich de aanbouw van een miniatuur Engelse knusheid: een balkon met balustrades en uitzicht op de dicht op elkaar staande grove dennen. Hier commandeerde een eenzame man met zijn boot aan de wand en zijn hond onder het bureau, en was ervan overtuigd dat hij zijn tijd verdeed.

Misschien om haar merkwaardige gevoel van verlatenheid

van zich af te schudden had Inga de tas met de ongebruikelijke inhoud weer meegenomen naar het kamp. Op de vrachtwagen was de propvolle tas de jongemannen opgevallen en de wacht had haar opmerkzamer opgenomen dan anders. Ze stelde zich voor dat ze naar de commandant zou gaan als naar een vader, hem alles wat ze nog had ter hand zou stellen en de speelkaarten nooit meer aan zou raken. Iedere straf zou ze opgelucht in ontvangst nemen, want daarna bestond er geen schuld meer. Tegelijk was ze bij niemand zo bang als bij hem voor het moment dat ze hem moest teleurstellen. Had je geen crimineel brein als je gebruikmaakte van zijn nalatigheid, een plan met zijn broek en zijn sleutels bedacht en uitvoerde? Inga was ervan overtuigd dat ze een slecht mens was geworden en dat er geen weg terug meer was tot op de dag dat iedereen moest horen hoe verachtelijk ze was.

Voor een boven de grond voortwoekerende wortel bleef ze staan – hij verhief zich als een zeemonster en verdween in het zand – niemand zou de daad van een dievegge vermetel noemen. Dat ze de regels had overtreden, maakte haar niet tot een vrijdenker, maar tot een uitgestotene. In het werkelijke leven bleek haar handige avontuur achterbaks en min te zijn.

'S Morgens was de commandant een van de eersten, nog even en hij zat op zijn thee te wachten, haalde de biscuits uit de twee na onderste lade. Als Inga niet direct water opzette, veranderde ze het tijdschema, dat zou hem ergeren. Toch verwijderde ze zich verder van haar werkplek, nog een dennenboom, en nog een, het tankstation doemde op.

De jonge piloot begroette haar, Inga vroeg of er vliegtuigen werden verwacht – nog deze week – en wat er dan werd afgevoerd, deze keer zou er iets gebracht worden. Een auto van de militaire politie kwam aanrijden met onregelmatig motorgeronk vanwege de hobbelige landingsbaan, de vliegenier haalde het hangslot van de pomp af en startte het aggregaat voor de diesel. De chauffeur bleef zitten, de ander sprong eruit en haalde de dop van de tank. Toen Inga verder liep, werd er getoeterd, bij toeval of om haar aan het schrikken te maken, maar ze keek niet om.

Op het plein voor de mess zag ze de commandant aankomen met Jasper aan de lijn, de bejaarde hond gedroeg zich 's ochtends veel jonger en sprong tegen iedereen op die hij tegenkwam. Ze zag voor zich hoe haar baas constateerde dat hij de eerste was, de ketel nog koud was, de geur van de vorige dag in de kamer hing en hoe hij het balkon op zou gaan, op de uitkijk naar haar. Hij zou zeker twintig minuten laten verstrijken voor hij de wacht opbelde om te vragen of de Civilian Employee de slagboom was gepasseerd.

De dienstbarak verdween achter de bomen. Langs de bosrand liep Inga verder, dook het struikgewas in, de ochtendzon, weldadig ongevaarlijk, volgde haar en flitste achter iedere boom te voorschijn. Nog nooit was ze overdag naar de verlaten barak gegaan, ze aarzelde voor ze een voet buiten het struikgewas zette. Haar oog viel op autosporen, haast verborgen door het kreupelhout, ze konden onmogelijk afkomstig zijn van Gabors auto, want die waren al lang door regen en wind uitgewist.

Inga naderde het weerstation aan de kant van het raam, maar wierp eerst een blik op het kamp: gestalten tussen de bomen, de rust van een vakantiedorp. Ze liep naar de andere kant en ging wijdbeens voor de deur staan. De bout hing er bijna uit, ze greep de deurknop met beide handen en trok, al bij haar tweede poging gaf het slot mee. Inga tuimelde achterover, zag hoe er binnen iets kleins een hoek in glipte en een hooiwagen langs het deurkozijn omhoog rende, het spinnenweb in het vensterkruis bewoog door de luchtstroom. Ze ging naar binnen alsof ze een droom betrad.

Ooms tafelkleed leek een stuk lichter geworden, er was een gelijkmatige laag stof op komen te liggen, ook op de raffialamp trilde een grijze vacht. Op de plank stonden de lege ginfles en de blauwe sifon; Inga trok een van de meteorologische apparaten opzij, dacht even na en schoof de tas er met een beslist gebaar achter. Ze deed een stap naar achteren – van het rode leer was niets meer te zien. Er lag nog een fiche op tafel, die een cirkelronde stofvrije plek achterliet, ze klemde hem tussen haar vingers, een talisman, dacht ze en stak hem in haar zak. Terwijl ze de deur van buiten dichtduwde en er een steen voor legde, verheugde ze zich op de terechtwijzing van de commandant. Hij zou haar berispen, zonder iets te vermoeden van haar ware schuld. Onderweg nam Inga's vrolijkheid met elke stap toe.

Ze zou onmiddellijk naar binnen zijn gegaan als er geen auto van de militaire politie voor haar kantoor geparkeerd had gestaan. De militaire politie was de commandant een doorn in het oog, hij vond hun onwrikbare handhaving van het reglement niet erg Brits. Op dit moment binnenvallen leek Inga niet verstandig, ze besloot om eerst even op de afdeling H langs te gaan.

De luitenant lag niet in bed en droeg geen ziekenkleding, maar een hemd en uniformbroek. Er was een tweede verband weggehaald, zijn gezicht werd langzamerhand weer zichtbaar, op zijn ongeschoren kin ontdekte Inga een grijs eilandje.

'Heb je het geld teruggebracht?' vroeg hij toen ze nauwelijks binnen was.

'Bijna.'

'Wat betekent dat?'

'Het is in het kamp.' Ze liet zich haar vrolijkheid niet afnemen.

'In je kast vinden ze het.'

'Niet in het kastje.' Ze bleef voor de deur staan, waar de zon op haar gezicht scheen. 'Het is speelgeld,' glimlachte Inga, om het raadsel aantrekkelijk voor hem te maken. Hij keek haar verwonderd aan, draaide toen langzaam zijn hoofd in de richting van de taxibaan, met daarachter de landingsbaan van geborsteld beton.

'Misschien zien we elkaar pas weer als we heel oud zijn.' Met vijf grote stappen was ze bij hem en omarmde hem. Zijn hart sloeg alsof hij sliep. Plotseling bewoog hij zijn hand, en voorzichtig alsof hij iets zocht, tastte hij over Inga's achterhoofd.

'Je speld,' zei hij, 'die met het parelmoer, heb je hem niet gemist?'

Ze keek op. 'Heb jíj hem?'

'Al een hele tijd.' Hij draaide haar haren in een knot. 'Voor ik ga, zal ik eraan denken het je terug te geven.'

De verpleegster van de afdeling kon nog niet terug zijn van haar ontbijt, dus waren het de voetstappen van iemand anders. Mannenstemmen buiten, Inga maakte zich los, er stond een silhouet met een helm in de deur. De man noemde Inga's volledige naam, het stoorde haar dat Alec haar tweede naam hoorde. Er kwam nog iemand van de militaire politie bij met zijn armen op zijn rug, die verklaarde dat ze mee moest komen. De luitenant vroeg de politieman naar de reden. Voor verhoor, zei de eerste, de reden was hem onbekend. Inga wierp een blik over haar schouder, ze kon nog door de verpleegsterskamer ontsnappen. Alec wilde weten wie opdracht tot de ondervraging had gegeven. De tweede MP'er sprak de luitenant overdreven hoffelijk aan met zijn dienstgraad en antwoordde dat hem dat niets aanging: een arrestatie mocht hij niet verhinderen.

Dof viel er een dennenappel op het dak. Arrestatie. Er opende zich een bodemloze afgrond voor Inga, maar daarnaast ervoer ze een zeldzaam gevoel van bevrijding – een gearresteerde hoefde niet te strijden of bang te zijn, ze was nu volkomen losgesneden van de rest van de wereld. Ze ging na of alle knopen van haar blouse dicht waren en liep voor de luitenant langs naar de twee MP's, die zich voor en achter haar opstelden. Ze wendde zich naar Alec, haalde haar schouders op en liep de hitte in. In ganzenmars liepen ze over het terras, gewoontegetrouw tilde ze haar voeten hoog op uit het lange gras, al was het zo droog als stro. Bij de openstaande slagboom stond de Welshman te roken die haar zo vaak had doorgelaten, onwillekeurig draaide hij zich met een schok om toen hij haar tussen het ongebruikelijke escorte herkende. Over de zandweg liepen ze naar de commandobarak. Toen Inga naar binnen ging, bleven de mannen buiten in de houding staan, alsof ze de arrestant op hetzelfde moment waren vergeten.

Niet de commandant ontving haar, maar de sergeant stond geleund tegen het raam te wachten tot het doorzoeken van Inga's deel van het kantoor was afgerond. Hij keek haar zwijgend aan, een zwijgen dat haar angst moest aanjagen, al hing de angst al lang als een jas om haar schouders. Hij leek niet verrast te zijn toen het zoeken geen resultaat opleverde en gaf bevel de auto te brengen. Onder bewaking liep ze weer naar buiten, voor haar stopte hetzelfde voertuig dat die ochtend volgetankt was. Hoewel de chauffeur Inga herkende, hield hij zijn verbazing voor zich. Ze moest achterin gaan zitten, twee MP's wurmden zich links en rechts naast haar, de sergeant trok zijn baret recht en sprong op de bijrijderplaats. Bij de hoge den raceten ze de bocht door, ze vlogen over de zandweg, bij een kuil werd Inga omhoog gekatapulteerd maar door twee armen vastgehouden. Zonder haar toestand uit het oog te verliezen, sprak het haar toch aan dat ze het kamp verliet zoals anders alleen officieren deden, terwijl de Welshman verwonderd de ijzeren stang boven haar liet zweven.

Om haar heen wiegde het zomerse gras, de populieren ratelden, de roestige rupsband was eindelijk door de bramenranken verzwolgen. De lichtroze bloemen die langs het water groeiden, kende Inga niet van naam. Sneller dan anders kwam de stad dichterbij, de straatjes waar ze 's ochtends doorheen liep, schoten voorbij – met één geweldige sprong bereikten ze haar ouderlijk huis. De chauffeur remde zo hard, dat ze allemaal naar voren werden geworpen. De sergeant zocht vergeefs naar de bel, Inga stapte als laatste uit en opende het tuinpoortje. Ze wilde haar ouders de schrik besparen en riep haar moeders naam naar het raam boven. De sergeant verbood elk gesprek, een hand pakte Inga's arm van achteren vast. Haar blik ging naar het raam van de buren – twee gestalten, vier nieuwsgierige ogen.

Kabaal van laarzen, ze kwamen langs de hoek waar vroeger het slingeruurwerk had gestaan; Erik en Marianne zaten aan tafel, het zonlicht brak in de waterkaraf. De sergeant stelde zich wijdbeens op en wilde het gebruikelijke gebrek aan respect aan de dag leggen, maar toen kwam Inga's vader overeind – verrast zag de onderofficier hoe de menselijke toren voor hem hoger en hoger werd. Om welke reden Erik binnenshuis elegant flanel in plaats van gabardine droeg, was zijn geheim, feit is dat de sergeant Eriks vraag naar hun ongehoorde binnendringen beleefder beantwoordde dan zijn bedoeling was geweest. Het ging om diefstal, een formele huiszoeking, hij verbood de ouders elk contact met hun dochter. Erik stond kaarsrecht, maar zijn hand zocht het tafelblad om er met zijn knokkels op te steunen. Marianne keek Inga alleen maar aan. Ook al gingen hun blikken hun dochter door merg en been, groter was haar angst voor de conclusies die ze trokken. Zestien juni stond er op de kalender aan de wand, ze moesten toch wel aannemen dat Inga voor hén had gestolen? Huiszoeking, een aanklacht, haar geschrokken ouders, Mariannes verwijt, Eriks wanhoop, dat had ze allemaal wel kunnen verdragen, maar niet deze verwarring in hun hart. Niet hun nood had Inga tot deze daad gedreven, niet hun uitzichtloze toestand was de reden voor de situatie waarin ze zich bevond – Inga's motieven waren zo alledaags en vol eigenbelang, dat haar grootste angst was ze te moeten onthullen. Daarom leek de leugen haar logisch en aanlokkelijk tegelijk.

'Een stomme vergissing,' zei ze, het verbod van de sergeant negerend. 'Ik heb niets gestolen.'

Ze werd berispt, de MP's grepen haar bij de armen, de sergeant vroeg waar Inga's kamer was. Het was Erik aan te zien dat hij in woede uit wilde barsten.

'Boven,' antwoordde ze snel.

Met zijn vieren maakten ze rechtsomkeert, liepen in een rij

de trap op, bij de deur van haar zolderkamer werd Inga tegengehouden, de politiemannen drongen de kamer binnen. Erik verscheen op de eerste verdieping, achter hem haar moeder, maar de sergeant schermde haar ouders van haar af. Er kwamen merkwaardige dingen tevoorschijn, gebroken speelgoed, prentenboeken met een hakenkruis, haar poppenhuis met het verbrijzelde dak waar Horst zijn bal in had gegooid. Inga sloeg de politiemannen gade, die haar ondergoed, haar schoenen, kousen en allerlei andere kleinigheden in grote ernst doorzochten.

'Verder,' zei de sergeant en wees op de ladder die naar de vliering voerde.

'Geen sprake van!' riep haar vader.

Dit verbod prikkelde de sergeant alleen maar, hij ging als eerste omhoog en gaf Inga het bevel hem te volgen. Vergeefs trok ze haar rok strak om haar knieën, de MP'er achter haar moest haar benen wel zien. Terwijl ze klom, werd ze door schrik bevangen – de portretten, Eriks nooit vernietigde herinneringen, de mappen en de olieverfschilderijen, de versierselen van de goudfazant. Erik stond krijtwit naast het luik, terwijl Marianne, niet in staat om hem te volgen, onder aan de ladder wachtte. Ze zochten zorgvuldig en langdurig en vonden alles, behalve het geld. Opeens werden er geen bewijsstukken tegen Inga verzameld, maar tegen haar vader. De MP's hadden er hun handen vol aan om de vondst naar beneden te krijgen, op een gegeven moment gleed er een portret uit hun handen en knalde de Führer naast Marianne op de houten vloer, vol misprijzen voor wat de Engelsen aan het doen waren. We hebben een echt nest te pakken, gaf de sergeant als commentaar op zijn succes.

Toen naar de tuin, ze gooiden Eriks harken en bonenstaken door elkaar, doorzochten het stro en het schuurtje. Toen ze met Inga het perceel verlieten, stonden er in alle buurhuizen mensen voor de ramen die Inga van kindsbeen af kenden, met door nieuwsgierigheid vertrokken gezichten.

Op de terugweg maakten ze allemaal een vermoeide indruk en de sergeant zat tegen de stalen stang geleund. Ook Inga werd door loomheid overmand, zakte zo nu en dan weg en ze schrok pas op toen ze de populierenlaan al lang achter zich hadden. Ze was ervan overtuigd dat het verhoor nu zou beginnen, en vroeg zich af of ze iemand uit de stad zouden sturen of dat de commandant de zaak zelf op zich zou nemen. Bij de ingang reden ze echter niet naar het bureau van de commandant, maar sloegen linksaf naar het gevangenenblok.

Alle barakken hadden tralies voor de ramen, de barak waarin de cellen zich bevonden, onderscheidde zich alleen door een metalen deur. Het inhechtenisnemingformulier kwam Inga voor de geest, een half A4'tje, naam en eenheid, een paar regels voor de reden van de opsluiting, een hokje voor het aantal dagen en eentje voor het celnummer. Gewoonlijk had de commandant, toen Inga het invullen eenmaal op zich had genomen, zijn krabbel eronder gezet waarna de sergeant het bevel doorstuurde. Terwijl ze uitstapte, vroeg Inga zich serieus af wie het formulier voor haar inhechtenisneming had ingevuld. Misschien was het geval nog niet verwerkt, al waren onafgewerkte dossiers de commandant een gruwel, alleen een leeg bureau is een productief bureau, had hij haar ingeprent.

Ze draaiden de buitendeur van het slot, waaruit Inga opmaakte dat er binnen geen wacht was en zij de enige gevangene was.

'Wanneer word ik verhoord?' riep ze de sergeant ter verantwoording.

Hij stond stil voor de donkere rechthoek waarin Inga nu zou verdwijnen. 'Vroeg genoeg.'

'Ik heb niets misdaan,' zei ze vastberaden. 'Ik heb het recht mijn onschuld te bewijzen.'

'Nou niet moeilijk doen, Inga.' Zijn gezicht kreeg de troebele uitdrukking als in de namiddag, als hij naar zijn eerste biertje verlangde. 'Morgen weer een dag.'

'Morgen?' Al lopend overdacht ze het probleem van haar kleding. Ze droeg een lichte katoenen jurk, had niets anders om aan te trekken en slapen in haar ondergoed leek haar ongepast. Op het trapje liet de sergeant haar voorgaan.

'De baas is allang naar huis.'

Een smalle gang met links en rechts ijzeren deuren, het was er net zo heet als in andere barakken, maar zij werd door kou bevangen. Ze dacht aan de jonge piloot – zakmessen, aansteker, een horloge had hij gestolen – en hoe lang had hij gezeten? Hoe zou het oorlogsrecht op haar worden toegepast? De chauffeur van de auto verscheen met de sleutelbos, het duurde even voor hij de juiste had gevonden. Hoe was het ontdekt? Door de commandant persoonlijk, tijdens zijn ritueel van het openen van de brandkast om de reisfoto's te bekijken – had ze iets verschoven, de geldkistjes niet op hun vaste plaats teruggezet? Zwaar draaide de deur op de scharnieren, binnen was het koeler dan verwacht, het bed verschilde niet van dat in de gewone verblijven; de wasbak, de emmer – Inga zag de nieuwsgierige blik van de sergeant. Geen krabbels op de wand, geen stank, het was een mooie kamer met uitzicht op de velden, de maïs stond voor juni al hoog. Ze draaide zich om.

'Tot morgen,' zei de onderofficier met een verrassende warmte in zijn stem. Ze ging zitten, streek over de wollen deken en hoorde hoe de deur tweemaal op slot werd gedraaid. Op dat moment realiseerde ze zich dat er van nu af aan voor haar niets meer te doen viel. In gedachten scheurde ze het kalenderblaadje af.

29

Haar jurk aan de spijker naast de wasbak, een deken om haar schouders, haar sandalen vlak bij haar voeten – 's nachts zouden ze wel niet komen, maar Inga wilde op alles voorbereid zijn. Buiten streelde een tak de barak, de schaduw van de tralies viel op de zilverachtige wand, vanuit bed had Inga vrij uitzicht over het landschap. In de paar uur dat het donker was, had ze katten zien rondscharrelen, een haas zien springen en over de provinciale weg waren acht auto's voorbijgereden. Nu verdween de maan, de contouren vervloeiden.

Ze moest denken aan Eriks overhemdkraag, aan beide kanten gestreken, de colbertjasjes met de schoudervullingen, zijn met elastiek omhoog gehouden kniekousen, de zijdeglans van zijn das, zijn gepoetste schoenen. Toen hij voor het eerst zat, hadden ze meewarig geglimlacht om zijn overdreven onberispelijkheid, die hij als een vesting om zich heen bouwde en tot het bittere eind had verdedigd. Het partijlid, de goudfazant, wist niet dat men in die tijd een zware misdadiger op het spoor was, een commandant bij de Waffen-SS, die met zijn executiecommando door de dorpen trok, mensen ophing of fusilleerde en de capitulatie door intimidatie uit wilde stellen. Vaak was hij gezien in gezelschap van een reus, een boom van een vent met een rol touw over zijn schouder, die op een wenk van de commandant mensen zomaar van de straat greep en aan de eerste de beste lantaarn ophing. De man was door veel mensen beschreven als een mooie, stroblonde duivel, naar men zei met een bril – en in zijn cel had Erik er geen idee van hoezeer hij op hem leek en wat de verhoren betekenden die hem met die beul in verband brachten. Daarom wist Inga's vader niet dat de Engelsen dachten dat hij veel meer dan een enkel vlekje op zijn blazoen had. Kort voor Eriks proces begon, werd de SS-commandant in het bos aangehouden, zijn bende opgerold, en de blonde reus kreeg niet de strop maar de kogel van het Britse snelrecht.

Inga hees haar benen op bed en schoof haar voeten onder het kussen. Was het in het geval van mevrouw Seidler niet net zo gegaan? Had zij, geschrokken als ze was toen midden in de nacht de meute voor haar huis verscheen, in feite niet Inga's vader, maar iemand anders gezien? Was haar vader iemand die men snel met een ander verwisselde, makkelijk onthield, omdat hij een prototype was? Precies het soort man, lang, superieur en markant – om het tijdperk een gezicht te geven. Nu hadden de Engelsen zijn portretten en onderscheidingen gevonden en bracht zijn betreurenswaardige nostalgie Erik nogmaals in gevaar. Vader en dochter in de gevangenis, Marianne alleen thuis, geen pensioen meer – de dageraad overviel Inga met het verhelderende inzicht dat het lot haar en haar ouders de oorlog had verklaard.

De patrouille kwam eerder dan ze had gedacht, ze vroeg een momentje om zich aan te kleden. Te voet gingen ze door het kamp, het vroege uur bespaarde haar de spitsroeden van de nieuwsgierige gezichten van de soldaten. Inga's aanvankelijke opluchting dat haar vaderlijke baas het verhoor zou leiden, maakte plaats voor het besef voortaan een ander voor zich te hebben. Tijdens de ondervraging moest ze blijven staan, er stond een MP voor de deur, de bijzitter was een jurist met de rang van kapitein, de commandant opende de procedure star en onpersoonlijk. Hij zag er onuitgeslapen uit, was ongeschoren, droeg de broek van zijn uitgaansuniform en zijn overhemd met korte mouwen was slordig gestreken. Inga keek naar de foto van de boot en naar de zwarte brandkast. De mollige stenotypiste was waarschijnlijk afkomstig uit de stad. De dag begon stralend, na niet meer dan een uur of twee zou de barak opnieuw een zweethok worden.

Voor het eerst deed de luitenant weer een stropdas om. Voorzichtig hief hij zijn kin, wat pijn deed, en zag dat het litteken vanaf zijn kin over zijn hals naar zijn borst liep. Enigszins gebogen voor de handspiegel die een vroegere patiënt had vergeten, probeerde hij niet naar zijn gezicht te kijken, alleen maar te controleren of zijn das goed zat. Hij zei tegen de verpleegster dat hij uitging, op haar vraag of hij tegen de middag terug was, zei hij dat hij wel in de mess zou eten. Toen hij de zonovergoten buitendeur naderde, trok hij zijn hoofd tussen zijn schouders. Hij liep over het terras en de weide, sloeg de weg tussen de grove dennen in en bleef staan bij de tweesprong van de zandweg.

We zouden Inga mee moeten laten spelen – het duurde een paar seconden voor hij wist waar de zin vandaan kwam. *We zouden Inga mee moeten laten spelen.* Had Gabor dat niet gezegd terwijl hij haar een stapel fiches toeschoof? *En als ik verlies? – Dan sta je bij mij in het krijt.* Gabor, de duizendkunstenaar, die mensen graag bij zich in het krijt had staan. De luitenant keek naar het smalle pad dat naar de mess leidde, rechts werd de weg breder, naar de bevoorrading, de telefooncentrale, het tankstation, daarachter de open brandgang.

Hij ging tussen de bomen lopen om de trillende hitte te ontwijken, maar de struiken schonken hem slechts spaarzame schaduw. *Je hebt haar al lang vergiftigd*, had Marion diezelfde avond gezegd. Hoofdschuddend herinnerde hij zich hoe Inga naar haar eerste les was gekomen: met verhitte wangen had ze gespeeld en verloren, gespeeld en gewonnen. Ze stelde vragen, keek in zijn kaarten, gaf en coupeerde, hij had haar eetlust gewekt, haar honger naar de kick, die iets bijzonders beloofde in het leven. De luitenant keek voor zich uit – zonder licht was Gabors auto langs de taxibaan gereden, in de zandbocht waren ze gestopt, de deuren werden dichtgeslagen en Marion was in haar witte mantelpakje als eerste de barak binnengekomen.

Alec bereikte het weerstation, het maakte hem niet uit of ze hem vanuit het kamp gadesloegen. Hij vond de deur op een kier met een steen ervoor, die hij wegschoof, en keek naar binnen: alles leek onaangeroerd. Hij wiste het zweet van zijn gezicht, deed de deur achter zich dicht en wachtte tot zijn ogen aan het schemerige licht gewend waren. Toen begon hij te zoeken.

30

Erik liep zijn dochter gebukt tegemoet, alsof de kamer niet hoog genoeg was om rechtop te staan. Het gestempelde formulier hing in zijn hand, de MP controleerde het, ging zitten en trok de helmriemen recht onder zijn kin.

'Ze voelt zich niet lekker,' zei haar vader. 'Ze wilde meekomen, maar is toen gaan liggen.' Het stof op zijn schoenen vertelde Inga dat hij te voet naar het kamp was gekomen. 'Misselijk,' zei hij hoofdschuddend, alsof hij wegens haar moeders gezondheid hier was. 'Dat heeft ze anders nooit.'

'Misschien de hitte.' Inga legde haar armen op de tafel.

'Daar kan ze niet goed tegen,' beaamde hij.

'Papa, ik heb niets gestolen.' Ze nam aan dat de MP alleen Engels verstond, maar aan de andere kant waren de Britten vast niet zo argeloos dat ze haar vader en haar ongestoord lieten babbelen.

'Dat zullen we... Dat hopen we van harte,' zei de grote man met het papiertje in zijn hand.

'Maken jullie je geen zorgen.' Met gespeeld vertrouwen boog ze zich voorover. 'De commandant was tijdens het verhoor heel vriendelijk tegen me. Jullie hoeven je geen zorgen te maken.' Met elke leugen voelde Inga zich lichter, het bedrog kreeg de overhand, het bedrog werd net zo krachtig als de waarheid – en langzamerhand verdrong het de waarheid. 'Het komt allemaal op zijn pootjes terecht,' glimlachte ze naar haar uitgeputte vader.

Zijn blik gleed naar de suppoost. 'De Engelsen... zijn nog niet terug geweest.' Hij dempte zijn stem. 'Wat gaan ze tegen mij ondernemen?'

Inga wist het niet. Portretten op de vliering – godallemachtig, iets dergelijks was in elk tweede huis te vinden. Het stempel waaruit bleek dat Erik bij de partij had gezeten, stond toch al in zijn pas, daar veranderden die portretten niets aan. Na zijn gevangenschap had hij naar een denazificatiekamp gemoeten en kon hem nu iets ergers te wachten staan?

'En als je nou eens naar de commandant gaat...' begon ze voorzichtig.

'Met mijn Engels?' Ze schrok van zijn paniek. 'Zou jij niet...?' Hij nam zijn bril af, zijn ogen hadden donkere randen. 'Jij kent je officier al zo lang. Praat jij met hem.'

Inwendig moest ze lachen – haar vader wilde dat ze vanuit de beklaagdenbank een goed woordje voor hem deed.

'*Five minutes*,' zei de bewaker.

'Waarom praat je niet met mevrouw Seidler?' Ze boog zich voorover. 'Misschien is ze bereid...'

'Mevrouw Seidler kan me niet schelen.' Zijn stem was plotseling harder. 'Die heb ik niets gedaan.' Een blik naar de MP. 'Verstaat hij ons?'

'Moeilijk te zeggen.'

Haar vader plukte aan zijn borstzakje, tot het pochetje een

keurige driehoek vormde. 'De Engelsn hebbmiets,' zei hij zo plat mogelijk. 'se hebbm nait deur watse hebbm.'* Zelfs voor een Duitser die niet uit de buurt kwam, waren de woorden onbegrijpelijk.

'Wat hebbmse dan?' Inga dempte haar stem.

'De registratie van de treinen buiten de dienstregeling.'

'Waarom ligt die op de vliering?'

Erik praatte snel, maar haast terloops, als vertelde hij iets onbelangrijks. 'Op een keer kreeg ik een telefoontje dat er een trein omgeleid moest worden. Schade aan de loc, het transport moest een andere hebben, ik moest laten omkoppelen.'

'Wat voor trein?'

'Vijfhonderd eenheden.' Hij keek haar aan. 'Speciale behandeling. Ze drukten me op het hart zo weinig mogelijk personeel in te zetten.'

'Een goederentrein?' Inga leunde onmerkbaar naar achteren.

'Het was een personentransport.'

'Wat betekent vijfhonderd eenheden?'

'Tewerkstelling – evacuatie...' Hij plukte aan zijn das. 'Ik weet het niet.'

'Waarom heb je het niet gevraagd?'

'De papieren waren in orde.' Hij sprak nadrukkelijker. 'Ik heb er een nieuwe loc voor laten zetten. Alles verliep volgens de voorschriften.'

'Wist je wat je transporteerde?'

'Het was nacht. Ik heb niets gezien van die mensen.'

Inga zag de trouwfoto van haar ouders, een stralende Ma-

* 'De Engelsen hebben iets – Ze hebben niet door wat ze hebben.'

rianne, Erik in het zwart, zijn onbekommerde oogopslag achter zijn bril.

'*Time's up*,' zei de bewaker.

Inga's vader stond op, pakte haar hand. 'Misschien is die mensen helemaal niets overkomen.'

De MP stond op, zijn knuppel raakte de tafel met een hard geluid.

'Als ze tijdens je proces van deze trein hadden geweten...' Inga trok haar hand terug. 'Was het vonnis dan anders uitgevallen?'

De suppoost liep naar de deur.

'Is mogelijk.'

'Waarom heb je het boek niet verbrand?'

'Ik heb het naar boven gebracht, opgeborgen en weggesloten.' Eriks ogen stonden weer bezorgd. 'Geen idee waarom.'

Terwijl ze haar vader nakeek, begreep Inga dat er voor hem, voor haarzelf en voor Marianne niets te hopen viel. Ze stonden op een bergkam die ze tot nu toe niet had waargenomen, de toekomst was versperd, het verleden drong zich steeds verder op. De vijand zat achter de rechterstafel. Inga stelde zich voor hoe ze de gevangenis in zou gaan en er na maanden, jaren, weer uit zou komen. Haar vrijheid met haar stenoblok en schrijfmachine was maar gedroomd en dat beetje toekomst had ze verspeeld. *Je bent nog zo jong*, had Henning gezegd, maar wat zei dat nou? Erik was ook jong geweest, een jonge stationschef, die 's nachts treinen liet omkoppelen. Rechtspraak, dacht ze – wie had er rechtgesproken over de mensen in de trein? Vlak voor Inga liep de MP naar het cellenblok, zo langzaam, dat ze meer dan eens in moest houden om hem niet op zijn hielen te trappen. Hij ontsloot de deur, liet haar voorgaan en sloot hem af. In plaats van op de brits te gaan zitten, liep ze naar het raam en legde haar handen om de tralies.

‘Ik betaal mijn schulden.’

De gesloten blinden hielden het daglicht buiten, Marion en de luitenant zaten op een deux-à-deux, hun bovenarmen op de s-vormige leuning. Om hun kopje te pakken bogen ze zich in tegengestelde richtingen.

‘Dan moet je wel haast kunnen toveren,’ antwoordde ze.

‘Dat wist je toch.’ Hij raakte niet haar pols aan, alleen haar zilveren armband.

‘Gabor zegt dat de Russen nog een mannetje leveren. En jij betaalt?’

De luitenant bekeek Marions profiel en stelde zich tegelijk voor hoe Inga de kooi opende in haar niets ontziende nieuwsgierigheid, vol kinderlijk berouw toen de nerts eenmaal was ontsnapt.

‘Laat Gabor maar een prijs noemen.’

Verdwaald zonlicht spiegelde in de deksel van de suikerpot.

‘Wil je mij niet vertellen uit welke hoorn des overvloeds jij zo plotseling kunt putten?’ Marion pakte de suikertang, de lichtvlek sprong tegen het plafond.

Zwijgend liet hij haar nog eens inschenken en roerde tot het suikerklontje was verdwenen. ‘Wanneer brengt Gabor de lading over?’

Ze schudde een kussen op. ‘Waarom wil je dat weten?’

‘Hebben we nog tijd – voor een partij?’ Hij roerde de suiker door de vloeistof.

‘Dus je hebt het niet, dat geld?’ zei Marion Kosigk wantrouwig.

'Maak je geen zorgen, ik heb het,' glimlachte hij. 'En als er iemand verbaasd is, ben ik het.'

'Speelschulden kun je niet inzetten,' antwoordde ze.

'Alles of niets.' Hij bekeek de blauwe steen in de kuil tussen haar borsten.

'En als je verliest?'

'Moge Schotland me dan nooit terugzien!' Hij zette een melodramatisch gezicht, wat pijnlijk was, en legde zijn hand tegen zijn kaak.

'Ik vind het niet leuk dat je zo onverschillig doet over de dood.'

'Grote woorden.' Hij dronk zijn kopje leeg.

'Eén ding, dat kind – ik kan haar naam niet onthouden – komt niet mee, begrepen?'

'Inga?' Hij deed verrast. 'Ik weet zeker dat ze iets anders van plan is.'

Hij kwam overeind, toen hij naar de deur liep, ontmoette zijn blik het levensgrote schilderij, op weg naar de uitgang moest je langs de generaal. Zijn hand aan de officiersdolk, zijn scheiding leek niet helemaal kaarsrecht; Alec vroeg zich af, waarom Marions man zich in winteruniform had laten schilderen.

'Die tijd, vlak na zijn dood...' Hij bleef omhoog kijken. 'Je hebt je toen enorm goed gehouden.'

'Ik kom uit een familie van militaristen,' antwoordde ze. 'Bij ons worden de meisjes opgevoed alsof ze op een dag naar het front moeten.' Ze dacht na. 'Deze maand was hij vijfenvijftig geworden.'

'Morgen komt me het beste uit.' Alec liep onder de generaal door de gang op. 'Laat Gabor goede gin meebrengen.' Hij dacht even na over welke trap hij zou nemen en vertrok, zo snel hij kon.

31

Inga zag zichzelf met haar enige koffer de trein instappen. Het vertrek was overhaast geweest, er was geen coupé te krijgen en ze moesten het hele eind naar de haven staan; soms liet ze zich in de benauwde gang op de grond zakken, dommelde in en voelde dat hij over haar haren streek. Toen ze de zee bereikten, was het schip nog niet klaar voor de afvaart, ze wees naar het strand dat achter het havengebied begon en vertelde dat daar nog van die zeldzame rode mosselen te vinden waren met onder de structuur verborgen, weggedraaide schelpen zodat je ze gemakkelijk met kiezelstenen verwart. Ze zei dat ze in lange tijd geen uitstapjes naar zee had gemaakt, omdat het kustgebied onder de militairen ressorteerde.

Inderdaad wemelde het op het water van de stoomsleepboten, werkboten en mijnenvegers. Inga's papieren vond de controleur niet voldoende, hij wilde ook de bevestiging van de huwelijkssluiting. De luitenant regelde alles, glimlachend en zonder haast, ook al loeide de sirene, het signaal voor de afvaart. Hij ging in op de scherts van de onderofficier dat het vrouwtje hem om haar vinger had gewonden en dat het aan hem zelf te wijten was als hij haar meenam naar het Verenigd Koninkrijk. De controleur gebruikte uitdrukkingen als 'uit de puinhopen van haar vaderland' en 'de bescherming van uw Engelse naam', waarop de luitenant meedeelde dat het een Schotse naam was, de koffer pakte en Inga de valreep op hielp. Nauwelijks waren ze aan dek of de smalle loopplank werd ingehaald, toen ze wegvoeren wilde Inga naar de achtersteven om het schuimende werk van de turbines te zien. De kust, vlak naar alle kanten, bleef achter en ze legde de luitenant uit wat voor verbazingwekkende ingenieursprestatie er voor nodig was geweest om de haven uit te graven. Hij legde een jasje om haar schouders en zei dat ze nu afscheid moest nemen van het vlakke land, haar wachtten bergachtige kusten, steile en met wier overspoelde klippen. Hij vertelde over gevaarlijke spleten die de weg naar de kust versperden. Afgronden in de rots, waar onderaan de zee tegenaan beukte, en die duivelsogen werden genoemd. Vaak gleed je uit omdat de stenen glibberig waren en vol met zee-egels en kwallen zaten, soms zakte je tot je knieën weg, wanneer een vlechtwerk van algen leek op een rots. Inga wilde meer weten en hij sprak over zeekoeien die voor de kust hele koloniën vormden en in de ondergaande zon een sirenenzang aanhieven. Met het blote oog kon je hun over elkaar rollende lichamen zien en bij het verdwijnen van het laatste glimpje rood eindigde hun lied abrupt. De luitenant wees naar de wolken die voor hen uit naar die kust snelden, oostenwind, zei hij en omarmde haar. Terwijl hij haar kuste, sloeg zijn haar door een windvlaag over zijn voorhoofd en haar lippen voelden het litteken op zijn kin. Niet uit liefde nam hij haar mee, misschien uit gewoonte, omdat twee mensen als zij elkaar roken; hun reis was niet bedoeld voor de lange termijn.

Inga lag op haar brits en gaf toe dat ze alleen maar over liefde droomde, omdat dat het enige was wat de duisternis verdreef.

De luitenant strekte de vingers van zijn ineengevouwen handen, zodat de gewrichten knakten. Geërgerd door het geluid draaide de majoor zich om, schonk zichzelf nog een cognac in en trok zijn uniformjas onder zijn riem recht. Ondanks de gesloten blinden ging hij bij het raam staan, alsof hij daar een bijzonder fraai uitzicht had.

In de groene kamer was niet alles zorgvuldig voorbereid. De generaalsvrouw liet op zich wachten, ze wilde haar entree in de schemering maken. Alec schudde zijn hoofd, objectief gezien was het één grote komedie die ze speelden. Zijn superieur goot het volgende glas vol, het azen op percentages had van hem een drinker gemaakt. Binnen trad 'zwarte Gabor', zijn stropdas met een diamanten speld aan zijn hemd bevestigd, hij begroette Alec met een nonchalant klapje op zijn bovenarm en wendde zich tot de majoor; in de nis bij het raam deden ze alsof ze ongedwongen babbelden. De generaalsvrouw droeg een nertsstola om haar schouders, de staarten waren aan elkaar genaaid waardoor het er aan de voorkant uitzag alsof de dieren elkaar in de haren vlogen. Gabor kon erom lachen.

'Daar hebben we onze voortvluchtige!' Hij gaf Marion Kosigk een handkus en keek naar Alec. Die negeerde de toespeling, wachtte tot Marion een stoel koos en ging tegenover haar zitten. De groene wandbekleding, de drie verzegelde pakjes kaarten, het kistje met de fiches – de zenuwen namen nu toch bezit van hem. Hij nam een klein deel van het geld uit zijn borstzak en duwde de bundel naar het midden van de tafel.

Meteen schoof de majoor de bundel uit elkaar. 'Dat is bij lange na niet genoeg!'

'Hoe hoog belopen mijn verplichtingen?' De luitenant wees op het boordevolle zwarte foedraal.

Gabors gezicht bleef in de schaduw, hij sprak over de extra voorzorgsmaatregelen en de gevaren die met de uitzonderlijke leverantie gepaard gingen, er moesten heel wat mensen te vriend worden gehouden om het spul te krijgen en nog meer om het uit de sector weg te smokkelen. Hij belichtte de zaak van alle kanten, tot de generaalsvrouw hem onderbrak en het bedrag noemde. De luitenant liet geen verbazing of protest blijken, dong niet af en zei dat hij zou betalen, hij greep een pakje kaarten, brak het karton open, verwijderde de bovenste kaart en de joker, en begon te schudden.

'We hebben je al eens eerder op je woord geloofd,' zei Gabor.

Alec vertrouwde op het zachte geluid van de in elkaar ritselende kaarten, spreidde ze uit in een rij, gaf er een tikje tegen met zijn middelvinger en de eerste kaart kiepte om – met koele blik keek de ruitenboer hem aan, een zwarte acht en een zwarte negen, de scepter van een koning, de lieftallige hartenvrouw – de luitenant liet de figuren weer terugklappen, schoof de kaarten in elkaar en schudde. De bebrilde majoor trok een stoel bij en schoof hem zo ver naar voren dat de tafel in zijn buik sneed. Gabor glimlachte berustend, alsof hij er niets aan kon doen dat hij zo onverstandig was. De generaalsvrouw gaf zich als laatste over aan de magie van de kaarten, opende de drukknoop van de stola en de nertsen lieten elkaar los. Ze hing het bont over haar stoel en ging zitten met haar benen opzij, alsof ze zo naar haar volgende verplichting moest.

'Sussex-Havellock,' zei de luitenant.

'Sussex-Havellock,' herhaalde de majoor, alsof het woord de sleutel tot hun gemeenschappelijke passie bevatte.

'Limiet?' Hayden keek iedereen beurtelings aan. Gabors oogleden zonken half over zijn pupillen, de majoor ademde op zijn brillenglazen.

'Zonder limiet,' zei Marion Kosigk, als het ware tegen zichzelf: 'De grote slag bestaat niet.'

De luitenant opende de klep van het foedraal, greep het kistje en gaf iedereen de tegenwaarde van zijn geld in fiches. De majoor wierp een blik naar de karaf cognac, maar stond niet meer op. Hij trok zijn eerste kaarten en bekeek ze met vooruitgestoken kin. Gabor stapelde zijn fiches op tot even hoge torentjes en pakte zijn kaarten bedachtzaam, alsof hij de afbeeldingen voor het eerst zag. De generaalsvrouw vroeg een vuurtje voor haar sigaret en pakte pas daarna haar kaarten. 'Eén pond.'

De luitenant nam de stapel.

'Een paartje klaveren,' zei hij tegen de majoor, draaide voor Gabor een zeven en een boer, voor de generaalsvrouw een acht en een aas. 'Een zootje.'

Glimlachend leunde hij achterover, de grens tussen licht en donker sneed zijn schouders in tweeën. De sigaret van Marion Kosigk lag op de tafelrand, Gabor trakteerde zich op een Henry Clay, de gele rook zwol onder de lampenkap, de generaalsvrouw dronk wijn.

De luitenant won, verloor en won, het was nog niet te zeggen welke kant het op zou gaan; de stapel fiches aan zijn kant groeide aan, hij nam niet de moeite ze te tellen. De majoor zette hoog in, twee keer mislukte zijn bluf en na een tiental spelletjes was hij gedwongen papiergeld op tafel te gooien. Hij bleef pech houden en de biljetten wisselden van eigenaar; hij keek wezenloos om zich heen, zette alles op één kaart en verloor. In het begin had hij nog met beide valuta gespeeld, maar nu had hij alleen nog maar bruine biljetten, voddig en met verbleekte letters.

In deze minuten, in de ban van de steeds wisselende kaarten, van het inzetten en afruilen, het verlokken en misleiden, begreep Alec dat zijn superieur, de begerige majoor uit Sheffield, niet alleen het leger om de tuin leidde, maar ook zijn spitsbroeders. Met hen had hij de oorlog in handel veranderd en het bezette Duitsland in een afzetgebied. Nu bedroog hij de weduwe van de generaal en de zwendelaar, die hem alles had bijgebracht, door hun beiden het 'tijdstip' te verzwijgen. Ze hadden allebei iets vernomen, wisten dat er verandering op til was, maar de dag waarop bleef geheim. Alec sloeg de dikke man gade – ook al verloor hij bergen papiergeld, hij zou het achteraf nauwelijks merken. Naast hem Marions onecht oplichtende haar, een zachte weerschijn op haar gezicht, diep in gedachten manoeuvreerde ze tussen zwarte en rode combinaties, chips en biljetten belandden ongeteld op haar stapel. Gabor legde al rokend zijn hoofd in zijn nek, de smeulende sigaar stond als een fakkel omhoog.

De luitenant speelde onverstoorbaar, bepaalde de loop van het spel en liet Marion winnen, om haar met de volgende slag meer dan het dubbele af te pakken. Hij sloeg de uitgeputte majoor gade, wiens massieve kop op zijn borst hing, en die al snel een eerste schuldbrief moest opstellen, hij kriebelde hem neer op het beschermblad van de sigaren. De anderen begrepen dat de luitenant een serie aan het maken was en probeerden tegengas te geven, maar het was te laat. Hij forceerde het tempo en de inzetten, zijn vingers beheersten de kaarten, hij maakte gebruik van de uitputting van de majoor, die overtuigd van zijn zege een hoge kaart liet zien – Full House met azen.

'Ik weet niet hoeveel mijn boeren waard zijn,' glimlachte Alec en draaide zijn kaarten om. 'Maar de aas lijkt me tamelijk hoog.'

Ongelovig staarde de majoor naar de luitenant, die poker had en de schuldbekentenis samen met het geld van de anderen naar zich toeschoof. Verschaalde rook hing in de kamer, de generaalsvrouw schoof de luitenant de resterende kaarten toe en greep naar de wijn. Alec schudde zonder de blikken van de anderen te beantwoorden.

32

Marianne tastte naar de lege helft van het tweepersoonsbed, waar Erik had geslapen tot ze hem zei dat zijn snurken niet meer te harden was. Ze dacht aan haar zoon. Hoewel hij ouder was geweest dan Inga had hij nooit haar kracht bezeten, haar overlevingsdrang. Overal in het land heerste de dood, mensen aan beide kanten waren verslagen – behalve zij die overeind bleven en treurend en bevoorrecht tegelijk naar al die mensen keken die nooit meer op zouden staan. Inga had het overleven altijd in zich gehad – zocht ze niet de situaties op waarin het leven een dubbeltje op zijn kant was? Toen de dertienjarige buurjongen in de laatste weken van de oorlog – de veroveraars rukten aan alle kanten op – voor het luchtafweergeschut zou worden opgeroepen, bracht Inga hem 's nachts de stad uit, het marsland in, waar hij zich in een hooiberg verborg. Op de terugweg werd Inga door een patrouille gesnapt en beschoten, maar ze ontsnapte aan de dood.

Een van de offensieven viel juist in de tijd dat het bos vol met paddenstoelen stond. Ook al had Erik een verbod uitgevaardigd en had Marianne een beroep gedaan op het geweten van haar dochter, ze verdween met haar rugzak stiekem door het tuinpoortje, vulde hem met russula, eekhoorntjesbrood en berenklauw tot het schemerde, en stuitte op weg naar huis op een eenzame Engelsman. Met zijn wapen in zijn hand hurkte hij op de bosgrond en ontlastte zich. Inga sloeg meteen af en rende weg; hij wilde schieten, maar verloor zijn evenwicht. Terwijl Erik de russula's in bloem stond te bakken, vertelde Inga lachend over de kakkende Brit die in de boomkruinen schoot.

Horst had een heilig geloof en onvoorwaardelijke trouw bezeten, maar geen vastberadenheid. Tegen de dood had hij nooit veel in te brengen gehad. Met de grenadiers trok hij eropuit en sneuvelde in het winterkwartier, net toen het lente begon te worden. Inga's enthousiasme was altijd precies zo groot geweest dat ze ongehinderd haar gang kon gaan en ze richtte haar blik altijd op wat nog moest komen en op het voordeel dat ze uit iedere verandering kon trekken.

Inga denkt dat ze haar energie van mij heeft geërfd, dacht Marianne, en herinnerde zich de koortsaanvallen die haar als jong meisje hadden geteisterd. Men schreef die aan van alles toe, behalve aan kinderverlamming. Toen haar linkerbeen verkommerde, werd gezegd dat Marianne weer geluk had gehad. Erik, met zijn uitstraling de mooiste man van de stad, trouwde haar ondanks of misschien juist om het lichte hinken, dat hem vertederde. Ondanks zijn uiterlijk was Erik geen vrouwenman, hij was opgelucht de ware zo snel gevonden te hebben. Hij schonk haar wat in zijn karakter lag en was haar dankbaar voor haar leiding. Toen Marianne begreep dat zij niets kon inbrengen tegen hem noch tegen de algemene stemming, liet ze haar in politiek opzicht lichtgelovige man zijn ijdele genoegens en probeerde het af te doen als vaderlandsliefde.

Niemand had, hoopte ze, in die jaren gemerkt hoe de omstandigheden haar eigen levensmoed hadden aangetast; niet alleen in haar been, maar in haar hele gestel was haar kracht afgenomen. Uiterlijke ontberingen had Marianne dankzij Erik overwonnen, maar de reden dat ze onmerkbaar achteruit ging, lag in de wetenschap dat het allemaal tot niets had gediend; ook een blik op de toekomst zou nooit om die smet heen kunnen. Deze gevolgen maakten Marianne alleen maar radelozer – de duivel leek wel overwonnen, omdat de Duitsers nu als verdragspartners dienst moesten doen, maar hij stak meteen zijn schaamteloze kop weer op, er moest een nieuwe vijand, de rode, worden bevochten. Voor de zoveelste keer overlegde Marianne wat ze kon doen, terwijl zelfs haar man en haar dochter de nieuwe regels razendsnel leerden om weer mee te kunnen doen. Maar haar jongen, die ze over haar verontwaardiging had kunnen vertellen, en die ze misschien aan het verstand had kunnen brengen om het beter te doen, die was niet tegen de storm bestand geweest.

Marianne merkte dat haar angstfantasie iets lichamelijks had: haar ijskoude hand op het laken en haar zieke been dat aanvoelde alsof het ingeslapen was. Nog eens trok ze de deken omhoog, sloeg daaronder haar armen over elkaar. 's Middags had de paardendokter voor de deur gestaan met een tas vol geld, het bewijs van de succesvolle verkoop van de madonna. Marianne had hem vijgenkoffie aangeboden, hij had wat vlierbessenlikeur ingeschonken en de raad gegeven alle uitstaande posten spoedig te vereffenen. De tas lag in de kelder onder de vuile was, Marianne nam zich voor de volgende dag bij mevrouw Seidler langs te gaan – nee, dat moest Erik maar doen, ze hadden nog twee dagen respijt.

Het voelde aan of haar borst onder een zware druk werd begraven, haar hand deed pijn alsof ze in een open elektriciteitskabel greep. Marianne dacht aan Inga, die in de gevangenis zat en aan haar geliefde zoon. Was het op Horsts verjaardag geweest dat Erik voor het laatst zijn beroemde gekookte mayonaise had bereid? Marianne wilde hem ertoe aanzetten dat morgen weer eens te doen. Ze schrok niet toen haar hart op dat moment stokte, en ze stierf, zoals ze ooit had voorzien, terwijl er buiten een lichte zomerregen viel.

33

Inga zat op de hoeksteen voor de gevangenisbarak, met haar voeten op een graspol, want de regen had de zandwegen veranderd in modderige sporen. Terwijl de MP binnen aan de telefoon was, vroeg ze zich af hoe ze naar de commandobarak kon komen zonder haar sandalen te ruïneren – kon een delinquente op weg naar het verhoor van eilandje naar eilandje springen? Ze keek op, de grijze koele dag deed haar goed, bij de inrit hing de wachtpost ongegeneerd over de slagboom, daarachter naderde een voetganger het kamp. Ze keek over haar schouder, de MP praatte in stromende zinnen, hijzelf was niet te zien, alleen de telefoonkabel die over de vloer kronkelde. De man op de gruisweg liep overdreven rechtop, alsof hij in het gelid marcheerde, en schoenpoetsen leek hij niet erg te vinden – drie passen verder herkende Inga haar vader. Zijn tweede bezoek in twee dagen, de lange weg vanuit de stad – ze zag op tegen het nieuws en de last zijn zorgen opnieuw aan te horen.

Gedurende de hele oorlog, en ook de tijd erna, hadden ze gerekend in 'eenheden' – verpleging, apparatuur, troepen, gewonden, gevangenen, doden – alles werd zo geteld, legde haar vader haar uit, omdat dat het werk lichter maakte en je blik niet door emotie werd vertroebeld. Waarom raakte ze dan nu het woord niet kwijt, en het vermoeden van wat erachter werd verborgen? 'Vijfhonderd eenheden' in een trein, de loc die van hier afkomstig was en haar eigen vader die het sein voor vertrek had gegeven. Daar kwam hij, in de pas, een overgevoelige man, zwak en onevenwichtig, wiens angsten ze moest aanhoren – Inga sloeg hem gade, zo vol afschuw, dat ze pas laat de auto opmerkte die vanaf de straatweg aan kwam rijden. Met de kap dicht raasde hij over de hobbels en het brakke water spoot naar alle kanten. Erik dacht aan zijn pak en sprong opzij, maar de wagen remde, reed stapvoets dichterbij en stopte naast haar vader. Er stapte een officier uit, verbijsterd herkende Inga de luitenant, de mannen schudden elkaar de hand. Wat bespraken die nou, waarom slenterden de Brit en de nazi naast elkaar, een tweede handdruk, terwijl de boom omhoog ging? Als goede bekenden gingen ze uit elkaar, de luitenant reed het kamp in, Erik begaf zich naar de gevangenisbarak; hij had zijn trouwpak aan met de zwarte das. Inga's blik volgde Alec, ze streek haar jurk glad, haalde een hand door haar haren – maar hij verdween tussen de grove dennen.

De jeep remde, de luitenant pakte de tas van de stoel en ging de barak van de commandant binnen. De zwarte hond lag uitgestrekt aan de voeten van de commandant, terwijl een vrouw in burger potlood en notitieblok op de zijtafel klaarlegde.

Vragend nam de commandant de luitenant op. 'Hayden?' zei hij, alsof hij zich de naam eerst moest zien te herinneren. Alec ging in de houding staan, de man tegenover hem groette terug.

'Heeft u een ogenblikje voor me, sir?'

'We zijn, u ziet wel...' Zuchtend wees de commandant op de deur en vroeg de luitenant mee te komen naar zijn kantoor.

Tafel, wastafel, dossierkast, brandkast; Alec was hier niet vaak geweest. 'Aardige jol.' Hij wees naar de foto bij het raam.

'Een kimkiel, om precies te zijn.' Hayden kwam dichterbij. 'Dertig voet, prettige diepgang, ze ligt bij Theyrecroft, kent u die riviermonding?' De commandant ging aan de andere kant staan om het licht beter op de foto te laten vallen. 'Ben er elke zomer – in vredestijd. Nu is het de beste tijd, eindeloos lange dagen, een briesje in de espen, dan flitst ze gewoon over het water. Zeilt u ook?'

De luitenant hield zijn hoofd schuin, het kon ja of nee betekenen. 'Hoe heet ze?'

'Olympia – net als mijn vrouw,' antwoordde de commandant en werd zich ervan bewust dat het gesprek buiten de dienstvloer was geraakt. 'Hayden, wat kan ik voor u doen?'

Door het raam was verderop het C-blok te zien, Alec herinnerde zich zijn vroegere kamer, niet ongezellig, op die eerste middag – het was toen nog bijna winter – had hij Inga daarheen gestuurd om iets voor hem op te halen. Het kastje, het zwarte foedraal, die dag had ze hem kunnen bestelen. *Als je van de hemel houdt, is het mooi*, had ze toen over de omgeving gezegd. Ze had dunne schoenen aan, een twijngaren jas en kniekousen, ze stribbelde eerst tegen en was er tegelijk op gebrand hem behulpzaam te zijn. Ze had alles voor me gedaan, dacht de luitenant en vroeg zich af wat er zo beangstigend aan was om door een mens te worden verwend.

'U kunt zich voorstellen hoe weinig zin ik heb om hier de

rechercheur uit te hangen,' zei de commandant en ging achter zijn tafel zitten.

De luitenant zette de tas neer. In het begin had hij gedacht dat Inga argeloos was, nieuwsgierig en onbezonnen, en toen ze haar ouders bestal, vatte hij het op als zin voor avontuur – nooit keek ze achterom, van haar fouten leerde ze niet. De omstandigheden en haar verlangen eruit te breken hadden haar in de gevangenis gebracht – maar vooral zijn slechte voorbeeld. Hij staarde naar de handen van de commandant en diens vragende, afwachtende gezicht.

'Ik heb me aan iets schuldig gemaakt,' zei de luitenant. 'Ik zou niet willen dat een ander daarvoor ter verantwoording wordt geroepen.'

Hij pakte de tas aan beide hengsels en tilde haar in het blikveld van de commandant. 'Het was verkeerd, maar ik had het nodig,' ging hij verder. 'Ik zou mijn fout willen herstellen.'

Alec trok de leren helften van elkaar en onthulde de geldbundels. Onwillekeurig stak de commandant zijn hand erin, voelde ponden tussen zijn vingers, eronder lagen de rijksmarken.

'U zult vast kunnen stellen dat het compleet is,' zei Alec.

De commandant kwam met een ruk overeind. 'Maar hoe – ik begrijp het niet.' Dan, op bevelende toon, zijn armen achter zijn rug: 'Geeft u een verklaring.'

De luitenant ging in de houding staan, rapporteerde wat hij uit Inga's verhaal in elkaar had geflanst – over de broek van de superieur, de sleutels en waar ze lagen, de combinatie van de brandkast en de geldkistjes daarin; hij wees naar de betreffende zaken, alsof hij ze kende, en eindigde zijn bekentenis met de verzekering dat het een geval van leven en dood was geweest, anders had hij de diefstal niet begaan.

De commandant stond perplex. 'Bent u niet goed wijs of zo?' fluisterde hij. 'En wat wilt u dat ik nu doe?'

'Daarover matig ik me geen oordeel aan.' Alec bleef in de houding staan.

'Ik... kan toch niet...' Hij keek naar de deur. 'Dat is me ook een situatie!' Hij hapte naar lucht. 'Daar ligt alles klaar voor het verhoor.' Als een leraar die de klas tot de orde roept, tikte de commandant op de tafel. 'Ik geloof u niet,' zei hij ijzig. 'U verzint dat om haar te beschermen.'

Iets te haastig deed Alec een stap naar voren. 'Bedenkt u eens – wat is plausibeler – dat een niet-militair, bijna een kind nog, een inbraak pleegt, sleutels in haar bezit krijgt, met de juiste code de brandkast opent en een hoop geld ongemerkt het kamp uit krijgt – of dat iemand met hoge schulden de dader is?' Alec wees uit het raam. 'Van de ziekenbarak naar hier is maar een klein eindje. Onvoldoende bewaking, verouderde sloten...' Hij rechtte zijn rug. 'Ik hoefde er maar naartoe te wandelen.'

Krijgsraad en gevangenis, dacht hij ondertussen, oneervol ontslag op zijn minst; en toch voelde hij zich opgelucht, bijna vergenoegd, dat hij het juiste deed. *Slecht voorbeeld*, hij gnuifde, wat de commandant meteen opmerkte.

'Vindt u het amusant?' De commandant stond met twee passen bij de deur. 'Denkt u maar niet dat we dit door de vingers zien!'

Ruw draaide hij de deurknop om. 'Verhoor afgezegd,' riep hij de andere kamer in. Jasper kwam kwispelend overeind. 'Belt u even op,' beval de officier. 'De gevangene op vrije voeten stellen, de papieren volgen.'

De sergeant wilde er iets tegenin brengen. 'Zaak geseponeerd,' snoerde de commandant hem de mond, hij zag in zijn ooghoeken dat de notulante het schrijfblok dichtsloeg en de pennen opborg. Nadenkend liep de commandant naar de tas en keek erin. De hond maakte gebruik van de open deur, rende naar zijn baas en keek hijgend naar hem op.

In het andere kantoor zette de sergeant zijn baret op en verliet de barak. Achter de jonge dennenaanplant aan de rand van het kamp zag hij de MP op de veranda van het cellenblok rondhangen. Aan zijn voeten zaten twee mensen in het gras die elkaar wenend omarmden.

34

Marianne lag uitgestrekt op bed, Erik had haar haar grijze jurk aangetrokken. Als ze die vroeger aan had, bekeek Inga hem graag van dichtbij, omdat er blauwe kroontjes in het donkere weefsel verstopt zaten. Ze legde haar moeders pakje sigaretten op het nachtkastje, ze had er nog drie kunnen roken. Met de zijden doek die Erik haar had omgebonden, leek het net of ze kiespijn had. Haar wangen waren ingevallen, toch maakte haar gezicht geen levenloze indruk, alleen vermoeid, ouder dan Marianne in Inga's idee was.

'Het is allemaal geregeld,' zei haar vader, en schoof het papier over de tafel. Hij leunde voorovergebogen op zijn armen, zijn das hing boven de overlijdensverklaring.

Inga vroeg wie hij op de hoogte had gebracht.

'Jou,' luidde het gefluisterde antwoord. Net als in alle andere levensomstandigheden nam hij aan dat zijn dochter ook nu wist wat er gedaan moest worden.

'Toen jullie oom hebben begraven, wat is er toen gebeurd?'

Haar vader keek op naar de muur waar de stille weduwe al zo veel jaren woonde.

'Dat hebben de vrouwen toen allemaal...' Hij sloot zijn mond alsof de zin ten einde was.

In het huis woonden nu een weduwe en een weduwnaar, die elkaar nauwelijks kenden; eens per jaar ging Erik met de vrouw van zijn broer naar het kerkhof, waar de tijd vergleed met wieden en planten. Inga hield niet van de foto die achter glas in de grafsteen was aangebracht en waarop haar oom een verwaande indruk maakte, op die foto was hij helemaal niet zoals hij was geweest.

'Het familiegraf is vol,' zei haar vader.

Ze begreep pas na een ogenblik dat Horst de laatste vrije plaats had bezet – voor de volgende dode moest het graf worden uitgebreid. Ze stelde zich voor hoe het zwarte marmer zou worden opengebroken, hoe de zware steen, zinnebeeld voor de rust der doden, opzij zou worden gewenteld voor ze naar de kisten zouden graven. Haar grootouders waren gestorven in de tijd dat Inga leerde lopen. Marianne had wel verteld over haar krachtige en energieke vader en over haar koele moeder, en er was sprake geweest van een bedrijf en handelstransacties, gebeurtenissen van lang voordat Inga ook maar bestond.

'Verhalen over mama vertellen,' mompelde ze, alsof dat helemaal boven aan de lijst van te verrichten taken moest staan. Krankzinnig genoeg wenste ze opeens dat haar moeder en de luitenant elkaar beter hadden gekend. Marianne begreep de humor van de Britten, de enigszins wrange manier waarop ze ook de meest afschuwelijke dingen luchtig opvatten, alsof een probleem eenvoudiger te overwinnen was zolang je beleefd bleef. Mama zou heel graag met Alec hebben zitten roken, dacht Inga, urenlang zouden ze over gewone dingen hebben gepraat, en toch zou het een prettig onderhoud zijn geweest, hun gesprek zou bij beiden een glimlach hebben veroorzaakt.

Haar vader ging bij zijn vrouw zitten. Zijn woorden waren onduidelijk, een kleine kist, verstond Inga ten slotte, hij had gelijk, veel plaats zou Marianne niet innemen. Er waren enkele begrafenisondernemers in de stad, twee schoten haar al met naam en toenaam te binnen; er werd gezegd dat ze steeds minder opdrachten kregen.

'We moesten maar opschrijven wat we moeten doen.' Ze trok de lade open, de canastakaarten lagen bovenop, Inga woog ze in haar hand, pakte het schrijfblok dat eronder lag, scheurde het blad met de laatste spelstand eruit, wilde het verfrommelen – moeders handschrift – ze legde het papier terug in de la. 'Morgen is het zaterdag,' bedacht ze. 'Op zaterdag komt er niemand, niemand zal er zich druk om maken.'

'Goed,' zei haar vader en pakte de kleine hand. 'We hebben de tijd, Marianne.'

De vrouw lag languit, het sjaaltje mondde boven haar voorhoofd uit in twee punten, haar mond stond een beetje open. Vannacht, dacht Inga, als mama is toegedekt en wij naar bed zijn gegaan, dromen we dat alles weer gewoon is.

Erik liep naar het dressoir en klapte zijn mes open. Hij pakte de eerste kandelaar, brak de kaarsstomp af en krabde de was uit de holte, zo deed hij met elke kandelaar. Inga haalde nieuwe kaarsen uit de kast: vannacht zouden ze niet slapen, maar bij Marianne zitten en het licht zien flakkeren over haar gelaatstrekken. Ze ontstak de pit, hield hem naar beneden, plaatste de kandelaar eronder, de eerste gelige druppel viel.

Niemand mocht ongemotiveerd schuldig worden verklaard, dacht ze, maar gold dat ook voor de verklaring dat iemand onschuldig was? Er was haar niets uitgelegd, er waren geen gegevens verstrekt, behalve de nuchtere mededeling dat ze ontslagen werd. Zou er een notitie in het register worden gemaakt, kreeg ze haar oude baan terug, hoe moest ze de woorden van de sergeant – *Je kunt gaan, Inga* – interpreteren? Na de afgelopen dagen en nachten in de gevangenisbarak was ieder ander blij geweest vrij te zijn, maar zij voelde zich het slachtoffer van een onverklaarbare gerechtelijke dwaling. *De papieren volgen*, had de onderofficier nog gezegd en haar het kamp uit gestuurd.

De was vulde de holte nu bijna helemaal, Inga drukte de kaars erin, wachtte tot de was afgekoeld was en zette de kandelaar op de tafel naast haar moeders bed.

'Wat moeten we nou toch doen?' zei Erik. Hij beefde zo dat hij het lucifersdoosje niet vast kon houden. 'Wat moeten we nou?' vroeg hij zijn vrouw, zette zijn bril af en veegde over zijn gezicht. Blind staarde hij naar haar geliefde hoofd, haar lichaam en legde zijn hand op haar borst, alsof hij verwachtte haar hart weer te voelen kloppen.

'Ik heb me...' Een diepe zucht ontsnapte hem. 'Me altijd tegenover haar geschaamd.' Hij huilde kinderlijk. 'Geschaamd, Marianne...'

Inga keek toe hoe hij zijn hoofd in haar schoot begroef.

'We moeten wat eten,' zei ze, toen alle kaarsen brandden. Blind keek Erik in haar richting, zijn bril lag in een plooi van de deken. Ze verliet de kamer, waar het naar kunstwas begon te ruiken. In haar eentje in haar vaders rijk kon ze zich niet herinneren dat iemand hier ooit zijn plaats had ingenomen. Inga deed de voorraadkast open, vond brood en begon groente te snijden.

35

Alles hield zich die nacht stil, als een dodenwake voor Marianne, in de stad was geen beweging te bespeuren. Hoewel vader en dochter bij het open raam zaten, benamen de kaarsen hun de adem, koeler werd het niet. Inga vroeg of ze moeder nog een dag zo konden laten liggen, Erik weigerde haar naar de kelder te brengen. Die nacht was er geen hondengeblaf, er reed geen transport door de straten, zelfs krekels waren niet te horen.

'Nieuwe maan,' zei Erik toen Inga hem erop attent maakte. 'Mensen sterven bij nieuwe maan.'

Het was niet de duisternis boven de daken, niet het ontbreken van stadsgeluiden, ook niet de stilte na de onbegrijpelijke gebeurtenis – wat er speelde, was dat er iets stond te gebeuren, aangekondigd werd, zoals de rust tijdens het spel, voor de beslissende kaart wordt uitgespeeld. Inga dacht aan bepaalde mensen en hoe zij de nacht doorbrachten – zat zwarte Gabor te spelen en te drinken of had hij de donkerste nacht uitgekozen om iets van A naar B te vervoeren en winst binnen te halen? Ze stelde zich de generaalsvrouw voor in een ouderwets bed, ze sliep ondanks de hitte niet naakt – zou ook Marion Kosigk de ongewone stilte opvallen, liep ze naar het raam en viel haar blik op de scheur in de muur, stopten daarachter zelfs de jagende dieren even en zaten ze geluidloos achter het ijzeren gaas?

De afgelopen ochtend – hoe lang was dat geleden – was Alec naar het kamp gekomen, waarom eigenlijk, dacht Inga – om zijn papieren op te halen? Ze zag het lichtgrijze en het blauwe formulier voor zich; om een ontslag rechtsgeldig te maken waren de datumstempel, de stempel van de compagnie en die van de commandant alle drie nodig, ze hingen in het ronde stempelrek. Had hij de getekende papieren al bij zich, maar wie had ze dan opgesteld, wie kon er overweg met de nukken van de schrijfmachine? Wist Alec dat ze vrij was, of was haar ontslag niet belangrijk genoeg om in het kamp verder te worden verteld? Ze huilde, omdat er zo weinig hoop was de doodsbleke man nog terug te zien voor hij naar huis terugkeerde. Bedrijvig was het bij de Britten geworden – alsof ze gevangen zaten in het kamp dat ze zelf hadden gebouwd, iedereen probeerde zo snel mogelijk te vertrekken. Ook Alec wilde naar huis, naar zijn bleke familie, naar de banketbakkerij van zijn vader, en misschien – op dit stille uur kwam het voor het eerst in Inga op dat er misschien wel een vrouw op hem wachtte. Die haar haren liet kappen en een jurk kocht op de dag waarop ze van zijn terugkeer hoorde. Zou hij iets voor haar meebrengen, zat er genoeg geld in zijn zwarte foedraal om in Duitsland iets te kopen? Een bierpul, dacht Inga, snuisterijen, sieraden, je kon alles tegen dumpprijzen krijgen, Gabor leverde wel. Prijzen, herhaalde ze geluidloos en dubde over de meest waarschijnlijke oplossing – dat de Engelsen het geld hadden gevonden en in de brandkast terug hadden gelegd, of dat ze het zoeken hadden opgegeven, de som onder verlies boekten en het dossier sloten, het met andere dossiers vastsnoerden en alles het land uit vlogen. Het was ook mogelijk dat Inga, haar roof en het oude geld te onbelangrijk waren om het leger van het Verenigd Koninkrijk langer bezig te houden. Men scheidde het kaf van het koren en marcheerde af.

Langzaam vervloog de nacht, de buitenwereld kreeg contouren, het gezicht van haar moeder was niet langer een droom en werd grijs en afstandelijk. Mijn moeder is gestorven, dacht Inga in steeds nieuwe wendingen, haar moeder die ze vaak wreed had gevonden, omdat ze voltrok wat haar vader niet over zijn hart kon krijgen – straffen. Die Horst liefdevol in haar armen hield en giechelend geheimpjes met hem deelde. Haar moeder, die haar als een zus had behandeld nadat ze Inga haar eerste schoenen met hoge hakken had gegeven. Die gracieuze Marianne in haar gele stoel, de kleine koningin, van wie in huis al het leven uitging – een huis dat haar niet waardig was geweest.

Inga wilde dat ze buiten was. Haar vader lag op zijn zij aan Mariannes voeten, met een speekselvlek op de kraag van zijn hemd. Inga blies de kaarsen uit, al kleefde haar jurk aan haar benen, ze verwierp de gedachte aan omkleden, liet Erik slapen en liep de tuin in. De koele lucht was als nieuw, Inga sprong door het kniehoge gras en bleef staan bij de grafheuvel van het dode lam – hoe vroeg het ook was, ze moest voor de begrafenis zorgen. Ze verliet de tuin en rende de straat uit, twee keer naar rechts en ze zou voor de ingang van de begrafenisonderneming staan.

Bij de eerste vrachtwagen had ze er nog geen erg in, er waren vaak transporten vroeg onderweg; bij de tweede en de derde werd ze opmerkzaam: bundels papier lagen op de laadvloer opgestapeld, Engelse soldaten met MP's ervoor en erachter zwermden uit, het papier werd afgeworpen, andere soldaten kwamen het uitdelen. Ze bedolven de stad onder het nieuws, niemand mocht achteraf zeggen dat hij niet op de hoogte was gesteld. Vlak voor Inga viel een papierbundel op de weg, er stond al een korporaal klaar, die het touw doorsneed en haar iets overhandigde, wat anderen in de huizenblokken al aan het lezen waren. *Het laatste nieuws*, zo heette het blaadje elke dag, dat door Duitsers werd geschreven en geredigeerd door de legerleiding; vandaag was er maar één kop, slechts één artikel vulde de voorpagina.

'Zondag 40 D-Mark per persoon'.

In Inga's hoofd begonnen de gedachten rond te cirkelen – dat eigenaardige gelach van de man met een lachend gesloten oog, het ene oog van de paardendokter, terwijl zijn litteken vertrok – het geld voor de madonna, betaald met waardeloos papier en hoewel August alles wist, had hij de transactie afgesloten.

Zaterdag, negentien juni, de eerste dag waarop Inga's moeder niet meer leefde – de grond verdween onder haar voeten – ze wankelde en keek bevangen om zich heen. Voor ieder ander was dit een gewone dag. In de portieken, op straat, bij de bakker, in het vroege zonlicht dat om hen heen speelde, stonden de mensen met het blaadje voor hun neus of opengeslagen voor hun buik te lezen over de herwaardering en over het verdwijnen van het oorlogsgeld dat plaats zou maken voor de nieuwe, een Duitse mark. De piloot bij het tankstation schoot haar te binnen, die had gezegd dat de vliegtuigen dit keer niets afhaalden, maar iets naar Duitsland kwamen brengen – het nieuwe geld. *Kopfgeld*, stond er vet en op zijn kop gedrukt, een afschrikwekkend woord tot ze begreep dat het geen uitgeloofde premie voor een misdadiger was, maar 40 mark die per persoon meteen ingewisseld kon worden. Iemand schreef over het nut van de nieuwe munteenheid: 'Een nieuwe weg naar de waarachtigheid'. Ze bladerde en haar oog viel op 'kunnen kopen': de Amerikanen zouden meer gaan invoeren aan levensmiddelen, kleding en cultuurgoederen, maar welke cultuur? Ze kregen geen geschenken meer om te overleven, geen have en goed, maar moesten 'kunnen kopen', ze werden opgevoed voor de nieuwe handel.

Inga rolde de krant op, stopte hem onder haar arm, eerst het meest voor de hand liggende doen, en sloeg de straat in naar de begrafenisondernemer.

Het rolluik was daar nog naar beneden, ze liep om het gebouw heen, omdat hij en zijn vrouw soms buiten ontbeten, de tuinmeubelen waren gemaakt van overgebleven doodskistenhout. Vandaag ontdekte Inga hem naast de vrachtwagen, zag het pakket kranten op de stoeprand, het blad in zijn hand en wenste hem goedemorgen.

'Dacht ik het niet,' zei hij in plaats van een groet. 'Spookachtig, zo leeg als de etalages waren.' De vriendelijke man was in hemdsmouwen, de bretels slingerden rond zijn knieholtes. 'Niemand wilde nog iets geven voor die oude vodden.' Hij zocht in Inga's gezicht naar instemming.

'Mijn moeder is gestorven,' zei ze.

Hij beet in zijn onderlip, haar onverwachte mededeling ergerde hem. 'Ik moet eerst... de prijzen omrekenen.' Het was eerder een vooruitzicht dan een uitvlucht, hij moest zijn koopwaar nu eenmaal aan de nieuwe omstandigheden aanpassen. Inga maakte zich ineens zorgen dat ze zich Mariannes begrafenis van het ene uur op het andere niet meer kon veroorloven. Naast haar trok de vrachtwagen op, ze draaide haar hoofd weg van de walmende stank.

'Gecondoleerd,' de begrafenisondernemer had haar zwijgen benut om tot bezinning te komen en zei op de innemende toon die bij zijn vak hoorde: 'Komt je vader later?'

'Ik regel alles,' antwoordde ze.

'Goed, goed.' Hij wees op zijn incomplete kledij. 'Kom over een uur terug, dan heb ik de boel voor je open.' Met de krant omhoog haastte hij zich naar binnen. 'De dag begint al goed!' riep hij naar zijn vrouw.

Inga draaide zich om naar de etalage – doodskist, urn, bloemenkrans – op een muzieklessenaar stond de zwartomrande assortimentslijst met klein gedrukte prijzen die ze vluchtig las, zoals je de koppen van een weggegooide krant leest. RM, haar oog viel op de oude afkorting, wat voor stenoafkorting zou er voor de nieuwe munt komen?

'Lichtbeige peau de suèdeschoenen,' zei een haastige vrouw tegen de man naast haar. 'Niet in de etalage, hij heeft ze achter.'

'Met rubberzolen?' vroeg hij.

Op een zaterdagochtend had Inga nog nooit iemand zien rennen, maar nu viel de stad ten prooi aan een onwezenlijk snel tempo. De nacht hadden ze niet net als Inga doorwaakt, dus hoe hadden ze zo snel hun kleren aangeschoten? Verzorgd gekleed als voor een bezoek aan de dokter of aan een ambtenaar stormden de inwoners van Föhrden door de straten, ieder met zijn eigen zorgen, maar met dezelfde krant in hun handen. Inga begreep dat ze in de richting van het slot liepen en van de Engelsen, die het nieuws hadden rondgestrooid, meer details wilden horen. Ze waren het rennen gewend, wie wilde ontsnappen aan een zwartemarktrazzia, moest in staat zijn plotseling te zwenken. Hoe zou de zwarte markt op het nieuwe geld reageren, vroeg Inga zich af, ze merkte hoe ze door de stroom werd meegesleurd en ook in looppas meerende – was de Rautjeswijk niet juist ontstaan, doordat de oude munteenheid niets waard was?

Naar het slot, voor de antwoorden!

'Als ik stof kan krijgen voor een kostuum voor papa,' zei een hinkende vrouw, 'dan naait hij het zelf in elkaar.'

Inga vroeg zich af of ze eerst naar huis moest om haar vader in te lichten. Maar voor hem maakte het allemaal geen verschil, de opgeschrikte stad had niets te maken met de verandering die in zijn leven had plaatsgevonden. Achter haar aanhoudend geknal, er naderde een auto op houtgas, de inzittenden hielden hun blik recht vooruit, ze wilden het voetvolk voor zijn. Op de hoek ontdekte ze de voormalige burgemeester, de 'goede', zoals hij nog altijd werd genoemd, de Engelsen hadden het partijlid afgezet – en daar stond hij met zijn rode opvolger, in de pas staken ze de straat over.

Toen Inga om de stenen poort heen liep, was de Krokusweide zo vol mensen als ze sinds haar meisjesdagen niet meer had gezien. Voor de muren van het slot hield een Britse wachtcompagnie de mensen weg van de ingang, in de flanken versterkt door Duitse politieagenten die hun plicht nonchalant vervulden, de gummiknuppel bleef in de holster.

'Waar blijft ons pensioen!' Een groep vrouwen, verenigd tot een koor, schreeuwde haar grootste zorg uit.

'Mijn levensverzekering betalen ze zeker uit,' zei een man bezwerend. 'Waarom heb ik anders al die jaren...?' Engelse kreten vanaf het slot, het was geen bekendmaking, maar de waarschuwing van een soldaat.

'Ik heb een huis,' antwoordde een schrale man en kreeg een bewonderende blik van de man met de levensverzekering – er ging niets boven grondbezit.

Er klonk een Britse stem over het plein, zo helder als een trompet: de verklaringen kwamen de volgende ochtend, alle vragen zouden op zondag worden beantwoord. Op de Hasselwiese! Beethovenpfad! Werneckstraße! Door het accent hadden de straatnamen, waar de wisselkantoren zouden worden ingericht, een vreemde klank, vervolgens viel de poort van het slot dicht.

Net als op de kermis, waar de mensen nog rondhingen als de kraampjes al dicht waren, bleef iedereen op de Krokuswei-de hangen – doelloos mengde Inga zich onder de mensen. Nog een geluk dat ik mijn viool niet heb ingeleverd, lachte iemand. Vijf ton spijkers, zei een heer in een double-breasted colbert hoofdschuddend en vol onbegrip. Ik had net het geld voor een bedrijfsvergunning bij elkaar. – Nee, per vliegtuig, sprak een vrouw haar man tegen.

Op de balustrade van de trap zaten twee oude heren dicht naast elkaar. Hoe ze daar zo hoog bij de stadsleeuwen waren gekomen, bleef hun geheim, dromerig bekeken ze de drukte aan hun voeten, alsof ze over zee uitkeken.

'Slim zijn die Amerikanen, hoor,' zei de een.

'Een natie met slaven, daar hebben ze niks aan,' knikte de ander.

'Hiermee halen ze de grote slag binnen.'

'En nu we het weer kunnen, mogen wij betalen.'

'Mijn God, reken maar,' beaamde de eerste en sloeg zijn benen over elkaar. Van onderen kon Inga de vuistgrote gaten in zijn schoenen zien.

Zijn uniform, zijn bekende manier van lopen, op een paar meter van Inga af ging de commandant voorbij. Wrevelig legde hij zijn armen op zijn rug, ergerde zich eraan dat hij geen andere weg had genomen en nu door de menigte opgewonden mensen heen moest – niemand sprak hem aan, maar hij ontsnapte niet aan hun blikken. Hij stuurde aan op de zijingang, maar Inga was een paar seconden eerder dan hij bij de deur.

'Sir! Mijn vrijlating!' riep ze.

Bij wijze van vraag hief de wacht zijn geweer, maar de commandant wimpelde hem af. Verwonderd noemde hij haar naam. 'Uw moeder is gestorven, hoor ik?'

Inga was ontroerd. De Engelsman met het zeilschip, die haar steeds nuchtere brieven dicteerde, hield die zich bezig met een familieaangelegenheid van haar?

'Tot nu toe heeft niemand me verteld waarom ik vrijgelaten ben... sir.'

Hij wilde haar geen rekenschap afleggen. 'Het geld is gevonden,' zei hij desondanks en sloeg zijn armen over elkaar.

'Gevonden?' Wie had bedacht om de barak aan het andere eind van het vliegveld te doorzoeken? 'Maar dan...' de gedachte ontglipte haar, '... zou ik het net zo goed nog gepakt kunnen hebben.'

Hij nam haar op alsof hij zich afvroeg of er een bijzonder geraffineerde vrouw tegenover hem stond of een gestoorde. 'De ware dader is gevonden,' maakte hij zich ervan af.

'Wie?' Het spookbeeld van een valse beschuldiging stak de

kop op, de angst dat er in haar plaats iemand moest zitten. De commandant liep verder, de wacht bij de deur deed een stap opzij.

'Wie?!' herhaalde ze.

Hij stapte over de drempel. 'Geen Duitser.'

Had een Brit de tas gevonden, gehouden en was hij ontdekt? Of hadden ze de barak leeggehaald en was Inga's bergplaats op die manier gevonden?

Een beeld als in de spiegel: de startbaan 's nachts en een man in een rolstoel, die zich met krachtige halen over het veld heen werkte en mensen had uitgenodigd voor een spel op een plek waar niemand het vermoedde.

'Luitenant Hayden?' riep Inga de commandant na.

Hij kwam niet terug in het daglicht, maar ze zag zijn blik – alsof er vragen over zijn gezicht dwaalden – een paartje in zijn kamp, de officier en de typiste? De commandant scheen zich ervan bewust te worden dat de waarheid alleen met grote moeite te achterhalen viel, en inspanningen was hij steeds uit de weg gegaan. Onhoorbaar vanwege de grote hoeveelheid stemmen viel de deur in het slot.

De Krokusweide begon leger te worden, de mensen verdwenen in de aangrenzende straatjes, haastten zich naar huis om met hun gezin in conclaaf te gaan, hun oude geld te tellen en zich een voorstelling te maken van het verschil tussen het 'ervoor' en het nog onbekende 'erna'. Bruin bedrukt papier werd vervangen door ander papier met nieuwe koppen, wat betekende dat voor de volgende maaltijd, de komende werkdag, wie waren de winnaars? Terwijl Inga met kleine passen naar het midden van het plein terugkeerde, hoorde ze een man zeggen: De smeerlappen van vroeger zijn de smeerlappen van morgen, waarmee ze betalen doet er niet toe.

Ze was woest op zichzelf, omdat het haar niet lukte om de wereld van haar dromen en de werkelijkheid uit elkaar te houden. Van de mensen die de luitenant kenden, achtte niemand hem in staat tot ware opofferingsgezindheid en de gedachte dat hij om harentwil gelogen kon hebben en de schuld op zich genomen had, was zo onwerkelijk, zo romantisch onwaarschijnlijk, dat ze bleef staan, koppig op het grind stampte en zich tegen het voorhoofd sloeg.

'Ze denken dat dit het einde is.' Een vrouwenstem. 'Maar op de een of andere manier gaat het altijd verder.' Ze was oud, droeg ondanks het mooie weer een jas met een sjofele kraag en liep glimlachend verder.

Verward en ongelukkig liep Inga terug naar de straat waar de begrafenisondernemer woonde. In het voorbijgaan gleed haar oog over de etalage van een ijzerhandel, waar een jongeman geknield zat, terwijl de eigenaar van achteren aan kwam lopen met een radiotoestel voor de etalage. Hij en zijn bediende plaatsten het op een fluwelen kussen, verschoven de opstelling wat, maar leken nog niet tevreden. Met zijn ogen vroeg de jongeman wat het beste was. Inga was blijven staan en wees. Een geboende houten kast, glimmend chroom, op de afstemschaal stonden steden waar waarschijnlijk niemand ooit naar toe zou reizen. Voordat Inga verder liep, zag ze achter in de winkel goederen opgestapeld, ze reikten bijna tot aan het plafond.

36

Er brandde een smeulend vuur en de luitenant vroeg zich af wie met deze hitte de open haard aanstak. Dankbaar voor momenten van rust wachtte hij met genoegen, slenterde op en neer in de salon, liet zijn vingers over de lak van de vleugel glijden, leunde op een oorfauteuil en keerde weer terug naar de open haard. Daar in de erker had Marion haar gasten ontvangen, militairen van de drie machten, industriëlen uit Beieren en Amerikaanse economische experts – ze had de faam als enige in de Britse zone Franse cognac te schenken. Zoals Alec had voorzien was de controleraad vervallen tot een discussieclub, terwijl de beslissingen ergens anders vielen. Hij kon zich niet aan de indruk onttrekken dat de Amerikanen hun bondgenoten voor waren geweest en het continent naar eigen goeddunken opdeelden. Wanneer was deze wending op touw gezet – toen ze aan de oorlog mee gingen doen of toen de Russen zich afsplitsten? Twee oorlogen, dacht hij, wat er overbleef, waren twee grootmachten die de wereld opnieuw mochten ordenen. Hij deed een stap terug en schudde met zijn been, de hitte brandde door de uniformstof heen – idioot om bij deze temperatuur een vuur aan te leggen.

De generaalsvrouw verscheen op het terras, haar silhouet bleef even staan tussen de gordijnen, waar ze een koffer neerzette.

'Ga je op reis?' Hij beantwoordde haar kus.

Ze keerde zich half om naar haar koffer. 'Tijd om wat orde op zaken te stellen.'

'Ze sturen me terug,' zei hij na een pauze.

'Vóór je manschappen?' Ze was verbaasd.

'Mij valt een bijzondere behandeling ten deel.' Hij volgde haar naar de erker, ze liepen de twee treden op en stonden daar als zangers die elk moment in een duet konden losbreken.

'Ik moet terechtstaan. De compagnie is grotendeels ontbonden, er is hier geen rechtspraak meer.' Hij haalde zijn schouders op. 'Met een beetje geluk sturen ze me naar huis. Beter om door Schotten te worden veroordeeld.'

Marion Kosigk glimlachte. 'En voor welke van je vele zonden doen ze je een proces aan?'

Hij streelde haar handpalmen. 'Voor iets wat ik niet gedaan heb.' Hij wilde naar het buffet, maar ze liet hem niet los. 'Beschuldigd van diefstal,' zei hij met een onschuldige blik, haalde de stop van de karaf en schonk hun in.

'We vroegen ons al af waar je het geld om te spelen vandaan had.' De broche op haar borst fonkelde. 'Zelfs Gabor was niet op het idee gekomen. Stelen is op de een of andere manier niet – Schots.' Met haar ogen hield ze hem vast. 'En als de grote slag was mislukt?'

Gnuivend verliet de luitenant met zijn glas in zijn hand de erker. 'Hoe vaak kun je uit een rijdende auto worden gegooid?'

Hij liep naar de koffer die nog bij de ingang stond. 'Je gaat niet op reis... het zijn ook beslist geen kleren die je weg wilt geven.' Hij tilde hem op en schatte het gewicht. De generaalsvrouw was hem gevolgd, maar begaf zich nu naar de open haard. 'Neem hem maar mee, alsjeblieft.'

De luitenant droeg de koffer naar de zitgroep.

'Je hebt de haard aan op 20 juni... Ben je misschien...?' Met een blik vroeg hij haar toestemming, ze knikte, hij legde de koffer neer en opende hem.

'Wat een ellende,' zei hij na een paar seconden in gedachten te hebben gezwegen.

'Maar het bespaart een hoop narigheid.' Marion Kosigk pakte de bovenste bundel, spreidde het geld als een waaier, alsof ze het nog een keer wilde tellen. 'Het voorkomt vragen die niet te beantwoorden zijn.' Met een zwaai gooide ze het geld in het vuur: ze verwachtten beiden dat het hoog op zou vlammen. Maar het bedrukte papier nam de vlam slechts langzaam in zich op, een donkere, walmende vlek die zich uitbreidde, tot de biljetten plotseling vlam vatten en binnen een paar seconden verkoolden.

'Je wist dat het zou gebeuren,' zei hij.

'Je had ons kunnen waarschuwen.' Marion bukte zich, ook hij greep een paar bundels. Ze richtte zich op.

'Veertig mark moet ik houden,' lachte ze. 'Waarom zou ik afzien van het Kopfgeld?'

Alec frommelde losse biljetten in elkaar, mikte en wierp. 'Gaan ze Gabor verhoren?' Iedere knoedel veranderde in een kleine vuurbal.

'Zijn contacten met *headquarters* zijn daarvoor net iets te netelig.' Ze deed de luitenant na. 'Ze zullen liever hebben dat iemand als Gabor zwijgt. Hij is ervan overtuigd dat de zwarte markt morgen al niet meer bestaat.'

De luitenant knikte, naast elkaar stonden ze naar het vuur te kijken, dat zijn voedsel nu snel verslond en helder opvlamde – gedrukte getallen en statige hoofden werden in het zwart gehuld tot ze as waren.

'Wat is Gabor van plan... Britse carburatoren demonteren, net als vroeger?'

'Hij gaat naar het oosten.'

Verrast deed Hayden een stap opzij. 'Wat heeft hij daar nou te zoeken?' vroeg hij geringschattend.

'Hij komt daarvandaan.' Marion liet zich in een fauteuil vallen. Pareltjes zweet stonden op haar voorhoofd en neus.

'En als ik je nou voorstel met me mee te gaan?' Op het geritsel van de vlammen na werd het stil.

'De Engelsen hebben mijn man omgebracht,' zei Marion Kosigk. 'Ik ga niet naar dat eiland.'

Hij wierp de laatste knoedel. 'Ik ben een Schot,' antwoordde hij en wist dat het geen verschil uitmaakte. Hij liep de salon door en sloot zijn uniformjasje voor hij de gang betrad. De schemerige kamer, de gele halve cirkel voor de schoorsteen; van de in de fauteuil verborgen generaalsvrouw was alleen een hand op de leuning te zien.

37

Britse bulldozers braken de Britse barakken af. Een hijskraan reed van onderkomen naar onderkomen, lichtte de daken ervanaf en zwaaide ze naar de grond. Pioniers draaiden bouten los, schroefden ze eraf en legden onderdelen op de shovel van de Caterpillar, die met brullende motor over het vliegveld rolde. Manschappen van wie kantoor of werkplek al was gedemonteerd, stonden rokend in de schaduw te lummelen, ze hoefden alleen nog maar op hun eigen transport te wachten. Terwijl Inga onder de bomen voorbijliep, zei een van hen: 'Officieren gaan per vliegtuig, mensen als wij moeten genoegen nemen met een treinkaartje.'

Ze keek naar de startbaan, de hitte zinderde boven het beton, helemaal achteraan verdween het dak van een barak in de buik van een transporttoestel. Was Alec al in zijn vliegtuig gestapt en over de dennenaanplant en de zee naar het westen gevlogen? Zat hij thuis al aan tafel cadeautjes uit te delen?

De vorige dag had Inga hem niet echt verwacht, hoe had hij ook kunnen weten waar en hoe laat het afscheid nemen zou zijn – en toch was ze tweemaal naar buiten gegaan, had de straat af gekeken of het uniform met de korte broekspijpen niet op kwam dagen. Zonder een blik in de spiegel had Erik zich aangekleed, zijn handen deden alles goed, zijn trouwkostuum, de kraag van zijn overhemd was aan beide kanten gestreken, de zwarte band om zijn arm had hij nog van de begrafenisplechtigheid van zijn broer. Met lange passen ging hij op weg naar de begrafenisondernemer, knikte bij wijze van dank als iemand hem onderweg condoleerde, maar bij het naar binnen gaan wankelde hij, Inga had hem bij zijn ellebogen gepakt en hij barstte in huilen uit.

'Dat is het zwaarste,' had de begrafenisondernemer gemompeld, hij was nu geen zakenman meer, maar veranderd in de meelevende begeleider van het afscheid: uit zijn houding, kledij en blik sprak correcte treurigheid. Toen Erik de doodskist zag, schreeuwde hij het zo vertwijfeld uit, dat de vrouw die nog wat aan het bloemstuk verschikte, achteruit sprong. Inga leidde haar vader naar de bank waar hij de gasten zou begroeten. Voor een overlijdensadvertentie was niet genoeg tijd geweest, ze hoopten dat de mondelinge berichtgeving voldoende zou zijn. Willoos zat haar vader daar, tegenover hem lag zijn vrouw, verborgen door planken en bloemen. Het aanbod van de begrafenisondernemer om Marianne zichtbaar op te baren, hadden ze afgewezen. Erik noch Inga had een opschrift kunnen bedenken voor de linten aan de krans – Marianne, mijn moeder, verrast door het einde van de oorlog die haar zoon wegnam, Marianne – de zwarte linten lagen onbeschreven over de kist gedrapeerd. Erik had nog maar een paar minuten met haar alleen voor de eerste bezoekers de kleine zaal betraden.

Inga stond aan de rand van de startbaan, van waaruit niet

viel op te maken of het weerstation achter het bos al was neergehaald. De zon brandde in haar nek en haar blouse plakte aan haar rug, ze had dorst, draaide zich om en bepaalde waar de bulldozers en de kraanwagens heen reden. Inga rende en was vóór de machines bij de commandobarak. Jasper lag op de treden, zijn favoriete plekje, ze streelde hem, waarop zijn zwarte ogen omhoog schoten naar haar en nog hoger naar de kraan die achter haar stopte. De motor loeide, de montagestang schoof naar buiten en zes pioniers klommen op het dak. Inga stapte over de hond heen en betrad haar vroegere werkplek.

Ze hadden nog niet alles opgeruimd, op de tafel van de sergeant lagen nog wat spulletjes die niet van het leger van Zijne Majesteit waren. Inga herkende haar blauwe sjaaltje, dat ze in het voorjaar om haar schouders had gedragen, ze zag op het stenoblok een conceptbrief in haar handschrift die elke betekenis had verloren. De zwarte machine had Inga graag meegenomen – alleen zij kende haar nukken, wie had er in Engeland nog behoefte aan dat oude ding? Maar ze wist ook dat de lijst niet meer klopte als zij het zonder toestemming 'meenam', dat een arme kantoorklerk aan de andere kant van het Kanaal het zou moeten bezuren. Twee potloden en het gebruikte gummetje liet ze in haar tas glijden, ze ontdekte het papieren zwaantje dat de vroegere secretaresse weken geleden was vergeten en pakte het in. Boven haar kraakte en dreunde het, ze verwachtte elk moment dat het dak omhoog zou gaan en ze de boomkruinen kon zien. Opeens een geluid in de andere kamer, ze schrok – wie was er nog meer in de barak? – en dat terwijl de deur al uit de hengsels was gelicht. Met drie passen stond Inga in het kantoor van de commandant: tafel, wastafel en brandkast waren al weg, hij haalde net zijn foto van de wand naast het raam.

'Inga...' begroette hij haar zo vanzelfsprekend alsof de jonge 'C.E.' net als elke dag terugkwam van haar middagpauze.

'Einde van de voorstelling.' Hij glimlachte, een zeldzaamheid, ze begreep dat hij opgelucht was het toneel van de overwinning te kunnen verlaten om zo snel mogelijk het dekzeil van zijn jol vast te snoeren en het zeil te hijsen.

'Nog even en u bent thuis.'

Hij bekeek de lijn van het schip. 'Heb ik u verteld dat het een kimkiel is? Dertig voet, prettige diepgang, ze ligt bij Theyrecroft, het is nu de beste tijd.' Hij keek op: boven hen knarsten de sponningen, het lichtgrijs geschilderde dak zweefde omhoog en ze keken in het verbaasde gezicht van een pionier.

'Skuseer, sir,' stamelde hij en probeerde tevergeefs, gehurkt op een richel op de wand, te salueren. 'Wist niet dat u...'

'Ga maar door.' De commandant beschermde zijn ogen tegen de binnenvallende zon en klemde de foto onder zijn arm. Hij en Inga verlieten de barak samen. Blaffend en jankend wilde de spaniël de demontage van zijn hut voorkomen, maar de commandant pakte hem bij zijn halsband.

'Wanneer is de begrafenis?' vroeg hij, terwijl de kraan de helft van het dak over hun hoofd weg zwaaide.

'Morgen.'

'Het beste ermee, Inga.' Hij schudde haar de hand en begaf zich naar de mess. Die was nog intact, eten moesten ze tot op het laatst.

Terwijl Inga door het zand de andere kant op liep, snuffelde ze aan haar vingers, ze roken naar Jasper. Met drie man schroefden ze de stalen slagboom los, trokken en rukten aan de bouten, de metalen arm schoot los en viel zwaar op de grond. Een hele oorlog werd ingepakt en het land uit gebracht.

De ziekenbarak met de zwarte H was er niet meer, alleen de rozenbottelstruik bevestigde dat Inga hier op een middag was blijven staan toen het nog geen lente was, en dat de bleke luitenant hier op het terras had gezeten en zijn vinger naar haar had uitgestoken. *Hoe komt u thuis – Te voet – Maar daar heeft u de goede schoenen niet voor.* Inga keek naar beneden, ook nu droeg ze de rode sandalen, een geschenk van haar moeder, gemaakt voor haar gracieuze voet. Naast de struik zakte ze op haar hurken, omklemde haar knieën en huilde luidkeels, huilde eindelijk omdat haar moeder was gestorven. Door haar tranen heen zag ze haar kleine teen, die uit het bandje was gegleden en er aan de zijkant uitstak.

Marianne bezat een zwart mantelpakje. Haar maten waren Inga bekend, dus ze hoefde het pakje niet te passen, tornde de achternaad open met een scheermesje, legde zwarte stof klaar en begon te knippen. Geen geluid drong door in de kamer, ze concentreerde zich op het hanteren van de schaar – maar waarom was haar moeder destijds in het zwart naar Eriks proces gegaan, in dit mantelpakje, waarin Inga nu een stuk inzette in de rug? Haar vader in zijn trouwkostuum in de beklaagdenbank en Marianne vermomd als weduwe, terwijl donker nooit haar kleur was geweest, een vrolijke jurk zou zijn zaak misschien wel ten goede gekomen zijn. Aanklagers, rechters en bijzitters waren Britten, de aanklacht werd in het Engels voorgelezen, Erik en zijn advocaat hadden koptelefoons gekregen. De man had slechts vluchtig met haar vader gepraat, hij handelde soms wel tien gevallen per dag af. Fluisterend had Inga de punten van de aanklacht voor haar moeder vertaald maar Marianne had zich al snel afgewend, ze wilde niet weten wat hem ten laste werd gelegd.

Bij partijoptochten had Erik vooraan gemarcheerd, zei de aanklager, hij struikelde over het woord 'goudfazant'. De advocaat probeerde met documenten te bewijzen dat Erik geen hoge partijfunctie had gehad, maar werd onderbroken, Erik kreeg het verzoek het zelf te vertellen. Haar verwarde vader kon niets anders bedenken dan zijn uniform te beschrijven, hij schilderde de roodbruine uitmonstering af als een soort dracht, waarvan de linten, gespen en de sierdolk niets met zijn positie te maken hadden gehad. Die rechtvaardiging viel zo ongelukkig uit, dat ze zijn situatie alleen maar verslechterde. Hij was in het transportwezen een leider met speciale volmachten geweest, luidde de beschuldiging van de aanklager. Voor een stationschef sprak die volmacht in het transportwezen vanzelf, bracht de advocaat ertegen in.

Inga stelde zich voor hoe Erik op die speciale nacht aan zijn journaal gezeten kon hebben, hoe hij over het papier gebogen de zware vulpen bewoog en letters en cijfers kalligrafeerde – vijfhonderd eenheden – met zijn schuin geschreven 'h' en de beginkrul bij de 'e', hoe vervolgens de inkt het papier in drong, de vloeischommel over het vochtige schrift wiegde en Eriks daad vereeuwigde. In het register van treinen die niet volgens de dienstregeling reden, noteerde hij model en serienummer van de loc, het nachtelijk uur van het vertrek, legde de liniaal onder de notitie, trok een streep en tilde de liniaal behoedzaam op om vlekken te voorkomen. De lading van de trein werd niet genoemd.

Inga haalde de kap van de machine, controleerde of er zwart garen in zat, schoof de stof onder het voetje, gaf het wiel een zet en trapte op het pedaal. Had zijn vakmanschap de witharige rechter in de steek gelaten, toen hij geen zware straf oplegde? Zag hij Eriks bevende handen en de hulpeloze ogen achter de brillenglazen, dacht hij dat er een ongevaarlijk individu in de beklaagdenbank zat? De al uitgezeten hechtenistijd werd opgelegd en nog diezelfde avond was Erik vrij.

Tijd en medelijden, dacht Inga, terwijl de naald op en neer ging, waren Eriks bondgenoten. Wie zou een rouwende man arresteren – vanwege een paar herinneringen op de vliering? Alles streefde naar vernieuwing, laten we vooral geen oude koeien uit de sloot halen; en Inga bedacht dat het verdwijnen van het uniform daar het symbool van was. Gebogen over de ratelende machine stelde ze zich voor hoe de verantwoordelijken van beide partijen elkaar in sober pak ontmoetten, de tijd van de veelkleurige uitmonsteringen was voorbij, daar had iedereen voorlopig genoeg van gezien.

De naad viel scheef uit, maar op haar rug zou niemand dat zien. Ze beet de draad af en in haar onderjurk schoot ze haar moeders mantelpakje aan. De rok vertoonde plooien, het jasje spande over haar borst, maar het kon ermee door. In Mariannes kleren ging Inga naar haar moeders begrafenis.

38

'Gelooft u maar niet dat u die veertig mark zomaar krijgt.' Hoewel de regenwolken nog in het westen hingen, stak de apothekersvrouw haar paraplu op. 'Alleen echte arme stakkers krijgen hun geld zonder er iets voor terug te geven,' praatte ze op Henning in. 'En ik kon hun natuurlijk niet aantonen dat ik niets opzij heb gelegd.'

De apothekersvrouw hoorde niet tot de familiekring, maar ze woonden gewoon bij elkaar om de hoek. Al luisterend probeerde Henning in de buurt van Inga te komen. Toen hij aankwam, had hij haar gecondoleerd, maar hij was door de rij achter hem weggeduwd.

'Voor vijf mensen, voor mijn moeder, mijn kinderen en mijn man, moet ik de tegenwaarde van het Kopfgeld op zien te brengen,' probeerde de apothekersvrouw zijn aandacht terug te winnen. 'Vijf maal veertig maal tien... tweeduizend rijksmark bij elkaar. Wat er daarna nog op het spaarbankboekje stond, was niet eens voldoende om de leges te betalen om het op te heffen.'

'Hoe gaat het met uw man?' vroeg Henning afwezig.

'Over een maand wordt hij uit Rusland vrijgelaten.' De apothekersvrouw rolde met haar ogen. 'En dan moet ik er nog een zien te onderhouden, Joost mag weten hoe.'

Henning stapte onder haar paraplu vandaan in zijn dunne, zwarte jas, en wendde zich tot Inga. Henning, de huisvriend, die van Marianne had gehouden, het gezin op mooie dagen door het landschap toerde, die het portier voor Marianne openhield en haar uit het restaurant iets te drinken bracht in de auto. De spelletjes canasta, de lange avonden met de vlierbessenlikeur – het bestond allemaal niet meer. Marianne was het verbindende element, dacht Inga, zij heeft ons gezin licht gemaakt, door haar wilden mensen met ons omgaan.

Haar vader stond met zijn twee meter naast haar en zocht de hand van zijn dochter. Terwijl de mensen langs hen trokken, vormde Inga zich een beeld van zijn verschrikkelijke toekomst. Hij had slechts voor Marianne geleefd, voor haar had hij de oorlog draaglijk gemaakt, om harentwille het onaantrekkelijke huis in een thuis veranderd. Dat hij was vernederd en op non-actief gesteld kon hij verdragen omdat hij het met haar mocht delen. Haar te beschermen, al haar karaktertrekken lief te hebben, door haar humor en haar strengheid omgeven te zijn, dat was de zin van Eriks leven. Inga zag hun tweeën voortaan in het trieste huis aan de rand van de stad, zichzelf en haar vader, de niet voor rede vatbare man, die met vervroegd pensioen had gemoeten, die geen doel had in zijn onafzienbare eenzaamheid. Vandaag was Marianne er nog bij, deze honderd mensen brachten haar weer tot leven, ze werd gehuldigd en geëerd, alsof ze nog onder hen was. Vandaag werd Eriks pijn groots en verheven, want het defilé ter ere van Marianne bracht ook hem luister en verdoezelde wat er allemaal nog komen zou. Maar Inga zag de lange zomeravonden al voor zich, wanneer er niemand onder de parasol op het keukenbalkon zat om Eriks kookkunst te bewonderen, en de ochtenden wanneer zijn vrouw niet met een vrolijke lach ontwaakte en het kussen opschudde als hij haar ontbijt op bed bracht. Inga zag de grijze stipjes op haar stoel, waar ze anders de asbak vastzette, de stand bij canasta in Mariannes handschrift en haar lege ligstoel in de tuin. Door haar beminnelijke macht was Inga's vader gelukkig geweest, doordat Marianne er was had hij, een angstige man met onrustige ogen, gelachen en een zonnig leven geleid. Zijdelings keek Inga hem aan en begreep dat de tijd niet ieders wonden heelt.

Henning had zijn wagen zo dicht tegen de rouwzaal aan geparkeerd dat verlate gasten zich omstandig tussen de auto en de muur door moesten wringen om het voorplein te bereiken. Inga ontweek Hennings blik – wat viel er nog te zeggen? Er had zich intussen zo veel voorgedaan, dat ze al begon te vergeten waarom hij en zij ooit de jagersstoel in waren geklommen.

Inga ontdekte de weduwe van haar oom, die nu alle dagen zwart droeg, ze was achter Hennings bumper blijven haken en controleerde of haar kous nog heel was. Ze had slanke benen en was nog jong, maar verkoos in eenzaamheid te leven. Achter haar verscheen tot Inga's vreugde de paardendokter met een vrolijke bos bloemen, die beter bij Marianne paste dan de ijzige doodsbloemen. In pak zag hij eruit als de zakenman die hij al die jaren had weten te camoufleren. Of zijn voorraad nu opraakte, zijn winst steeg of daalde vanwege het nieuwe geld – August zou vraag en aanbod altijd naar eigen voordeel weten te zetten.

Het begon zacht te regenen, als een beleefde uitnodiging om met de plechtigheid voor Marianne te beginnen. De mensen die op het voorplein stonden, balden zich samen tot een groep en drongen de hal in, sommigen staken voor de laatste meters nog hun paraplu op. August schudde de familie de hand, ze verwachtten een condoleance, maar hij zei dat de madonna elk moment kon worden opgehaald. 'Het beeld was van Marianne,' glimlachte hij. 'Ik zou het nooit hebben weggedaan.' Hij draaide zijn oog naar Erik en schonk hem een bemoedigende blik. Verwonderd bedacht Inga dat alles verjaarde, zelfs de pakken geld die aan mevrouw Seidler waren betaald. Het begon harder te regenen, de schouders van haar vader begonnen te glanzen, Inga duwde hem zachtjes naar binnen en wilde hem een arm geven om met hem door de middengang naar Mariannes kist te gaan.

De militaire auto remde aan de rand van de straat, de wielen slipten in het grind van het voorplein. De mensen die nog buiten stonden, draaiden zich om en sloegen de eruit springende onderofficier gade, de twee MP's op de achterbank en nog een derde achter het stuur. Ook Erik keek met een ruk om en deinsde terug, wilde in de diepte van het portaal wegduiken, maar mensen die hun paraplu dichtklapten, versperden hem de weg. Een sergeant die Inga nog nooit had gezien liep in zomeruniform met zijn baret in de epaulet op hen af, de steentjes onder zijn schoenen knerpten.

'Niet vandaag!' stamelde Erik en greep Inga's arm.

Met elke pas liep de Engelsman langzamer.

'Vandaag haalt niemand me hier weg!' riep haar vader met gebroken stem. Inga beduidde hem te zwijgen, voelde hoe alle zelfbeheersing uit hem week en zijn spieren verslapten; vergeefs probeerde ze de reus te ondersteunen, maar hij zonk naast haar op de grond. Radeloos gingen de gasten opzij, terwijl de dominee dichterbij kwam en op de achtergrond de MP's uit de jeep sprongen.

'Laat hem met rust,' riep een verre neef tussen de groep mensen.

'Hoe lang moet dat gepest nog doorgaan?' koos de apothekersvrouw partij. Om Erik heen posteerden zich anderen.

'Toont u alstublieft een beetje respect,' zei Henning en ging de man in uniform tegemoet.

Verward en tegelijk gealarmeerd keek de sergeant van de een naar de ander, voelde de opschudding, maar kon de redenen ervoor niet doorzien. Als om zich te rechtvaardigen haalde hij een pakje uit zijn borstzak. In de plotseling ingevallen stilte las hij Inga's naam van het bruine papier.

'Ja?' Ze zat naast haar vader geknield. Zijn bril was op zijn voorhoofd geschoven, uit zijn mond kwamen onsamenhangende klanken.

'Bent u dat?' vroeg de Brit.

'Ja.' Aarzelend kwam ze omhoog.

'Dit is van luitenant Hayden.'

Onwillekeurig strekte Inga haar hand uit. 'Waarom komt hij zelf niet?' Ze voelde het ruwe papier.

'Zijn trein...' De sergeant liet het voorwerp los. 'Hij marcheert vandaag af.'

Alsof er niemand om haar heen stond, alsof haar vader niet buiten zichzelf op de grond lag, staarde Inga naar het pakje. 'Met de trein, niet met het vliegtuig?' prevelde ze.

'Per trein naar Büsum,' antwoordde de sergeant. 'Vandaar over zee.' Hij zette zijn baret op, maakte rechtsomkeert en gebaarde de mannen bij de wagen weer in te stappen. Op het moment dat de motor startte, sprong hij de auto in.

De dominee boog zich over Erik en ondersteunde zijn hoofd, terwijl Henning en twee anderen de sidderende man overeind hielpen. Inga hield het pakje in haar handen, het was licht, er verschoof iets binnenin wat een licht geruis veroorzaakte. Om haar heen verwachtte men dat ze haar vader naar binnen leidde, met hem op de voorste rij ging zitten, dat de dominee voor de kist boog, op de kansel klom en met de ceremonie begon. Inga wierp een blik over haar schouder: waar haar moeder lag, bolden de bloemen op, de meeste plaatsen waren bezet, terwijl sommige mensen liever aan de zijkant bleven staan. Ze klemde het pakje onder haar arm, drukte Eriks hand en vroeg of hij zover was. Ze betraden de hal, de geur van de bloemen deed haar kokhalzen, door iedereen gadegeslagen liepen ze naar voren.

Het land was gloeiend heet, geen briesje bewoog het heidebos, in deze tijd van het jaar had Inga de groene veengronden nog nooit zo bruin gezien. Alleen het gras op de landouwen stond er weelderig en groen bij. Ze stond op het achterplatform en reed de stad uit, weg van alles wat haar vertrouwd was – elk bos, elk rietland, elke strook biezen, alles wat tussen haar en de stad kwam te liggen, ervoer ze als een opluchting.

Mooi was het geweest en vol wijding, het orgel weerklonk, ze hadden gezongen en gehuild, de dominee had verheven woorden aangehaald om de thuisvaart van Marianne voor hen te beschrijven. Haar vader zat op de ereplaats te midden van de ontroering, als een toren verhief hij zich in het kerkschip. Hoe meer bemoedigende woorden hij oogstte, hoe meer hij in Inga's ogen veranderde van een kerkuil in een treurende goudfazant. Toen de kist op het affuit voor hen uit rolde, had Erik vooraan gemarcheerd – zoals jaren terug – terwijl zijn asblonde haar verwaaide, zijn bril flitsen zonlicht reflecteerde en achter hem de zwarte parade volgde, en toen ze zich om de groeve hadden verzameld, had hij uit gewoonte zijn handen tegen zijn broeksnaad aan gelegd. De *strijkende nazi*, dacht Inga ondanks alle ontroering, daar stond hij, zoals ooit bij de groet aan de bloedvlag, terwijl ze zijn vrouw in de aarde lieten zakken. De dominee sprak de zegen uit, aarde roffelde op de kist, de niet voor rede vatbare stationschef kreeg een laatste glans toen hij een roos uit zijn eigen tuin in de diepte wierp.

Silhouetten op hun kop waar het dennenwoud zich in het meer spiegelde, misschien waren de aalbessen in het struikgewas tussen de bomen al rijp. Jeneverbesbomen en zandbanken wezen op de nabijheid van het haf, de houten windmolens werden bevolkt door meeuwen – sinds de vrede was Inga voortdurend op het droge gebleven, en dat terwijl er een hele zee was! Gegroefde duinafslag, ruige duinen en marsland met zout gras, daarachter het eindeloze water; bij het raam van de ratelende trein dacht ze de wind al te voelen, de kuddes wolken al te zien die uit zee kwamen en in het binnenland verdwenen. Ook al was ze er zeker van dat de Meldorfer Bucht nog vele bochten weg was, toch zweefde haar blik ongeduldig langs de horizon, zocht het begin van het duinlandschap in elke terreinverhoging. Eén keer zag ze een windmolen aan voor de vuurtoren die ze verwachtte.

Inga wist niet of de luitenant in dezelfde trein zat, evenmin waarom hij zijn thuisreis over land begon. Ze zou door horden soldaten heen moeten dringen om hem op te sporen, want in de gangen en coupés werd de terugkeer al uitbundig gevierd. Inga bleef liever op het schommelende platform – de zon stond hoog aan de hemel, hoewel het al middag was – en opende haar tas, in watten gebed lag haar parelmoeren speldje in het pakje. Het was van haar grootmoeder geweest, die haar lange haar ermee opstak, later van Marianne en nu was het naar Inga teruggekeerd.

De trein vertraagde al voor het station, met een schok schoof de naam Büsum het raam in. Het lukte Inga om voor de anderen het perron op te glippen, ze struikelde het gebouw uit. Langs de rode kerktoren en de silo's die erboven uitstaken, rende ze over een houten brug en door straten zonder ze waar te nemen. De eerste paalwoningen waren een aankondiging van het water en ze rende tegen het bebouwde duin omhoog om de haven te zien. Zegge en riet, door de wind schuin geblazen, daarachter drong de vaargeul als een taartpunt door het water. Stukken rots en beton voorkwamen dat de inham zich weer zou sluiten. Aan de aanlegsteigers lagen dicht opeen stoomsleepboten, reddingsschepen, konvooiboten en mijnenvegers, daartussen leken de Duitse zeilschepen klein en verloren. Elk schip voerde een vlag, boven de meeste wapperde de Britse wimpel.

Inga daalde af naar de kade, waar overal werd ingeladen, de met sjablonen op de kisten geverfde opdrukken waren haar vertrouwd, hoe vaak had ze zulke combinaties van letters en getallen niet op de lijsten genoteerd. Lichte geweren, affuiten, artillerievoorwagens, munitie, eetservies, een soepkanon, kieppannen en bakovens werden aan stalen kabels naar boven gehesen en verdwenen in de scheepsromp. Na het havenhoofd tweemaal op en neer te hebben gelopen was ze er zeker van dat er op die dag slechts één schip beschikbaar was voor het transport van de manschappen, een oude vrachtschuit genaamd Lloyd Manoline. Goedgehumeurd stonden de mannen in korte broeken op de pier, hun jasjes vastgebonden op de bagage, de wapens nonchalant op de schouder, terwijl sommigen hun plunjezakken boven op elkaar hadden gegooid en met gesloten ogen in de zon lagen. Sergeants en MP's liepen te patrouilleren, maar niemand vond het de moeite waard de troepenverplaatsing reglementair af te handelen; het vertrek van de Britten uit Duitsland was niet de afronding van een krijgstocht, maar een zomers feestje aan het kanaal. Een paar uur varen over het staalblauwe water en ze werden verwelkomd op het eiland, waar ze allemaal weer in burgers mochten veranderen.

Inga haastte zich terug naar de haventoegang, iedereen die de pier op wilde, moest daarlangs. Net als de vrouwen en moeders die ze had zien staan als er transporten vrijgelaten krijgsgevangenen aankwamen, stelde ze zich op bij een muur en keek naar het gezicht van langsrennende mannen met het juiste uniform en het goede ranginsigne. Het was een en al vrolijkheid, oorlog en bezetting lagen achter hen, ze wilden zo snel mogelijk terug naar het gewone leven, in het voorbijgaan spraken ze Inga aan in hun overmoed en probeerden haar te verlokken mee te gaan naar het Verenigd Koninkrijk. De Duitsers, vissers en ordehandhavers, mensen uit Büsum die waren komen kijken, stonden met wantrouwige gezichten op een afstandje, menigeen draaide de vrolijke stoet de rug toe, maar wierp verstolen een blik over zijn schouder. Anderen waren van verre gekomen om afscheid te nemen, lachten en huilden samen met de soldaten die wegtrokken en zwoeren dat ze elkaar terug zouden zien. Hand in hand liepen paartjes zwijgend naast de stroom vrolijke mannen, hij in uniform, zij in haar mooiste jurk. Inga kon niet anders dan zich voorstellen dat ook de bleke luitenant en de juffrouw uit het kamp op die manier in de haven zouden rondlopen, treurig en verschrikt door het onherroepelijke afscheid. Meer dan een bondig vaarwel zat er niet in, zei ze bij zichzelf, opende het speldje, stopte het tussen haar tanden, draaide haar haren in een wrong en stak het vast.

Hij liep langzaam met zijn bagage op zijn schouder, zijn jasje en hemd hingen open, hij praatte met een MP, die zijn gummiknuppel onder zijn arm stak. Terwijl Inga naar hen keek, kwam er een tweede MP over de top van de heuvel aanrennen, alsof hij bang was de aansluiting te missen, en flankeerde de luitenant aan zijn rechterkant. Met zijn drieën kwamen ze dichterbij, vóór Alec doemde de haven op en Inga, die in de schaduw van de muur stond, merkte hij niet op. Ze stond op het punt hem te roepen, toen ze zag dat de MP de luitenant bij zijn schouder vasthield en hem opdroeg niet direct bij de manschappen aan te sluiten – Alec bleef staan. De politiemensen stelden zich voor en achter hem op en gaven pas het bevel door te lopen toen de weg vrij was. Nu ze de kade bereikten was er geen twijfel meer mogelijk, ze bewaakten hem en escorteerden hem naar het schip.

Verwonderd kwam Inga in beweging en rende uiteindelijk de zanderige treden af. De groep voor haar bereikte de boeg, marcheerde langs de soldaten, die zich geduldig lieten registreren en stopte voor de valreep. De toegang werd geblokkeerd door twee man die bezig waren met het laden van een open kist. Terwijl Inga het vlaggenschip passeerde en onzichtbaar achter de rij wachtende mannen naar de Lloyd Manoline liep, probeerde ze te begrijpen waarom er werd gelachen – het ging om het theeservies dat aan boord werd gebracht over de smalle loopplank, waardoor de kist schommelde en er binnenin gerinkel was te horen.

'Alsof we thuis niet genoeg van dat spul hebben,' riep iemand. 'Geef het aan de Duitsers,' riep een ander achter hem. Het servies en de twee mannen verdwenen op het tussendek, Alec en zijn begeleiders volgden.

Inga rende langs de laatste mannen, stopte voor de smalle brug die het water overspande en wist niet meer wat er nog te zeggen viel. Ze legde haar handen op het ijzerdraad dat als leuning diende.

'Waar gaat dat heen, *miss*?' vroeg de man naast Inga. Toen ze zweeg, volgde hij haar blik de valreep op. 'Hé, luitenant,' riep hij. 'U hebt een souvenirtje vergeten.'

De voorste MP van de groep draaide zich om en bracht de luitenant tot staan. Aan wal begonnen er een paar te lachen, het werden er meer en alle ogen waren op Inga gericht. Ten slotte draaide Alec zich om en legde zijn handen net als zij op het zwaaiende ijzerdraad.

'Hij heeft zich aan iets schuldig gemaakt,' riep een zittende soldaat. 'En nu krijgt ze geeneens een zoen!'

De mannen van de militaire politie keken de luitenant afwachtend aan. Inga sprong naar voren en betrad de loopplank, maar aan dek dook er al iemand van de Navy op.

'Hé daar,' riep hij. 'Geen stap verder.' Een vriendelijke onderkin, zijn uniform was correct gesloten.

Vóór Inga de drie mannen op de schommelende brug, onder haar het water, aan land talloze lachende mannen met geestige opmerkingen, die steeds onverbloemder werden.

De stem van de luitenant resoneerde in de planken waar ze op stonden. 'Vijf minuten,' zei hij, meer een vaststelling dan een verzoek.

De politiemannen zochten steun bij elkaar, ten slotte haalde de achterste zijn schouders op en maakte de weg vrij. Met drie stappen was Inga bij hem, de plank kantelde en haar heupen werden tegen de draad geperst. Alec legde een arm om haar heen en draaide haar meteen het dek op, waar de matroos ontstemd voor hen kwam staan.

'Tegen de voorschriften,' mompelde hij.

Inga wist niets terug te zeggen.

'Knijp een oogje dicht, *skipper*,' zei de luitenant met een ernstig gezicht. 'Laat mijn verloofde meevaren.' Hij ging achter Inga staan.

'Hoor eens even, sir...' maakte de ander zich geschrokken breed.

'Heb je geen bagage bij je?' vroeg Alec aan haar. 'Het kan koud worden op het water.'

Ze opende haar mond, begreep dat het maar een spelletje was, maar ze genoot toch van zijn woorden. 'Ik was hier vaak aan het strand,' antwoordde ze. 'Je kunt hier de mooiste schelpen vinden.'

'Geen tijd om naar schelpen te zoeken.' Samen keken ze in de richting waar Schotland zo ongeveer lag.

De luitenant maakte haar bovenste knoopje dicht. 'Je zou bij mijn vader in de smaak vallen, een Schot in hart en nieren. Hij houdt van vrouwen zonder vrees.'

'Ik kan niet met je mee,' antwoordde Inga, alsof ze gedwongen was alleen dit ene spel nog af te maken.

‘Omdat ik onder arrest sta?’ Hij deed een pas naar achteren.

‘Onze papieren.’ Ze recapituleerde de voorschriften. ‘We hebben het lichtroze formulier nodig, met een stempel van jouw werkkring. En van de mijne.’

Met zijn hoofd schuin en zijn ellebogen achter zich op de reling, keek hij haar aan. ‘Ik heb geen werkkring meer.’

‘Ik ook niet,’ realiseerde ze zich op hetzelfde moment.

Aan wal werd het rumoeriger omdat er midscheeps een tweede toegang was geopend. De reep werd neergelaten en het werd een heel gedrang. Om de zaak af te ronden stapten de MP’s aan dek. De luitenant richtte zich op, een windvlaag joeg zijn haar over zijn voorhoofd. Op het moment dat hij niets zag, sprong Inga op hem af en kuste hem.

‘Good luck.’ Hij lachte, ze keken elkaar aan, hij streelde haar mond.

Inga gebaarde naar de matroos dat ze van boord wilde, in verwarring gebracht liet hij haar door. Op de loopplank kwamen haar mannen met geschouderde plunjezakken tegemoet, een van hen zei dat de Russen alle straten naar Berlijn hadden afgezet. Inga dacht opeens aan de laatste trein en dat ze op moest schieten als ze voor het donker thuis wilde zijn. Haar vader mocht de eerste avond zonder Marianne niet alleen zitten. Boven haar trokken de wolken de andere kant op, naar de bergachtige kust die tot vlak boven het water met dicht groen was begroeid. Inga beeldde zich in dat de luitenant haar nakeek, maar ze draaide zich niet meer om.